D0252201

Elena Ferrante

L'amie prodigieuse

Enfance, adolescence

Traduit de l'italien
par Elsa Damien

Gallimard

Titre original :

L'AMICA GENIALE

© *Edizioni e/o, 2011.*
© *Éditions Gallimard, 2014, pour la traduction française.*

Elena Ferrante est l'auteur de plusieurs romans parmi lesquels *L'amour harcelant*, *Les jours de mon abandon*, *Poupée volée*, *L'amie prodigieuse* et *Le nouveau nom*, tous parus aux Éditions Gallimard.

LE SEIGNEUR : Tu pourras toujours te présenter ici librement. Je n'ai jamais haï tes pareils. Entre les esprits qui nient, l'esprit de ruse et de malice me déplaît le moins de tous. L'activité de l'homme se relâche trop souvent ; il est enclin à la paresse, et j'aime à lui voir un compagnon actif, inquiet, et qui même peut créer au besoin, comme le diable. Mais vous, les vrais enfants du ciel, réjouissez-vous dans la beauté vivante où vous nagez ; que la puissance qui vit et opère éternellement vous retienne dans les douces barrières de l'amour, et sachez affirmer dans vos pensées durables les tableaux vagues et changeants de la Création.

J.W. GOETHE, *Faust*

INDEX DES PERSONNAGES

LA FAMILLE CERULLO (LA FAMILLE DU CORDONNIER) :
Fernando Cerullo, cordonnier.
Nunzia Cerullo, mère de Lila.
Raffaella Cerullo, que tout le monde appelle Lina, sauf Elena qui l'appelle Lila.
Rino Cerullo, grand frère de Lila, cordonnier lui aussi.
Rino sera aussi le prénom d'un des enfants de Lila.
Autres enfants.

LA FAMILLE GRECO (LA FAMILLE DU PORTIER DE MAIRIE) :
Elena Greco, dite *Lenuccia* ou *Lenù*. C'est l'aînée, et après elle viennent *Peppe*, *Gianni* et *Elisa*.
Le père est portier à la mairie.
La mère reste au foyer.

LA FAMILLE CARRACCI (LA FAMILLE DE DON ACHILLE) :
Don Achille Carracci, l'ogre des contes.
Maria Carracci, femme de Don Achille.
Stefano Carracci, fils de Don Achille, épicier dans l'épicerie familiale.
Pinuccia et *Alfonso Carracci*, les deux autres enfants de Don Achille.

LA FAMILLE PELUSO (LA FAMILLE DU MENUISIER) :
Alfredo Peluso, menuisier.
Giuseppina Peluso, femme d'Alfredo.

Pasquale Peluso, fils aîné d'Alfredo et Giuseppina, maçon.
Carmela Peluso, qui se fait appeler aussi *Carmen*, sœur de
    Pasquale, vendeuse à la mercerie.
Ciro et *Immacolata*.

LA FAMILLE CAPPUCCIO (LA FAMILLE DE LA VEUVE FOLLE) :
Melina, une parente de la mère de Lila, veuve folle.
Le *mari* de Melina, qui déchargeait des cageots au marché
    horticole.
Ada Cappuccio, fille de Melina.
Antonio Cappuccio, son frère, mécanicien.
Autres enfants.

LA FAMILLE SARRATORE (LA FAMILLE DU CHEMINOT-POÈTE) :
Donato Sarratore, contrôleur.
Lidia Sarratore, femme de Donato.
Nino Sarratore, l'aîné des cinq enfants de Donato et Lidia.
Marisa Sarratore, fille de Donato et Lidia.
Pino, *Clelia* et *Ciro Sarratore*, les plus jeunes enfants de
    Donato et Lidia.

LA FAMILLE SCANNO (LA FAMILLE DU VENDEUR DE FRUITS ET
LÉGUMES) :
Nicola Scanno, vendeur de fruits et légumes.
Assunta Scanno, femme de Nicola.
Enzo Scanno, fils de Nicola et Assunta, vendeur de fruits et
    légumes lui aussi.
Autres enfants.

LA FAMILLE SOLARA (LA FAMILLE DU PROPRIÉTAIRE DU BAR-
PÂTISSERIE HOMONYME) :
Silvio Solara, patron du bar-pâtisserie.
Manuela Solara, femme de Silvio.
Marcello et *Michele Solara*, fils de Silvio et Manuela.

LA FAMILLE SPAGNUOLO (LA FAMILLE DU PÂTISSIER) :
M. Spagnuolo, pâtissier au bar-pâtisserie Solara.
Rosa Spagnuolo, femme du pâtissier.
Gigliola Spagnuolo, fille du pâtissier.
Autres enfants.

Gino, fils du pharmacien.

LES ENSEIGNANTS :
M. Ferraro, instituteur et bibliothécaire.
Mme Oliviero, institutrice.
M. Gerace, professeur au collège.
Mme Galiani, professeure au lycée.

Nella Incardo, la cousine d'Ischia de Mme Oliviero.

PROLOGUE

Effacer les traces

1

Ce matin Rino m'a téléphoné, j'ai cru qu'il voulait encore de l'argent et me suis préparée à le lui refuser. Mais le motif de son appel était tout autre : sa mère avait disparu.

« Depuis combien de temps ?

— Quinze jours.

— Et c'est maintenant que tu m'appelles ? »

Mon ton a dû lui paraître hostile ; pourtant je n'étais ni en colère ni indignée, juste un tantinet sarcastique. Il a tenté de répliquer mais n'a pu émettre qu'une réponse confuse, gênée, moitié en dialecte et moitié en italien. Il s'était mis dans la tête, m'a-t-il expliqué, que sa mère était en vadrouille quelque part dans Naples, comme d'habitude.

« Même la nuit ?

— Tu sais comment elle est.

— D'accord, mais quinze jours d'absence, tu trouves ça normal ?

— Ben oui. Ça fait longtemps que tu ne l'as pas vue, c'est encore pire : elle n'a jamais sommeil, elle va et vient, elle fait tout ce qui lui passe par la tête. »

Il avait quand même fini par s'inquiéter. Il avait

interrogé tout le monde, fait le tour des hôpitaux et s'était même adressé à la police. Rien, sa mère n'était nulle part. Quel bon fils! Un gros bonhomme sur la quarantaine, qui n'avait jamais travaillé de sa vie et n'avait fait que trafiquer et gaspiller. J'ai imaginé avec quelle diligence il avait dû faire ses recherches : aucune. Il n'avait pas de cervelle, et rien ne lui tenait à cœur hormis sa propre personne.

«Elle ne serait pas chez toi?» m'a-t-il soudain demandé.

Sa mère? Ici à Turin? Il connaissait bien la situation, et ne parlait que pour parler. Lui oui, c'était un voyageur, et il était venu chez moi une dizaine de fois, sans y être invité d'ailleurs. Sa mère, qu'au contraire j'aurais accueillie avec plaisir, n'était jamais sortie de Naples de toute sa vie. Je lui ai répondu :

«Elle n'est pas chez moi, non.

— Tu es sûre?

— Rino, s'il te plaît : je te dis qu'elle n'est pas là.

— Mais alors elle est où?»

Il s'est mis à pleurer : je l'ai laissé mettre en scène son désespoir, avec des sanglots qui commençaient par être feints avant de devenir réels. Quand il a terminé je lui ai conseillé :

«S'il te plaît, comporte-toi comme elle le voudrait, pour une fois : ne la cherche pas.

— Mais qu'est-ce que tu racontes?

— Tu m'as entendue. C'est inutile. Apprends à vivre tout seul, et ce n'est pas la peine de me chercher non plus.»

J'ai raccroché.

2

La mère de Rino s'appelle Raffaella Cerullo, mais tout le monde l'a toujours appelée Lina. Pas moi : je n'ai jamais utilisé ni ce premier ni ce deuxième prénom. Depuis plus de soixante ans, pour moi elle est Lila. Si je l'appelais Lina ou Raffaella, comme ça, d'un coup, elle penserait que notre amitié est finie.

Cela fait au moins trois décennies qu'elle me répète vouloir disparaître sans laisser de trace, et il n'y a que moi qui sache vraiment ce qu'elle veut dire. Elle n'a jamais eu à l'esprit une quelconque fugue, un changement d'identité, ou rêvé de refaire sa vie ailleurs. Et elle n'a jamais pensé au suicide, dégoûtée comme elle est à l'idée que Rino se retrouve avec son corps et soit obligé de s'en occuper. Son intention a toujours été différente : elle voulait se volatiliser, disperser chacune de ses cellules, et qu'on ne retrouve plus rien d'elle. Et comme je la connais bien, ou du moins je crois la connaître, je parie qu'elle a trouvé un moyen de ne pas laisser la moindre trace dans ce monde, pas un cheveu, nulle part.

3

Les jours ont passé. J'ai surveillé ma messagerie électronique et mon courrier, mais sans espoir. Je lui ai écrit très souvent, mais elle ne m'a presque jamais répondu : cela a toujours été son habitude.

Elle préférait le téléphone ou les longues nuits passées à bavarder quand je descendais à Naples.

J'ai ouvert mes tiroirs et les boîtes en métal dans lesquelles je conserve des souvenirs de toutes sortes – bien peu de chose. J'ai jeté beaucoup d'affaires, en particulier la concernant, et elle le sait. J'ai découvert que je n'ai rien d'elle, pas une photo, pas un message, pas un petit cadeau. Je m'en suis étonnée moi-même. Est-il possible qu'en tant d'années elle ne m'ait rien laissé d'elle, ou pis encore, que je n'aie jamais voulu garder quelque chose d'elle ? Oui, c'est bien possible.

Cette fois, c'est moi qui ai téléphoné à Rino, même si je l'ai fait à contrecœur. Il ne répondait ni sur son fixe ni sur son portable. Il m'a rappelée dans la soirée, à sa convenance. Il parlait avec une voix qui essayait d'apitoyer :

« J'ai vu que tu as appelé. Tu as des nouvelles ?

— Non. Et toi ?

— Aucune. »

Il m'a tenu des propos désordonnés. Il voulait aller à la télé, à l'émission qui s'occupe des personnes disparues : y lancer un appel, demander pardon à sa mère pour tout et la supplier de rentrer.

Je l'ai écouté patiemment et puis lui ai demandé :

« Tu as regardé dans son armoire ?

— Pour quoi faire ? »

Naturellement il ne lui était jamais venu à l'esprit de faire ce qui était le plus évident.

« Va voir. »

Il y est allé et s'est rendu compte qu'il n'y avait rien, même pas un vêtement de sa mère, d'été ou d'hiver, seulement de vieux cintres. Je l'ai envoyé fouiller la maison. Ses chaussures avaient disparu.

Ses quelques livres aussi. Disparues toutes les photos. Disparus les films. Disparu son ordinateur, même les vieilles disquettes qu'on utilisait autrefois, tout, la moindre trace de ses activités de fée de l'électronique – elle qui avait fait ses premières armes avec les ordinateurs dès la fin des années soixante-dix, à l'époque des fiches perforées. Rino était stupéfait. Je lui ai proposé :

« Prends tout le temps que tu veux, et ensuite appelle-moi pour me dire si tu as trouvé ne serait-ce qu'une épingle qui lui appartienne. »

Il m'a rappelée le lendemain, très agité :

« Il n'y a rien.

— Rien du tout ?

— Non. Elle a découpé son image sur toutes les photos où nous étions ensemble, même celles de quand j'étais petit.

— Tu as bien regardé ?

— Partout.

— Même à la cave ?

— Partout, je t'ai dit. Même la boîte qui contenait ses papiers officiels a disparu – les trucs comme les vieux extraits de naissance, les abonnements téléphoniques ou récépissés de paiements. Qu'est-ce que ça veut dire ? Quelqu'un a tout volé ? Qu'est-ce qu'ils cherchent ? Qu'est-ce qu'ils nous veulent, à ma mère et moi ? »

Je l'ai rassuré et lui ai recommandé de garder son calme : il était hautement improbable que quelqu'un veuille quoi que ce soit de lui !

« Je peux venir quelques jours chez toi ?

— Non.

— S'il te plaît, je n'arrive pas à dormir.

— Débrouille-toi, Rino, je n'y peux rien. »

J'ai raccroché et quand il m'a rappelée, je n'ai pas répondu. Je me suis assise à mon bureau.

Lila va trop loin, comme d'habitude, ai-je pensé.

Elle élargissait outre mesure le concept de trace. Non seulement elle voulait disparaître elle-même, maintenant, à soixante-six ans, mais elle voulait aussi effacer toute la vie qu'elle laissait derrière elle.

Je me suis sentie pleine de colère.

Voyons qui l'emporte cette fois, me suis-je dit. J'ai allumé mon ordinateur et ai commencé à écrire notre histoire dans ses moindres détails, tout ce qui me restait en mémoire.

ENFANCE

Histoire de Don Achille

1

Un jour, Lila et moi décidâmes de monter l'escalier qui conduisait, marche après marche, étage après étage, jusqu'à la porte de l'appartement de Don Achille : c'est ainsi que notre amitié commença.

Je me rappelle la lumière mauve de la cour et les odeurs d'une douce soirée de printemps. Nos mères préparaient le dîner et c'était l'heure de rentrer mais nous nous attardions, occupées à mettre notre courage à l'épreuve, par défi et sans jamais nous adresser la parole. Depuis quelque temps, à l'école et en dehors, nous ne faisions que cela. Lila glissait la main, puis tout le bras, dans la gueule noire d'une bouche d'égout, et juste après je faisais de même, le cœur battant, espérant que les cafards ne me courraient pas sur la peau et que les rats ne me mordraient pas. Lila grimpait jusqu'à la fenêtre de Mme Spagnuolo, au rez-de-chaussée, se pendait à la barre de fer où passait le fil à linge, se balançait et puis se laissait glisser jusqu'au trottoir, et moi je le faisais aussitôt à mon tour, même si j'avais peur de tomber et de me faire mal. Lila s'enfonçait sous la peau l'épingle de nourrice rouillée

25

qu'elle avait trouvée dans la rue je ne sais quand, mais qu'elle gardait dans sa poche comme si c'était le cadeau d'une fée : moi j'observais la pointe de métal qui creusait un tunnel blanchâtre dans sa paume puis, quand elle l'enlevait et me la tendait, je faisais pareil.

Tout à coup, elle me lança un de ses regards bien à elle, immobile, les yeux plissés, et se dirigea vers l'immeuble où habitait Don Achille. La peur me figea le sang. Don Achille, c'était l'ogre des contes, et j'avais interdiction absolue de l'approcher, lui parler, le regarder ou l'épier : il fallait faire comme si sa famille et lui n'existaient pas. Il était craint et haï, dans ma famille mais pas seulement, sans que je sache d'où ça venait. Mon père en parlait d'une telle façon que je l'avais imaginé gros, couvert de cloques violacées et constamment hors de lui, malgré ce « Don » qui évoquait au contraire, pour moi, une autorité calme. C'était un être fait de je ne sais quelle matière – fer, verre ou ortie – mais vivant, vivant avec un souffle brûlant qui lui sortait par le nez et la bouche. Je croyais que si je le voyais ne serait-ce que de loin, il me planterait dans les yeux quelque objet acéré et chauffé à blanc. Et si j'avais la folie de m'approcher de la porte de son appartement, là il me tuerait.

J'attendis un peu pour voir si Lila changeait d'avis et faisait volte-face. Je savais ce qu'elle voulait faire et j'avais inutilement espéré que cela lui sortirait de l'esprit – mais pas du tout. Les lampadaires n'étaient pas encore allumés et la lumière dans les escaliers non plus. Des voix énervées provenaient des appartements. Pour la suivre, il fallait que je quitte la lueur bleutée de la cour et que je pénètre dans le noir du hall d'entrée. Je me décidai : au début je ne vis rien et ne sentis qu'une odeur de renfermé et de DDT ; puis je m'habituai à l'obscurité et découvris Lila assise sur la première marche des escaliers. Elle se leva et nous commençâmes à monter.

Nous avançâmes en nous tenant du côté du mur, elle deux marches devant et moi deux marches derrière, tiraillée entre le désir de raccourcir la distance entre nous et celui de l'augmenter. Il m'en est resté le souvenir de mon épaule frottant contre le mur décrépi, et l'impression que les marches étaient très hautes, plus hautes que celles de l'immeuble où j'habitais. Je tremblais. Chaque bruit de pas et chaque éclat de voix, c'était Don Achille qui arrivait dans notre dos, ou bien qui venait vers nous avec un grand couteau, de ceux qu'on utilisait pour ouvrir le ventre des poules. On sentait une odeur d'ail frit. Maria, la femme de Don Achille, allait me mettre dans sa poêle avec de l'huile bouillante, leurs enfants me mangeraient et lui me sucerait la tête comme mon père le faisait avec les rougets.

Nous nous arrêtâmes souvent et, à chaque fois, j'espérai que Lila se déciderait à faire demi-tour. J'étais trempée de sueur – elle, je ne sais pas. De temps en temps elle regardait en l'air, mais je ne comprenais pas quoi : on ne voyait que la grisaille des fenêtres à chaque palier. Soudain les lumières s'allumèrent, mais elles étaient faibles et poussiéreuses et laissaient de vastes zones d'ombre remplies de dangers. Nous attendîmes pour comprendre si c'était Don Achille qui avait tourné l'interrupteur mais on n'entendit rien, aucun pas ni porte qui s'ouvre ou se referme. Alors Lila poursuivit, et moi derrière.

27

Elle considérait que ce qu'elle faisait était juste et nécessaire, tandis que moi j'avais oublié pour quelle raison j'étais là et, pour sûr, j'étais là uniquement parce qu'elle y était. Nous montions lentement vers la plus grande de nos terreurs de l'époque, nous allions affronter notre peur et la regarder en face.

À la quatrième volée de marches, Lila eut un comportement inattendu. Elle s'arrêta pour m'attendre et, quand je la rejoignis, me donna la main. Ce geste changea tout entre nous, et pour toujours.

2

C'était sa faute. À une époque pas tellement lointaine – dix jours ou un mois auparavant, je n'en sais rien, puisque alors nous ignorions tout du temps – elle s'était emparée de ma poupée par traîtrise et l'avait jetée au fond d'une cave. À présent nous montions vers la peur, alors que ce jour-là nous nous étions senties obligées de descendre, en courant, vers l'inconnu. En haut, en bas, nous avions toujours l'impression d'aller à la rencontre de choses terribles qui, même si elles existaient avant nous, n'attendaient pourtant que nous, et toujours nous. Quand on est au monde depuis peu de temps, il est difficile de comprendre quels sont les désastres à l'origine de notre sentiment du désastre, et peut-être n'en ressent-on même pas la nécessité. Les grandes personnes, en attente du lendemain, évoluent dans un présent derrière lequel il y a hier, avant-hier ou tout au plus la semaine

28

passée : elles ne veulent pas penser au reste. Les petits ne savent pas ce que cela veut dire « hier », « avant-hier », ni même « demain », pour eux tout est ici et maintenant : ici c'est cette rue, cette porte, ces escaliers, ici c'est cette maman et ce papa, ce jour et cette nuit. Moi j'étais petite et, en fin de compte, ma poupée en savait plus long que moi. Je lui parlais, elle me parlait. Elle avait un visage, des cheveux et des yeux en celluloïd. Elle portait une petite robe bleue que lui avait cousue ma mère dans un de ses rares moments heureux, et elle était très belle. La poupée de Lila, en revanche, avait un corps en chiffon jaunâtre rempli de sciure, et je la trouvais laide et crasseuse. Toutes deux s'épiaient, se soupesaient, toujours prêtes à se blottir dans nos bras si un orage éclatait, s'il y avait du tonnerre ou si quelqu'un de plus grand, de plus fort et aux dents plus aiguisées, voulait s'emparer d'elles.

Nous jouions dans la cour, mais en faisant comme si on ne jouait pas ensemble. Lila était assise par terre, à côté du soupirail d'une cave, et moi j'étais installée de l'autre côté. Nous aimions bien cet endroit, en particulier parce que nous pouvions disposer sur le ciment, entre les barreaux de l'ouverture et contre le grillage, à la fois les affaires de Tina, ma poupée, et celles de Nu, la poupée de Lila. Là nous mettions cailloux, bouchons de limonade, petites fleurs, éclats de verre et clous. Ce que Lila disait à Nu, je le saisissais au vol et le répétais à voix basse à Tina, mais en le transformant un peu. Si elle prenait un bouchon et le mettait sur la tête de sa poupée en guise de chapeau, moi je disais à la mienne, en dialecte : Tina, mets ta couronne de reine, sinon tu vas attraper froid. Si Nu jouait à la marelle dans les bras de Lila, peu après

29

je devais faire de même avec Tina. Mais il ne nous arrivait pas encore d'organiser un jeu ensemble ou de collaborer. Même cet endroit, nous le choisissions sans nous mettre d'accord. Lila s'y plaçait et moi je passais, faisant semblant d'aller autre part. Puis, comme si de rien n'était, je m'installais moi aussi près du soupirail, mais du côté opposé.

Ce qui nous attirait le plus, c'était l'air froid qui montait de la cave, un souffle qui nous rafraîchissait au printemps et en été. Nous aimions bien aussi les barreaux avec les toiles d'araignées, l'obscurité et le grillage épais qui, rougi par la rouille, s'enroulait de mon côté et aussi du côté de Lila, créant deux fentes parallèles par lesquelles nous pouvions lâcher des cailloux dans le noir, et écouter le bruit qu'ils faisaient en touchant terre. En ce temps-là, tout était beau et inquiétant. Par ces ouvertures, l'obscurité pouvait soudain avaler nos poupées, qui parfois se trouvaient en sécurité dans nos bras mais qui le plus souvent étaient posées exprès à côté du grillage tordu, et donc exposées au souffle froid de la cave et aux bruits menaçants qui en provenaient – crissements, craquements et bruissements.

Nu et Tina n'étaient pas heureuses. Les terreurs que nous goûtions jour après jour étaient les leurs. Nous ne faisions pas confiance à la lumière qui éclairait les pierres, les immeubles, la campagne, les gens dehors et chez eux : nous devinions qu'elle dissimulait des angles noirs, des sentiments réprimés mais toujours à la limite de l'explosion. Et nous attribuions à ces bouches sombres et aux cavernes qui, derrière elles, s'ouvraient sous les immeubles du quartier tout ce qui nous effrayait à la lumière du jour. Don Achille, par exemple, n'habitait pas seulement dans son appartement au dernier étage mais aussi là-dessous, araignée parmi les araignées, rat parmi les rats, comme une forme qui adoptait toutes les formes. Je l'imaginais, la bouche ouverte à cause de ses longs crocs de bête, un corps fait de pierre vitrifiée et de plantes vénéneuses, toujours prêt à recueillir dans son énorme sac noir tout ce que nous laissions tomber par les angles abîmés du grillage. Ce sac était un attribut fondamental de Don Achille : il le portait toujours, même chez lui, et y mettait ce qui était aussi bien mort que vif.

Lila était au courant de cette peur car ma poupée en parlait à haute voix. C'est pour cela que, le jour même où, sans discuter, simplement par des regards et des gestes, nous échangeâmes nos poupées pour la première fois, à peine eut-elle en main Tina qu'elle la poussa de l'autre côté de la grille et la laissa tomber dans l'obscurité.

3

Lila apparut dans ma vie en première année de primaire, et elle me fit tout de suite impression parce qu'elle était très méchante. Nous étions toutes un peu méchantes, dans cette classe, mais seulement quand la maîtresse, Mme Oliviero, ne pouvait nous voir. Lila, en revanche, était tout le temps méchante. Un jour, elle réduisit le papier toilette en tout petits morceaux : elle commença par glisser les fragments obtenus un à un dans l'ouverture de son encrier, puis elle se mit à les repêcher avec sa plume et à les lancer sur nous. Je fus atteinte deux fois dans les cheveux, et une fois sur mon col blanc. La maîtresse hurla comme elle savait le faire, avec sa voix qui nous terrorisait, puissante et pointue comme une aiguille, et elle lui ordonna de venir tout de suite derrière le tableau pour recevoir sa punition. Lila n'obéit pas, ne parut même pas effrayée et continua à lancer autour d'elle des bouts de papier trempés dans l'encre. Alors Mme Oliviero – une femme lourde qui nous paraissait très vieille même si elle devait dépasser à peine la quarantaine – descendit de son estrade en la menaçant, trébucha on ne sait trop sur quoi, ne parvint pas à rétablir son équilibre, et son visage alla cogner contre le coin d'une table. Elle resta allongée par terre, comme morte.

Je ne me souviens pas de ce qui se passa immédiatement après ; je me rappelle juste le corps immobile de la maîtresse, comme un tas de linge noir, et Lila qui la fixait, le visage sérieux.

J'ai en mémoire de nombreux accidents de ce genre. Nous vivions dans un monde où enfants comme adultes se blessaient souvent : de ces blessures le sang jaillissait, la suppuration survenait, et parfois on en mourait. Une des deux filles de Mme Assunta, la marchande de fruits et légumes, s'était blessée avec un clou et elle était morte du tétanos. Le petit dernier de Mme Spagnuolo était mort du croup. Un de mes cousins, qui avait alors vingt ans, alla pelleter des décombres un matin : le soir il était mort, écrasé, le sang lui sortant par les oreilles et par la bouche. Le père de ma mère avait été tué alors qu'il construisait un immeuble et en était tombé. Le père de M. Peluso avait perdu un bras : c'est sa toupie de menuisier qui le lui avait traîtreusement coupé. La sœur de Giuseppina, la femme de M. Peluso, était morte de tuberculose à vingt-deux ans. L'aîné des enfants de Don Achille – je ne l'avais jamais vu, et pourtant j'avais l'impression de m'en souvenir – avait fait la guerre et il était mort deux fois, d'abord noyé dans l'océan Pacifique et puis mangé par les requins. La famille Melchiorre tout entière était morte se tenant enlacée, hurlant de peur, sous un bombardement. La vieille demoiselle Clorinda était morte en respirant du gaz au lieu d'air. Giannino, qui était en quatrième année de primaire quand nous étions en première, était mort parce qu'un jour il avait trouvé une bombe et qu'il l'avait touchée. Luigina, avec qui nous avions, ou non, joué dans la cour – c'était seulement un nom, pour nous –, c'est le typhus pétéchial qui l'avait tuée. Notre monde était ainsi, plein de mots qui tuaient : le croup, le tétanos, le typhus pétéchial, le gaz, la guerre, la toupie, les décombres, le travail, le bombardement, la bombe, la tuberculose, la suppuration. Je fais remonter les nombreuses peurs qui m'ont accompagnée toute ma vie à ces mots et à ces années-là.

On pouvait aussi mourir de choses qui avaient l'air normal. On pouvait mourir, par exemple, si on était en sueur et qu'on buvait l'eau froide du robinet sans s'être au préalable mouillé les poignets : alors tu te retrouvais couvert de petits boutons rouges, tu te mettais à tousser et n'arrivais plus à respirer. On pouvait mourir si on mangeait des cerises noires sans en cracher le noyau. On pouvait mourir si on mâchait un chewing-gum et, par distraction, on l'avalait. Et surtout on pouvait mourir si on se prenait un coup sur la tempe. La tempe était une zone extrêmement fragile, et nous y faisions toutes très attention. Il suffisait de recevoir une pierre : or pour nous, les jets de pierres, c'était la routine. À la sortie de l'école, une bande de garçons de la campagne, avec à leur tête un certain Enzo ou Enzuccio, l'un des fils d'Assunta, la vendeuse de fruits et légumes, se mit un jour à nous jeter des pierres. Ils étaient vexés parce que nous étions meilleures qu'eux à l'école. Quand les cailloux arrivaient, tout le monde s'enfuyait à part Lila, qui continuait à avancer d'un pas régulier et parfois même s'arrêtait. Elle était très douée pour étudier la trajectoire des pierres et les esquiver d'un mouvement calme, qu'aujourd'hui je qualifierais d'élégant. Elle avait un frère plus âgé qu'elle et peut-être avait-elle appris grâce à lui, je ne sais pas – moi aussi j'avais des frères mais plus petits, et d'eux je n'avais rien appris. Quoi qu'il en soit, quand je me rendais compte qu'elle était restée en arrière, je m'arrêtais pour l'attendre, même si j'avais très peur.

Déjà, à cette époque, quelque chose m'empêchait de l'abandonner. Je ne la connaissais pas bien et nous ne nous étions jamais adressé la parole, même si nous étions constamment en compétition en classe comme en dehors. Mais je sentais confusément que si je m'étais enfuie avec les autres, je lui aurais laissé une partie de moi qu'elle ne m'aurait plus rendue.

D'abord je restais cachée au coin d'un immeuble et me penchais pour voir si Lila arrivait. Puis, étant donné qu'elle ne bougeait pas, je m'obligeais à la rejoindre : je lui passais des pierres et en lançais moi aussi. Mais je le faisais sans conviction – j'ai fait beaucoup de choses ainsi, dans ma vie, sans conviction, et je me suis toujours sentie comme détachée de mes propres actions. En revanche, depuis qu'elle était petite – je ne saurais dire précisément si c'était déjà le cas quand elle avait six ou sept ans, ou si cela remonte plutôt à l'époque où nous avions monté ensemble les marches menant chez Don Achille, quand nous avions huit, presque neuf ans – Lila se caractérisait par une détermination absolue. Qu'elle saisisse son porte-plume tricolore, une pierre ou la rampe des escaliers obscurs, elle transmettait la sensation que ce qui devait s'ensuivre – planter avec un lancer précis la plume dans le bois de la table, envoyer des boules imbibées d'encre, monter jusqu'à la porte de Don Achille ou frapper les garçons de la campagne –, elle le ferait sans hésitation.

Cette bande venait du terre-plein de la voie ferrée et faisait provision de pierres entre les rails. Enzo, leur chef, était un jeune garçon très dangereux ; il avait au moins trois ans de plus que nous, c'était un redoublant, il avait des cheveux blonds très courts et des yeux clairs. Il lançait avec précision des petites pierres aux bords tranchants, et Lila attendait ses tirs pour lui montrer comment elle les esquivait : ainsi il s'énervait encore plus et elle ripostait aussitôt par des tirs tout aussi dangereux. Un jour nous l'atteignîmes à la cheville, et je dis « nous » parce que c'est moi qui passai à Lila une pierre plate dont tous les côtés étaient coupants. Le caillou glissa sur la peau d'Enzo comme un rasoir, lui laissant une marque rouge d'où le sang sortit immédiatement. Le garçon regarda sa jambe blessée – je le revois encore : entre le pouce et l'index il tenait la pierre qu'il s'apprêtait à envoyer, son bras était déjà levé pour la lancer, et pourtant il s'arrêta net, stupéfait. Même les garçons sous son commandement fixèrent le sang qui coulait, incrédules. Lila, en revanche, n'afficha pas la moindre satisfaction devant le bon résultat de son tir et se pencha pour ramasser un autre caillou. Je la saisis par le bras et ce fut là notre premier contact, un contact brusque et effrayé. Je sentais que la bande allait devenir encore plus féroce et je voulais que nous nous retirions. Mais nous n'en eûmes pas le temps. Enzo, malgré sa cheville ensanglantée, se remit de sa stupeur et lança le caillou qu'il avait en main. Je tenais encore fermement Lila quand la pierre la heurta de plein fouet au niveau du front, l'arrachant à moi. Un instant plus tard, elle était étendue sur le trottoir, le crâne fendu.

4

Le sang. En général il sortait des blessures seulement après un échange de malédictions horribles et d'obscénités répugnantes. C'était toujours le même scénario. Mon père, qui me semblait pourtant être un brave homme, lançait tout le temps insultes et menaces à quiconque, comme il disait, ne méritait pas de rester à la surface de la terre. Il en voulait surtout à Don Achille. Il avait toujours quelque chose à lui reprocher, et parfois je me mettais les mains sur les oreilles pour ne pas être trop affectée par ses affreuses paroles. Quand il parlait de lui avec ma mère il l'appelait « ton cousin », mais ma mère reniait aussitôt ce lien du sang (la parenté était très lointaine) et renchérissait sur ses insultes. Leurs accès de colère m'effrayaient, et surtout j'avais peur que Don Achille ne fût doté d'oreilles assez fines pour arriver à capter même les insultes proférées de très loin. Je craignais qu'il ne vienne les tuer.

Cela dit, l'ennemi juré de Don Achille n'était pas mon père mais M. Peluso, un excellent menuisier qui était toujours sur la paille parce qu'il jouait tout ce qu'il gagnait dans l'arrière-boutique du bar Solara. Peluso était le père d'une de nos camarades de classe, Carmela, mais aussi de Pasquale, qui était grand, et de deux jeunes enfants : Lila et moi jouions parfois avec ces derniers qui, plus misérables que nous, essayaient toujours de nous voler nos affaires, à l'école comme à l'extérieur, que ce soit notre plume, notre gomme ou notre confiture de coings, de sorte qu'ils rentraient chez eux couverts de bleus à cause des coups que nous leur donnions.

Quand il nous arrivait de le voir, M. Peluso nous semblait l'image même du désespoir. Non seulement il perdait tout au jeu, mais en plus il se donnait des claques en public parce qu'il ne savait plus comment nourrir sa famille. Pour des raisons obscures, il attribuait sa ruine à Don Achille. Ce dont il l'accusait, c'était d'avoir pris par traîtrise, comme si son corps ténébreux était un aimant, tous les outils nécessaires à son travail de menuisier, ce qui avait rendu sa boutique inutile. Il lui reprochait de s'être emparé de son magasin aussi, qu'il avait transformé en épicerie. Pendant des années, j'ai imaginé la pince, la scie, la tenaille, l'étau et des milliers et des milliers de clous se retrouvant aspirés comme un essaim métallique à l'intérieur de la matière qui composait Don Achille. Et pendant des années, de son corps brut et lourd de matières hétérogènes j'ai vu sortir saucissons, fromages, mortadelles, saindoux et jambon, toujours sous forme d'essaim.

Autant d'événements advenus à une époque sombre et lointaine. Don Achille devait s'être manifesté dans toute sa nature monstrueuse avant notre naissance. *Avant*. Lila utilisait souvent cette formule, à l'école comme ailleurs. Mais apparemment, ce qui lui importait ce n'était pas tant ce qui s'était passé avant nous – des événements en général obscurs, à propos desquels les grandes personnes se taisaient ou ne se prononçaient qu'avec grande réticence – que le fait qu'il y ait vraiment eu un avant. C'était cela qui, à l'époque, la laissait perplexe, et la rendait même parfois anxieuse. Quand nous sommes devenues amies, elle me parla tellement de cette chose absurde – l'*avant nous* – qu'elle finit par me transmettre cette anxiété à moi aussi. C'était ce temps long, très long, dont nous ne faisions pas partie ; le temps où Don Achille avait révélé à tous ce qu'il était vraiment : un être malfaisant à la physionomie incertaine, animale-minérale, qui, semblait-il, suçait le sang des autres, tandis que lui-même n'en produisait jamais – peut-être n'était-il même pas possible de l'égratigner.

Nous devions être en deuxième année de primaire, et nous ne nous parlions pas encore, quand la rumeur courut que, juste devant l'église de la Sacra Famiglia, à la sortie de la messe, M. Peluso s'était mis à éructer sa rage contre Don Achille : alors celui-ci avait laissé un instant sa femme, Stefano son fils le plus âgé, Pinuccia et Alfonso qui avait notre âge et, montrant soudain sa forme la plus repoussante, il s'était jeté sur Peluso, l'avait soulevé, lancé contre un arbre du jardin et l'avait abandonné là, évanoui, avec le sang qui lui coulait de cent blessures, à la tête et partout ailleurs, sans que le pauvre homme puisse seulement lancer : « Au secours ! »

5

Je ne suis pas nostalgique de notre enfance : elle était pleine de violence. Il nous arrivait toutes sortes d'histoires, chez nous et à l'extérieur, jour après jour ; mais je ne crois pas avoir jamais pensé que la vie qui nous était échue fût particulièrement mauvaise. C'était la vie, un point c'est tout : et nous grandissions avec l'obligation de la rendre difficile aux autres avant que les autres ne nous la rendent difficile. Bien sûr, j'aurais aimé avoir les manières courtoises que prêchaient la maîtresse et le curé, mais je sentais qu'elles n'étaient pas adaptées à notre quartier, même pour les filles. Les femmes se battaient entre elles encore plus que les hommes, elles s'agrippaient par les cheveux et se faisaient mal. Se faire mal, c'était une maladie. Quand j'étais petite, j'avais imaginé que des bêtes minuscules, presque invisibles, venaient la nuit dans notre quartier : elles sortaient des étangs, des wagons désaffectés de l'autre côté du terre-plein et des herbes nauséabondes qu'on appelait des *fetienti*, elles sortaient des grenouilles, sala-mandres et mouches, des pierres et de la pous-sière, et elles pénétraient l'eau, la nourriture et l'air, rendant nos mères et nos grand-mères aussi enragées que des chiennes assoiffées. Elles étaient plus contaminées que les hommes dans le sens où, si ces derniers passaient leur temps à se mettre en colère, ils finissaient toujours par se calmer, tandis que les femmes, en apparence silencieuses et accommodantes, lorsqu'elles s'énervaient, allaient jusqu'au bout de leur furie et ne connaissaient plus de limites.

Lila fut très marquée par ce qui arriva à Melina Cappuccio, une parente de sa mère – et je le fus aussi. Melina habitait le même immeuble que mes parents, nous logions au deuxième étage et elle au troisième. Elle n'avait guère plus de trente ans et six enfants, mais pour nous c'était déjà une vieille femme. Son mari avait le même âge qu'elle et il déchargeait des cageots au marché aux fruits et légumes. Je me souviens d'un homme petit et trapu mais beau, au visage fier. Une nuit il sortit de chez lui, comme d'habitude, et il mourut : peut-être assassiné, peut-être de fatigue. Son enterrement fut particulièrement triste et tout le quartier y participa, y compris mes parents et ceux de Lila. Puis quelque temps passa, et Dieu sait ce qui arriva à Melina ! D'aspect, elle demeura la même : une femme sèche au long nez, aux cheveux déjà gris et à la voix stridente avec laquelle, à la fenêtre le soir, elle appelait ses enfants par leur prénom un à un, les syllabes allongées par un désespoir rageur : « Aaa-daa ! Miii-chè ! » Au début elle fut très aidée par Donato Sarratore, qui vivait dans l'appartement juste au-dessus du sien, au quatrième et dernier étage. Donato fréquentait assidûment l'église de la Sacra Famiglia et, en bon chrétien, il s'employa beaucoup pour elle en collectant de l'argent, des chaussures et des vêtements usagés, et en plaçant Antonio, l'aîné des enfants, dans le garage de

Gorresio, une de ses connaissances. Melina lui en fut tellement reconnaissante que sa gratitude se transforma, dans son cœur de femme éplorée, en amour, en passion. On se demandait si Sarratore s'en était jamais rendu compte. C'était un homme tout à fait cordial mais très sérieux – maison, église et travail. Il faisait partie du personnel roulant des chemins de fer et touchait un salaire fixe avec lequel il faisait vivre confortablement sa femme Lidia et leurs cinq enfants, dont le plus âgé s'appelait Nino. Quand il n'était pas en voyage sur la ligne Naples-Paola aller et retour, il passait son temps à réparer une chose ou une autre à la maison, allait faire les courses ou promenait leur dernier-né en poussette. Autant d'activités aberrantes dans notre quartier. Personne ne se disait que Donato se prodiguait ainsi pour soulager le travail de sa femme. Non : tous les hommes du quartier, mon père en tête, pensaient que c'était un homme qui aimait faire la femme, d'autant plus qu'il écrivait des poèmes qu'il lisait volontiers à tout un chacun. Cela ne vint même jamais à l'esprit de Melina. La veuve préféra imaginer que, par bonté d'âme, il laissait sa femme le mener par le bout du nez : elle décida alors d'attaquer férocement Lidia Sarratore pour libérer son mari de son emprise, et pour permettre à celui-ci de s'unir enfin à elle. La guerre qui suivit m'amusa plutôt, au début ; on en parlait chez moi comme chez les autres avec des rires méchants. Quand Lidia étendait ses draps fraîchement lessivés, Melina se mettait debout sur le rebord de sa fenêtre et les lui salissait avec un bâton dont elle avait noirci exprès l'extrémité sur la gazinière ; Lidia passait sous ses fenêtres et elle lui crachait dessus, ou renversait sur elle des seaux d'eau sale ; Lidia faisait du bruit dans la journée en marchant au-dessus de sa tête avec ses diables d'enfants, du coup elle s'acharnait pendant toute la nuit à cogner au plafond avec le balai pour laver le sol. Sarratore tenta par tous les moyens de rétablir la paix, mais c'était un homme trop sensible et trop poli. Ainsi, à force de se jouer de sales tours, les deux femmes finirent par s'agresser verbalement dès qu'elles se croisaient dans la rue ou les escaliers et c'étaient des mots durs, féroces. C'est à partir de là qu'elles commencèrent à me faire peur. Une des nombreuses scènes terribles de mon enfance débute justement avec les hurlements de Melina et Lidia, qui se lancent des injures depuis leurs fenêtres, et puis dans les escaliers ; là ma mère se précipite à la porte de notre appartement : elle l'ouvre et avance sur le palier suivie de nous autres, les enfants ; et la scène se termine avec l'image, pour moi insupportable aujourd'hui encore, des deux voisines agrippées l'une à l'autre qui roulent dans les escaliers jusqu'à ce que la tête de Melina vienne frapper le sol de notre palier, à quelques centimètres à peine de mes chaussures – comme quand un melon blanc t'échappe des mains.

J'ai du mal à dire pourquoi, mais à cette époque nous les fillettes nous étions du côté de Lidia Sarratore. Peut-être à cause de ses traits réguliers et de ses cheveux blonds. Ou parce que Donato était à elle, et nous avions compris que Melina voulait le lui voler. Ou parce que les enfants de Melina étaient déguenillés et sales, tandis que ceux de Lidia étaient lavés et bien coiffés – et puis le plus grand d'entre eux, Nino, qui avait quelques années de plus que nous, était beau et nous plaisait. Seule

Lila soutenait Melina, mais elle ne nous expliqua jamais pourquoi. Elle déclara seulement, dans une circonstance particulière, que si Lidia Sarratore finissait assassinée, ce serait bien fait pour elle : je me dis qu'elle réagissait ainsi à la fois parce qu'elle était méchante et parce que Melina et elle étaient de lointaines parentes.

Un jour nous rentrions de l'école, nous étions quatre ou cinq gamines. Parmi nous il y avait Marisa Sarratore, qui d'ordinaire nous accompagnait non pas parce qu'elle nous était sympathique mais parce que nous espérions, par son intermédiaire, pouvoir entrer en contact avec son grand frère, c'est-à-dire Nino. Elle fut la première à apercevoir Melina. La femme marchait de l'autre côté du boulevard, d'un pas lent, tenant à la main un sachet dans lequel, de l'autre main, elle piochait quelque chose qu'elle mangeait. Marisa nous la montra en l'appelant « la salope », mais sans mépris, simplement parce qu'elle répétait la formule que sa mère employait à la maison. Lila, aussitôt, bien qu'elle fût plus petite qu'elle et très maigre, lui asséna une gifle tellement forte que Marisa en tomba par terre : et elle le fit à froid, comme elle faisait toujours dans les situations de violence, sans crier ni avant ni après, sans un mot de préavis et sans écarquiller les yeux – glacée et décidée.

Je fus la première à secourir Marisa qui pleurait déjà et je l'aidai à se relever, avant de me retourner pour voir ce que faisait Lila. Elle était descendue du trottoir et se dirigeait vers Melina en traversant le boulevard, sans se soucier des camions qui passaient. Je vis, dans son attitude plus que sur son visage, quelque chose qui me troubla, et qu'aujourd'hui encore j'ai du mal à définir, tant et si bien que, pour le moment, je me contenterai de le dire ainsi : bien qu'elle se déplaçât pour traverser la rue, nerveuse, petite et sombre, et bien qu'elle le fît avec sa détermination habituelle, elle me semblait pétrifiée. Pétrifiée au cœur de ce que la parente de sa mère était en train de faire, pétrifiée à cause de sa peine, pétrifiée comme une statue de sel. Soudée. Ne faisant qu'une avec Melina, qui tenait dans sa paume le savon noir et tendre qu'elle venait d'acheter dans le sous-sol de Don Carlo, qu'elle rompait de son autre main et qu'elle mangeait.

6

Le jour où Mme Oliviero tomba de l'estrade et alla cogner sa joue contre la table, moi, comme je l'ai dit, je crus qu'elle était morte, morte au travail comme mon grand-père ou comme le mari de Melina : et il me sembla, du coup, que Lila aussi allait mourir, à cause de la punition terrible qu'elle allait recevoir. Pourtant, pendant une période que je ne puis définir – brève ou longue – il ne se passa rien. Elles se contentèrent de disparaître toutes deux, la maîtresse comme l'élève, de nos journées et de nos mémoires.

Mais tout était très surprenant, à cette époque. Quand Mme Oliviero revint à l'école vivante, elle se mit à s'occuper de Lila non pas pour la punir, comme cela nous aurait semblé naturel, mais pour chanter ses louanges.

Cette nouvelle phase commença quand la mère de Lila, Mme Cerullo, fut convoquée à l'école. Un matin, l'appariteur frappa à la porte et l'annonça. Aussitôt après, Nunzia Cerullo entra, méconnaissable. Elle qui, comme la plupart des femmes du quartier, vivait attifée de vieux vêtements élimés et en pantoufles, elle apparut dans sa robe de cérémonie (mariage, communion, baptême et enterrement), tout en noir, avec un petit sac à main brillant et des chaussures dotées d'un petit talon qui faisaient souffrir ses pieds gonflés, et elle offrit à la maîtresse deux sachets en papier, l'un contenant du sucre et l'autre du café.

La maîtresse accepta ce présent bien volontiers et, tout en regardant Lila qui, elle, fixait sa table, elle adressa à sa mère et à toute la classe des propos dont le sens général me désorienta. C'était notre première année de primaire. Nous apprenions tout juste l'alphabet et les nombres de un à dix. La meilleure de la classe, c'était moi : je savais reconnaître toutes les lettres, je savais dire un deux trois quatre, etc., on me félicitait tout le temps pour mon écriture et je gagnais des cocardes tricolores que cousait la maîtresse. Toutefois, à notre plus grande surprise, et bien que Lila l'ait fait tomber et envoyée à l'hôpital, Mme Oliviero déclara que la meilleure d'entre nous, c'était elle. Certes, c'était aussi la plus méchante. Certes, elle avait commis cet acte terrible de nous lancer des morceaux de papier toilette tachés d'encre. Certes, si cette petite fille ne s'était pas comportée de manière aussi indisciplinée, elle, notre maîtresse, ne serait pas tombée de l'estrade en se blessant à la joue. Certes, elle était constamment obligée de la punir avec la règle en bois ou en l'envoyant s'agenouiller sur des grains de blé dur derrière le tableau. Mais il y avait quelque chose qui, en tant que maîtresse et aussi en tant que personne, la comblait de joie, quelque chose de merveilleux qu'elle avait découvert quelques jours auparavant, par hasard.

Là, elle s'arrêta, comme si les mots ne lui suffisaient pas, ou comme si elle voulait nous enseigner, à la mère de Lila et à nous, que ce sont presque toujours les mots, plus que les actions, qui comptent. Elle saisit un morceau de craie et écrivit un mot au tableau (je ne me rappelle plus quoi, puisque je ne savais pas encore lire, je l'invente donc) : *soleil*. Puis elle demanda à Lila :

« Cerullo, qu'est-ce qu'il y a d'écrit ? »

Dans la classe, un silence intrigué s'installa. Lila esquissa un demi-sourire, presque une moue, puis se jeta sur le côté, tout contre sa voisine de table qui multiplia les signes d'agacement. Alors elle lut d'un ton boudeur :

« Soleil. »

Nunzia Cerullo se tourna vers la maîtresse et son regard était hésitant, presque effrayé. Sur le coup, Mme Oliviero n'eut pas l'air de comprendre pourquoi, dans ces yeux de mère, elle ne voyait pas l'enthousiasme qui était le sien. Mais ensuite elle dut se douter que Nunzia ne savait pas lire, ou qu'en tout cas elle n'était pas bien sûre qu'au tableau il y ait vraiment écrit *soleil*, et elle fronça les sourcils. Donc, à la fois pour clarifier la situation au bénéfice de Mme Cerullo et pour féliciter notre camarade, elle dit à Lila :

« C'est bien, c'est ce qui est écrit : soleil. »

Puis elle lui ordonna :

« Allez, Cerullo, viens au tableau. »

Lila se rendit au tableau en traînant, et la maîtresse lui tendit la craie :

« Écris : craie », lui dit-elle.

Lila, très concentrée et avec une écriture tremblante, plaçant les lettres tantôt en haut tantôt en bas, écrivit : *crai*.

Mme Oliviero ajouta le « e » et Mme Cerullo, en voyant la correction, lança avec désolation à sa fille :

« Tu t'es trompée ! »

Mais la maîtresse la rassura aussitôt :

« Non non non : Lila doit s'exercer, c'est vrai, mais elle sait déjà à la fois lire et écrire. Qui est-ce qui lui a appris ? »

Mme Cerullo répondit, les yeux baissés :

« Pas moi.

— Mais chez vous ou dans votre immeuble, est-ce que quelqu'un a pu le faire ? »

Nunzia secoua la tête avec énergie.

Alors la maîtresse s'adressa à Lila et, avec une admiration sincère, lui demanda devant nous toutes :

« Qui est-ce qui t'a appris à lire et à écrire, Cerullo ? »

Cerullo, menue, les cheveux, les yeux et la blouse tout noirs, un nœud rose autour du cou, et six années de vie seulement, répondit :

« Moi. »

7

D'après Rino, le frère aîné de Lila, la petite fille avait appris à lire quand elle avait trois ans environ en regardant les lettres et les dessins de son abécédaire. Elle s'asseyait à son côté dans la cuisine quand il faisait ses devoirs, et elle parvenait à retenir beaucoup plus de choses que lui.

Rino avait presque six ans de plus que Lila, c'était un garçon courageux qui excellait à tous les jeux, dans la rue comme dans la cour, en particulier au lancer de toupie napolitaine. Mais lire, écrire, compter ou apprendre des poésies par cœur, ce n'était pas pour lui. Alors qu'il n'avait même pas dix ans, son père Fernando, pour lui apprendre le métier de ressemeleur de chaussures, avait commencé à l'emmener tous les jours dans son cagibi de cordonnier, dans une ruelle de l'autre côté du boulevard. Nous les petites filles, quand nous le rencontrions, nous sentions sur lui l'odeur des pieds sales, de la vieille empeigne et de la poix, alors nous nous moquions de lui et l'appelions vieille semelle. C'est peut-être pour cela qu'il se vantait d'être à l'origine du talent de sa sœur. En réalité, il n'en avait jamais eu, d'abécédaire, et ne s'était jamais assis pour faire ses devoirs, ne serait-ce qu'une minute. Il était donc impossible que Lila ait appris grâce à ses efforts d'écolier. Il était plus probable qu'elle ait compris précocement comment l'alphabet fonctionnait grâce aux pages de journaux dans lesquelles les clients enveloppaient leurs vieilles chaussures, et que son père ramenait parfois à la maison pour lire à la famille les faits divers les plus intéressants.

Quoi qu'il en soit, que cela soit arrivé d'une manière ou d'une autre, les faits étaient là : Lila savait lire et écrire. Et de ce matin gris où la maîtresse nous le révéla, il m'est resté avant tout en mémoire la sensation de faiblesse que cette nouvelle laissa en moi. Tout de suite, dès le premier jour, j'avais trouvé que l'école, c'était beaucoup mieux que la maison. Dans le quartier, c'était l'endroit où je me sentais le plus en sécurité, et j'étais très émue en y allant. J'étais attentive aux cours, faisais avec la plus grande application ce qu'on me disait de faire, et j'apprenais tout. Mais surtout, j'aimais plaire à la maîtresse – en fait, j'aimais plaire à tout le monde. Chez moi, j'étais la préférée de mon père, et mes frères aussi m'aimaient. Le problème c'était ma mère, avec elle ça se passait toujours mal. J'avais à peine plus de six ans mais j'avais déjà l'impression qu'elle faisait tout pour me faire comprendre que, dans sa vie, j'étais de trop. Je ne lui plaisais pas et elle ne me plaisait pas non plus. Son corps me révulsait, et elle devait le sentir. Ses cheveux tiraient sur le blond, elle avait les yeux bleus et une poitrine opulente. Mais on ne savait jamais trop de quel côté son œil droit regardait, et sa jambe droite non plus ne lui obéissait pas : elle disait que sa jambe s'était vexée. Elle boitait et l'entendre marcher m'angoissait, surtout la nuit, quand elle n'arrivait pas à dormir et qu'elle se déplaçait dans le couloir : elle allait à la cuisine, revenait et recommençait. Parfois je l'entendais qui écrasait avec des coups de talon rageurs les cafards qui passaient sous la porte d'entrée, et j'imaginais ses yeux pleins de fureur, comme quand elle s'en prenait à moi.

À l'évidence elle n'était pas heureuse, les travaux domestiques l'épuisaient et nous n'avions jamais assez d'argent. Elle s'énervait souvent contre mon père, qui était portier à la mairie : elle hurlait qu'il devait se débrouiller mais qu'on ne pouvait pas continuer comme ça. Ils se disputaient. Mais comme mon père n'élevait jamais la voix, même quand il perdait patience, je prenais toujours son parti contre elle, même si parfois il la battait et si, avec moi, il pouvait se montrer menaçant. C'était lui et non ma mère qui m'avait dit, lors de mon premier jour d'école : « Lenuccia, si tu es gentille avec la maîtresse, on t'envoie à l'école. Mais si tu n'es pas gentille et si tu n'es pas la meilleure, papa a besoin d'aide, alors tu iras travailler. » Ces paroles m'avaient vraiment épouvantée et pourtant, même si c'est lui qui les avait prononcées, je les avais entendues comme si c'était ma mère qui les lui avait suggérées et imposées. Je leur avais promis à tous deux que je serais une bonne élève. Et cela avait tout de suite tellement bien marché que la maîtresse me disait souvent :

« Greco, viens t'asseoir près de moi. »

C'était un grand privilège. Mme Oliviero laissait toujours près d'elle une chaise vide où elle invitait les meilleures de la classe à s'asseoir, pour les récompenser. Moi, au début, j'étais tout le temps assise à ses côtés. Elle me motivait par toutes sortes de paroles encourageantes et admirait mes boucles blondes, renforçant ainsi mon désir de bien faire. C'était tout le contraire de ma mère : à la maison, elle m'abreuvait tellement de reproches, et parfois d'insultes, que je n'avais qu'une envie, celle de me recroqueviller dans un coin obscur en espérant qu'elle ne me trouverait jamais plus. Puis vint le jour où Mme Cerullo entra dans notre classe, et où Mme Oliviero nous révéla que Lila était très en avance sur nous toutes. Et ça ne s'arrêta pas là : elle l'invita plus souvent que moi à s'asseoir à ses côtés. Je ne sais pas ce que ce déclassement provoqua en moi, j'ai du mal à dire avec exactitude et clarté ce que j'éprouvai alors. Sur le coup, peut-être rien, ou bien un peu de jalousie, comme tout le monde. Mais ce qui est sûr, c'est que je fus saisie d'une angoisse précisément à cette période-là : j'imaginais que, même si mes jambes marchaient normalement, je courais à tout moment le risque de me mettre à boiter. Je me réveillais avec cette idée en tête et me levais aussitôt pour vérifier si mes jambes étaient encore en bon état. C'est peut-être pour ça que je devins obsédée par Lila, avec ses jambes très maigres, nerveuses et qui bougeaient sans arrêt : elle donnait des coups de pied même quand elle était assise à côté de la maîtresse, au point que celle-ci perdait patience et la renvoyait vite à sa place. Quelque chose me persuada que si je la suivais et lui emboîtais toujours le pas, alors la démarche de ma mère, qui était entrée dans mon cerveau et n'en sortait plus, cesserait de me menacer. Je décidai que je devais copier cette petite fille et ne jamais la perdre de vue, même si cela l'agaçait et si elle me repoussait.

8

Telle fut sans doute ma manière de réagir à l'envie et à la haine, et de les étouffer. Ou peut-être déguisai-je ainsi mon sentiment de n'être qu'un second rôle, et la fascination que je subissais. Quoi qu'il en soit, je m'habituai à accepter de bon gré la supériorité de Lila dans tous les domaines, ainsi que ses vexations.

Là-dessus, la maîtresse agit d'une manière très

avisée. C'est vrai qu'elle demandait souvent à Lila de s'asseoir près d'elle, mais elle avait l'air d'agir ainsi plus pour la faire tenir tranquille que pour la récompenser. De fait, elle continua à nous féliciter, Marisa Sarratore, Carmela Peluso et surtout moi. Elle me permit de briller de tous mes feux et m'encouragea à devenir toujours plus disciplinée, appliquée et précise. Quand Lila sortait d'une zone de turbulence et me dépassait sans le moindre effort, Mme Oliviero commençait par me féliciter simplement avant d'exalter les mérites de Lila. Je sentais davantage le poison de la défaite quand c'étaient Sarratore ou Peluso qui me devançaient. Mais si je finissais deuxième après Lila, j'affichais une douce expression de consentement. Ces années-là, je crois n'avoir connu qu'une crainte, celle de ne plus être associée, dans la hiérarchie établie par Mme Oliviero, à Lila, et de ne plus entendre la maîtresse déclarer avec orgueil : Cerullo et Greco sont les meilleures. Si un jour elle avait annoncé : Cerullo et Sarratore sont les meilleures, ou Cerullo et Peluso, je serais morte sur le coup. J'employai donc toutes mes ressources de petite fille non pas à devenir première de la classe – cela me semblait impossible – mais à ne pas glisser à la troisième, quatrième ou à la dernière place. Je me consacrai à l'école et à un tas d'autres choses difficiles qui m'étaient étrangères seulement pour rester à la hauteur de cette gamine terrible et fulgurante.

Fulgurante pour moi. Pour tous les autres élèves, Lila était seulement terrible. De la première à la dernière année de primaire elle fut, à cause du directeur et aussi un peu à cause de Mme Oliviero, la petite fille la plus détestée de l'école et du quartier.

Au moins deux fois par an, le directeur obligeait ses classes à rivaliser entre elles afin de repérer les élèves les plus brillants et, par conséquent, les professeurs les plus compétents. Mme Oliviero aimait beaucoup cet exercice. En conflit permanent avec ses collègues, avec lesquels elle semblait parfois sur le point d'en venir aux mains, la maîtresse nous utilisait Lila et moi comme la preuve éclatante de son talent, elle la meilleure institutrice de notre quartier. Du coup il lui arrivait souvent de nous emmener dans les autres classes, même en dehors des occasions voulues par le directeur, pour nous mettre en compétition avec d'autres enfants, filles et garçons. Moi, d'ordinaire, j'étais envoyée en éclaireuse afin de sonder les compétences de l'ennemi. En général je gagnais, mais sans trop en faire, sans humilier les maîtres ni les élèves. J'étais une fillette aux boucles blondes, toute mignonne, heureuse de me faire valoir mais pas effrontée, et il émanait de moi une impression de délicatesse qui attendrissait. S'il apparaissait que j'étais la meilleure pour dire les poésies, réciter les tables de multiplication, diviser, multiplier ou énumérer les différentes zones des Alpes – qui pouvaient être maritimes, cottiennes, grées, pennines, etc. –, les autres enseignants me faisaient quand même une caresse, et les élèves sentaient bien les efforts que j'avais fournis pour apprendre par cœur tous ces trucs, et par conséquent ils ne me détestaient pas.

Pour Lila il en allait tout autrement. En première année, elle était déjà au-delà de toute compétition possible. La maîtresse disait même qu'avec un peu de travail, elle pourrait passer directement l'examen de fin de deuxième année et, à moins de sept ans, entrer déjà en troisième année. Par la suite, cet écart ne fit que croître. Lila faisait des calculs mentaux extrêmement compliqués, il n'y avait pas une faute dans ses dictées, et si avec nous tous elle parlait toujours en dialecte, elle pouvait aussi déployer un italien livresque, jusqu'à utiliser des mots comme *accoutumé*, *luxuriant* ou *bien volontiers*. Tant et si bien que lorsque c'est elle que la maîtresse envoyait sur le terrain pour dire les modes et les temps des verbes ou pour résoudre des problèmes, toute possibilité de faire contre mauvaise fortune bon cœur se réduisait aussitôt à néant, et le climat s'envenimait. Lila était trop pour quiconque.

En outre elle n'offrait aucune prise à la bienveillance. Reconnaître sa bravoure c'était, pour nous les enfants, admettre que nous n'y arriverions jamais et qu'il était inutile de rivaliser ; pour les maîtres et maîtresses, c'était admettre qu'euxmêmes avaient été des enfants médiocres. Sa vitesse de réaction tenait du sifflement, du jaillissement et de la morsure fatale. Et rien, dans son aspect, ne pouvait servir de correctif. Elle était ébouriffée, sale, et elle avait toujours aux genoux et aux coudes des croûtes de blessures qui n'avaient jamais le temps de guérir. Ses grands yeux très vifs pouvaient se transformer en fentes derrière lesquelles, avant chaque réponse brillante, perçait un regard qui non seulement n'avait pas grand-chose d'enfantin, mais qui ne semblait pratiquement pas humain. Chacun de ses mouvements signifiait aux autres que lui faire du mal ne servait à rien parce que, quoi qu'il arrive, elle trouverait toujours le moyen de leur en faire davantage.

La haine était donc tangible, je m'en rendais bien compte. Les filles comme les garçons lui en voulaient, ces derniers plus ouvertement. En effet, pour quelque raison secrète, Mme Oliviero se plaisait surtout à nous emmener dans les classes où, plus que les écolières et leurs maîtresses, nous pouvions humilier les écoliers et leurs maîtres. Et le directeur, pour ses propres raisons tout aussi secrètes, privilégiait surtout les compétitions de ce genre. Par la suite, je me suis dit qu'à l'école on devait parier de l'argent, et peut-être même beaucoup, sur ces rencontres. Mais j'exagérais : peut-être était-ce simplement un moyen d'épancher de vieilles rancunes, ou bien de permettre au directeur de tenir sous son joug les maîtres moins bons ou moins obéissants. Quoi qu'il en soit, un matin alors que nous étions en deuxième année, on nous emmena toutes les deux rien de moins que dans une classe de quatrième année, la classe de M. Ferraro, où se trouvaient à la fois Enzo Scanno, le dangereux fils de la marchande de fruits et légumes, et le frère de Marisa, Nino Sarratore, dont j'étais amoureuse.

Tout le monde connaissait Enzo. C'était un redoublant et, au moins à deux reprises, il avait été traîné de classe en classe avec un panneau autour du cou, sur lequel M. Ferraro – un homme aux cheveux gris en brosse, très grand et très maigre, au visage petit et très marqué, le regard toujours inquiet – avait écrit : *âne*. Nino, en revanche, était si gentil, si doux et si silencieux que j'étais presque la seule à le connaître et le chérir. Bien sûr, scolairement parlant, Enzo comptait pour moins que zéro, et nous le tenions seulement à l'œil parce qu'il pouvait avoir la main leste. Nos adversaires, dans le domaine de l'intelligence, c'étaient Nino et – on le découvrit à cette occasion – Alfonso Carracci, le troisième enfant de Don Achille, un petit garçon très soigné, en deuxième année comme nous, qui faisait plus petit que ses sept ans. On voyait que le maître l'avait fait venir là en quatrième année parce qu'il avait plus confiance en lui qu'en Nino, qui avait presque deux ans de plus.

Une légère tension se produisit entre Oliviero et Ferraro à cause de cette convocation imprévue de Carracci, puis la compétition débuta devant les classes rassemblées dans une seule salle. Ils nous posèrent des questions sur les verbes et la table de multiplication, nous demandèrent d'effectuer les quatre opérations, d'abord au tableau et puis de tête. De cette occasion particulière, trois faits me sont restés en mémoire. Le premier, c'est que le petit Alfonso Carracci m'écrasa immédiatement : il était calme et précis, mais le côté positif c'est qu'il n'affichait aucun plaisir à dominer. Le deuxième fait, c'est que Nino Sarratore, à ma plus grande surprise, ne répondit presque jamais aux questions, et demeura hébété comme s'il ne comprenait pas ce que les deux professeurs lui demandaient. Le troisième, c'est que Lila tint tête au fils de Don Achille avec mollesse, comme si peu lui importait qu'il puisse la battre. La scène ne s'anima que lorsque l'on passa aux calculs mentaux – additions, soustractions, multiplications et divisions. Malgré la nonchalance de Lila, qui parfois restait coite comme si elle n'avait pas entendu la question, Alfonso commença à perdre des points, se trompant surtout dans les multiplications et les divisions. Du reste, si le fils de Don Achille cédait du terrain, Lila non plus n'était pas à la hauteur et, de ce fait, ils semblaient plus ou moins égaux. Mais tout à coup, quelque chose d'imprévu se produisit.

À deux reprises, alors que Lila ne répondait pas ou qu'Alfonso se trompait, on entendit la voix d'Enzo Scanno, chargée de mépris, qui, depuis les derniers rangs, donnait le bon résultat.

Tout le monde en fut stupéfait : la classe, les maîtres, le directeur, Lila et moi. Comment était-il possible qu'un garçon comme Enzo, paresseux, incapable et délinquant, sache faire des calculs mentaux compliqués mieux que moi, qu'Alfonso Carracci ou Nino Sarratore ? Soudain, ce fut comme si Lila se réveillait. Alfonso fut rapidement éliminé et le maître consentit avec fierté à changer promptement de champion : un duel commença entre Lila et Enzo.

Tous deux se tinrent tête longtemps. À un moment donné le directeur supplanta le maître et fit monter le fils de la vendeuse de fruits et légumes sur l'estrade, à côté de Lila. Suivi du ricanement nerveux de ses acolytes, Enzo quitta le dernier rang en ricanant lui aussi, mais quand il s'installa près du tableau, en face de Lila, il parut taciturne et mal à l'aise. Le duel continua avec des calculs mentaux toujours plus difficiles. Le petit garçon donnait le résultat en dialecte, comme s'il était dans la rue et non dans une salle de classe, et le maître corrigeait son expression, mais le nombre était toujours juste. Enzo eut l'air extrêmement fier de ce moment de gloire, il semblait lui-même émerveillé de voir combien il était fort. Puis il commença à faiblir parce que Lila s'était définitivement réveillée, et à présent elle avait ses yeux en forme de fentes, pleins de détermination, et répondait avec précision. Finalement, Enzo perdit. Il perdit mais sans se résigner. Il se mit à jurer et à lancer d'horribles obscénités. Le maître l'envoya s'agenouiller derrière le tableau, cependant il refusa d'y aller. Il reçut des coups de règle sur les doigts et fut traîné par les oreilles dans le coin des punitions. Ainsi s'acheva cette journée d'école.

Mais dès lors la bande de garçons se mit à nous jeter des pierres.

9

Ce matin du duel entre Lila et Enzo est important, dans notre longue histoire. C'est de là que naquirent de nombreux comportements difficiles à déchiffrer. Par exemple on vit clairement qu'elle pouvait, si elle le désirait, doser l'emploi de ses capacités. C'était ce qu'elle avait fait avec le fils de Don Achille. Ce n'est pas simplement qu'elle n'avait pas voulu le battre, mais elle avait aussi calibré ses silences et ses réponses afin de ne pas se faire battre. Nous n'étions pas encore amies et je ne pouvais pas lui demander pourquoi elle s'était comportée ainsi. Mais en réalité, je n'avais pas besoin de lui poser de questions, car j'étais capable de deviner ses raisons. Comme moi, elle aussi avait interdiction de contrarier non seulement Don Achille, mais aussi toute sa famille.

C'était comme ça. Nous ne savions pas d'où provenait cette crainte-rancune-haine-acquiescement que nos parents manifestaient à l'égard des Carracci, et qu'ils nous transmettaient : mais elle était là, c'était un fait avéré, comme le quartier, ses bâtiments blanchâtres, l'odeur misérable des paliers et la poussière des rues. Il était tout à fait probable que Nino Sarratore aussi fût resté muet pour permettre à Alfonso de donner le meilleur de lui-même. Il n'avait balbutié que quelques mots – beau, bien coiffé, gracieux et nerveux, avec ses cils si longs – et puis il s'était tu. Pour continuer à l'aimer, je voulus croire que c'était ce qui s'était passé. Mais, tout au fond de moi, je nourrissais des doutes. Était-ce vraiment un choix de sa part, comme Lila ? Je n'en étais pas sûre. Moi j'avais été écartée parce qu'Alfonso était réellement plus fort, Lila aurait pu le battre immédiatement, toutefois elle avait choisi de miser sur un match nul. Mais lui ? Quelque chose m'avait troublée, peut-être même peinée : ce n'était pas une incapacité de sa part, même pas un renoncement, mais je dirais aujourd'hui un véritable affaissement. Son balbutiement, sa pâleur et la couleur violette qui lui avait soudain mangé les yeux : il était tellement beau et langoureux – et pourtant, combien cette langueur m'avait déplu !

Lila aussi, à un moment donné, m'avait paru magnifique. D'habitude, c'est moi qui étais belle, alors qu'elle était sèche comme un clou et qu'émanait d'elle une odeur sauvage ; elle avait un visage long, étroit aux tempes et serré entre deux bandes de cheveux lisses et très noirs. Mais quand elle avait décidé de balayer Alfonso ou Enzo, son visage s'était illuminé comme celui d'une sainte guerrière. Le rouge lui était monté aux joues, signe que chaque parcelle de son corps s'était enflammée, à tel point que, pour la première fois, je m'étais dit : Lila est plus belle que moi. J'étais donc deuxième en tout. Et j'avais espéré que personne ne s'en rendrait jamais compte.

Mais la découverte la plus importante de cette

matinée fut de réaliser qu'une formule que nous utilisions souvent pour nous dérober aux punitions contenait quelque chose de vrai, et donc d'incontrôlable et de dangereux. Cette formule, c'était : *je ne l'ai pas fait exprès*. Enzo, en effet, ne s'était pas inséré exprès dans la compétition en cours, et ce n'est pas exprès non plus qu'il avait défait Alfonso. Lila avait battu volontairement Enzo mais involontairement Alfonso, et ce n'est pas volontairement qu'elle l'avait humilié, cela n'avait été qu'un passage obligé. Les événements qui s'ensuivirent nous persuadèrent qu'il fallait toujours agir exprès, avec préméditation, afin de savoir à quoi s'attendre.

En effet, ce qui se passa par la suite nous frappa de manière inattendue. Puisque presque rien n'avait été fait exprès, toutes sortes de calamités se déversèrent sur nous, l'une après l'autre, comme autant de coulées de lave. À la suite de sa défaite, Alfonso rentra chez lui en larmes. Le lendemain, son frère Stefano – quatorze ans, apprenti charcutier dans l'épicerie (l'ancien magasin du menuisier Peluso) dont son père était propriétaire, même s'il n'y mettait jamais les pieds – vint devant l'école et dit à Lila des choses horribles, allant jusqu'à la menacer. Elle finit par lui crier une insulte particulièrement obscène : il la poussa contre un mur et essaya de lui attraper la langue, hurlant qu'il voulait la lui piquer avec une aiguille. Lila rentra chez elle et raconta tout à son frère Rino qui, à mesure qu'elle parlait, devenait de plus en plus rouge, les yeux brillants. Entre-temps Enzo qui, le soir, rentrait chez lui sans sa bande de la campagne fut intercepté par Stefano qui lui distribua gifles, coups de poing et de pied. Le lendemain matin, Rino alla chercher Stefano et ils se tabassèrent à qui mieux mieux, finissant plus ou moins à égalité. Quelques jours plus tard, *zia* Maria, la femme de Don Achille, frappa à la porte des Cerullo et fit à Nunzia une scène pleine de cris et d'insultes. Peu de temps après, un dimanche à la sortie de la messe, Fernando Cerullo, le cordonnier père de Lila et Rino, un petit homme très maigre, s'approcha timidement de Don Achille et lui demanda pardon, sans jamais dire de quoi il s'excusait. Je ne le vis pas, ou du moins je ne m'en souviens pas, mais on me raconta que ses excuses avaient été formulées à haute voix et de façon que tout le monde les entende, même si Don Achille était passé comme si ce n'était pas à lui que le ressemeleur s'adressait. Quelques jours plus tard, Lila et moi blessâmes Enzo à la cheville avec une pierre et Enzo lança un caillou qui atteignit Lila à la tête. Alors que je hurlais de peur et que Lila se relevait, le sang coulant de sous ses cheveux, Enzo descendit du terre-plein, lui aussi en sang : voyant Lila dans cet état, de manière tout à fait imprévisible et à nos yeux incompréhensible, il se mit à pleurer. Peu après, Rino, le frère chéri de Lila, vint à l'école pour tabasser Enzo. Rino était plus grand, plus fort et plus motivé. Non seulement Enzo se défendit à peine, mais après il ne souffla mot des coups reçus : il n'en parla ni à sa bande, ni à sa mère, ni à son père, ni à ses frères, ni à ses cousins, qui travaillaient tous à la campagne et vendaient des fruits et légumes sur une charrette. À ce moment-là, et grâce à lui, les vengeances prirent fin.

10

Pendant quelque temps, Lila promena fièrement sa tête bandée. Puis elle ôta son pansement
et montra à qui voulait la voir sa blessure noire,
rougeâtre sur les bords, qui allait de la racine des
cheveux jusqu'au front. Puis elle oublia ce qui lui
était arrivé et, si quelqu'un fixait la marque blanchâtre qui lui était restée sur la peau, elle faisait
un geste agressif qui signifiait : qu'est-ce que tu
regardes, occupe-toi de tes affaires ! Elle ne me dit
jamais rien, pas même un mot de remerciement
pour les pierres que je lui avais tendues ou pour
avoir essuyé son sang avec le pan de mon tablier.
Mais, à partir de là, elle se mit à me soumettre à
des épreuves de courage qui n'avaient plus rien à
voir avec l'école.

On se voyait de plus en plus souvent dans notre
cour. Nous nous montrions nos poupées l'air de
rien, l'une dans les parages de l'autre comme si
chacune était seule. De temps en temps nous les
faisions se rencontrer pour essayer, pour voir si
elles s'entendaient bien. Et ainsi arriva le jour où
nous étions devant le soupirail de la cave avec la
grille décollée : nous procédâmes à l'échange, elle
tint un peu ma poupée et moi la sienne, et de but
en blanc Lila fit passer Tina à travers l'ouverture
du grillage et la laissa tomber.

J'éprouvai une douleur insupportable. Je tenais
à ma poupée en celluloïd comme à ce que j'avais de
plus précieux. Je savais que Lila était une gamine
très méchante, mais je ne me serais jamais attendue qu'elle me fasse un coup aussi cruel. Pour moi
ma poupée était vivante, et la savoir au fond de

la cave, au milieu des mille bestioles qui y grouil-
laient, me jeta dans le désespoir. Mais en cette
occasion j'appris un art dont je devins par la suite
experte. Je retins mon désespoir, je le retins sur le
bord de mes yeux humides, à tel point que Lila me
lança en dialecte :

« Tu t'en fiches ? »

Je ne répondis rien. J'éprouvais une douleur
extrêmement violente, mais je sentais que la douleur de me fâcher avec elle serait plus forte encore.
J'étais comme étranglée par deux souffrances : une
déjà en acte, la perte de ma poupée, et une poten-
tielle, la perte de Lila. Je ne dis rien et ne fis qu'un
geste, sans montrer de dépit et comme si c'était
naturel, même si ce ne l'était pas et si je savais que
je risquais gros : je me contentai de jeter dans la
cave sa Nu, la poupée qu'elle venait de me donner.

Lila me regarda, incrédule.

« Moi aussi, je suis capable de faire comme toi,
récitai-je aussitôt à voix haute, épouvantée.

— Maintenant tu vas me la chercher.

— Si tu vas chercher la mienne. »

Nous y allâmes ensemble. Dans l'entrée de l'immeuble, sur la gauche, il y avait une petite porte
qui conduisait aux caves : nous la connaissions
bien. Abîmée comme elle l'était – un des battants
ne tenait que sur un seul gond – la porte était blo-
quée par un verrou qui maintenait ensemble tant
bien que mal les deux battants. Tous les enfants
étaient tentés, mais en même temps terrorisés,
par la possibilité de forcer cette petite porte juste
assez pour pouvoir passer de l'autre côté. C'est ce
qu'on fit. Nous obtînmes un espace suffisant pour
que nos corps minces et souples se glissent dans
la cave.

Une fois à l'intérieur, Lila d'abord et moi derrière, nous descendîmes cinq marches en pierre jusqu'à un endroit humide, mal éclairé par de petites ouvertures au niveau de la rue. J'avais peur : j'essayai de suivre Lila, qui avait l'air en colère et allait droit à la recherche de sa poupée. J'avançai à tâtons. Je sentais sous mes semelles de sandales des objets qui craquaient – verre, pierraille ou insectes. Nous étions entourées d'objets non identifiables, de masses obscures pointues, carrées ou arrondies. Le peu de lumière qui traversait l'obscurité tombait parfois sur des objets reconnaissables : le squelette d'une chaise, la hampe d'un lustre, des cageots de fruits, des fonds et des flancs d'armoires, des pentures. Je fus très effrayée par une espèce de visage flasque aux grands yeux de verre, dont le menton s'allongeait en forme de boîte. Je le vis accroché sur un petit moine en bois, avec son expression désolée, et l'indiquai à Lila en criant. Elle se retourna d'un bond, s'approcha lentement de l'objet en me tournant le dos, tendit une main précautionneuse et l'enleva du moine. Puis elle se tourna. Elle avait mis le visage aux yeux de verre sur le sien, et maintenant elle avait un visage énorme, aux orbites rondes sans pupilles, privé de bouche, avec ce menton noir en galoche qui pendait sur sa poitrine.

Ce sont des instants qui sont restés fortement imprimés dans ma mémoire. Je n'en suis pas certaine, mais il dut sortir de ma poitrine un véritable hurlement de terreur, parce qu'elle se hâta de dire d'une voix tonitruante que ce n'était qu'un masque, un masque à gaz : son père l'appelait comme ça, il avait le même dans le débarras de leur maison. Je continuai à trembler et à gémir de peur, ce qui visiblement la convainquit de l'ôter; elle le jeta dans un coin avec grand fracas, soulevant la poussière qui parut se concentrer entre les rais de lumière des soupiraux.

Je me calmai. Lila regarda autour d'elle et repéra l'ouverture d'où nous avions fait tomber Tina et Nu. Nous nous approchâmes du mur rugueux et granuleux et regardâmes dans l'ombre. Les poupées n'y étaient pas. Lila répétait en dialecte : elles ne sont pas là, elles ne sont pas là, elles ne sont pas là, et elle fouillait par terre avec ses mains, ce que moi je n'avais pas le courage de faire.

De très longues minutes s'écoulèrent. Une fois seulement je crus voir Tina et avec un coup au cœur me penchai pour la ramasser : mais ce n'était qu'une vieille page de journal roulée en boule. Elles ne sont pas là, répéta Lila, et elle se dirigea vers la sortie. Alors je me sentis perdue, incapable de rester là toute seule à continuer les recherches, incapable de m'en aller avec elle si je n'avais pas trouvé ma poupée.

En haut des marches, elle annonça :

« C'est Don Achille qui les a prises : il les a mises dans son sac noir. »

Et à cet instant même je l'entendis, Don Achille : il rampait et se frottait contre les formes indistinctes des objets. Alors j'abandonnai Tina à son destin et m'enfuis pour ne pas perdre Lila qui, agile, se tortillait déjà pour se couler de l'autre côté de la porte dégondée.

11

Je croyais tout ce qu'elle me disait. L'image de Don Achille comme une masse informe courant à travers des boyaux souterrains, les bras ballants, retenant de ses gros doigts la tête de Nu d'un côté, celle de Tina de l'autre, m'est restée en mémoire. Je souffris beaucoup. Je tombai malade, eus des fièvres de croissance, puis je guéris et tombai de nouveau malade. Je fus prise d'une sorte de dys-fonctionnement tactile : j'avais parfois l'impres-sion que, alors que le rythme de la vie de tous les êtres animés autour de moi accélérait, leur surface solide devenait molle sous mes doigts, ou bien se gonflait en laissant des espaces vides entre leur masse interne et la surface de leur enveloppe. J'avais l'impression que mon corps même, quand je le touchais, était comme tuméfié, et cela m'acca-blait. J'étais convaincue d'avoir les joues comme des ballons, les mains remplies de sciure, les lobes d'oreilles qui ressemblaient à des sorbes mûres, et les pieds en forme de miches de pain. Quand je retournai dans la rue et à l'école, je sentis que l'es-pace aussi avait changé. Il semblait enchaîné entre deux pôles obscurs : d'un côté, la bulle d'air souter-raine qui butait contre les fondations des maisons, cette caverne menaçante dans laquelle les poupées étaient tombées ; de l'autre, la sphère tout là-haut, au quatrième étage de l'immeuble où habitait Don Achille, qui nous les avait volées. Ces deux ballons étaient comme vissés aux extrémités d'une barre de fer qui, dans mon imagination, traversait en diagonale appartements, rues, campagne, tunnel et rails, et les compactait. Je me sentais enserrée dans cet étau avec la masse des objets et des personnes de mon quotidien, et j'avais un goût désagréable dans la bouche : j'éprouvais en permanence une sensation de nausée qui m'épuisait comme si tout, ainsi comprimé de façon de plus en plus étroite, m'écrasait en me réduisant en une purée répugnante.

Ce fut un mal-être durable qui persista plusieurs années, peut-être au-delà de ma prime adolescence. Mais, au moment même où il commençait, de façon inespérée je reçus ma première déclaration d'amour.

Lila et moi n'avions pas encore essayé de monter chez Don Achille, et je ne pouvais pas encore supporter la perte de Tina et en faire mon deuil. J'étais allée acheter le pain en traînant les pieds. C'est ma mère qui m'y avait envoyée et je rentrais à la maison, la monnaie bien serrée dans mon poing pour ne pas la perdre, la miche encore chaude contre ma poitrine, quand je m'aperçus que derrière moi Nino Sarratore arrivait lentement, tenant son petit frère par la main. Les jours d'été, Lidia, sa mère, voulait toujours qu'il sorte en compagnie de Pino, qui à l'époque n'avait pas plus de cinq ans, et il avait obligation de ne jamais le lâcher. À l'approche d'un coin de rue, peu après l'épicerie des Carracci, Nino commença à me doubler : mais, au lieu de passer devant moi, il me coupa la route, me poussa contre l'immeuble et appuya sa main libre contre le mur, comme une barre qui devait m'empêcher de fuir, tandis que de l'autre il tirait près de lui son frère, témoin silencieux de son entreprise. Tout haletant, il me dit quelque chose que je ne compris pas. Il était pâle : au début il souriait, puis il devint sérieux, avant de se remettre à sourire. À la fin, il scanda dans l'italien de l'école :

« Quand on sera grands, je veux me marier avec toi. »

Puis il me demanda si, en attendant, je voulais être sa petite amie. Il était un peu plus grand que moi, très maigre, il avait un long cou et les oreilles un peu décollées. Il avait des cheveux rebelles, de longs cils et un regard intense. L'effort qu'il faisait pour contenir sa timidité était touchant. Bien que moi aussi je veuille me marier avec lui, je m'entendis lui répondre :

« Non, je ne peux pas. »

Il en resta bouche bée. Pino le tira violemment. Je m'enfuis.

À partir de ce jour, je me mis à l'esquiver à chaque fois que je le voyais. Et pourtant, je le trouvais tellement beau ! Combien de fois étais-je restée à proximité de sa sœur Marisa seulement pour pouvoir l'approcher et faire avec eux le chemin nous ramenant à la maison. Mais à l'évidence il me fit sa déclaration au mauvais moment. Il ne pouvait savoir combien je me sentais déboussolée, ni toute l'angoisse que me procurait la perte de Tina, ni combien l'effort de toujours suivre Lila m'épuisait, ni à quel point l'espace confiné de la cour, des immeubles et du quartier m'ôtait le souffle. Longtemps, il me lança de loin de longs regards apeurés, et puis à son tour il commença à m'éviter. Pendant un moment, il dut craindre que je ne parle aux autres gamines, et surtout à sa sœur, de la proposition qu'il m'avait faite. On savait que ça s'était passé comme ça avec Gigliola Spagnuolo, la fille du pâtissier, quand Enzo lui avait demandé d'être sa petite amie. Enzo l'avait su et s'était mis en colère, il lui avait crié devant l'école que c'était une menteuse, et il avait même menacé de la tuer avec un couteau. Moi aussi je fus tentée de tout raconter, mais finalement je laissai tomber et ne le dis à personne, même pas à Lila quand nous sommes devenues amies. Peu à peu, moi-même j'oubliai cette histoire.

Elle me revint à l'esprit quelque temps plus tard, quand toute la famille Sarratore déménagea. Un matin, le chariot et le cheval du mari d'Assunta, Nicola, apparurent dans la cour : c'est avec ce chariot et ce vieux cheval qu'il vendait ses fruits et légumes dans les rues du quartier, en compagnie de sa femme. Nicola avait un visage beau et large, et les mêmes yeux bleus et les mêmes cheveux blonds que son fils Enzo. En plus de vendre ses fruits et légumes, il s'occupait de déménagements. Et en effet, lui-même, mais aussi Donato Sarratore, Nino, ainsi que Lidia, se mirent à descendre un bazar de toute sorte, des babioles, des matelas et des meubles, et ils installèrent le tout sur le chariot.

À peine entendirent-elles le bruit des roues dans la cour que les femmes se mirent à la fenêtre, ma mère et moi comprises. Une grande curiosité régnait. On disait que, grâce à la compagnie de chemins de fer, Donato avait eu un nouvel appartement près d'une place qui s'appelait Piazza Nazionale. Ou bien – suggéra ma mère – sa femme l'a obligé à déménager pour échapper aux persécutions de Melina, qui veut lui voler son mari. C'était probable. Ma mère voyait toujours le mal là où, à mon plus grand agacement, on découvrait tôt ou tard que le mal, en effet, se trouvait, et son regard tordu semblait fait tout exprès pour deviner les mouvements secrets du quartier. Comment allait réagir Melina ? Était-il vrai, comme je l'avais entendu murmurer, qu'elle avait eu un enfant avec Sarratore, et qu'elle l'avait tué ? Était-il possible qu'elle se mette à hurler des propos atroces, dont cette histoire-là ? Toutes, grandes et petites, nous étions à nos fenêtres, peut-être pour saluer de la main la famille qui s'en allait, peut-être pour assister au spectacle de la rage de cette femme laide, sèche et veuve. Je vis que Lila et sa mère Nunzia se penchaient aussi pour regarder.

Je cherchai à croiser le regard de Nino, mais il semblait avoir autre chose à faire. Je fus saisie alors, comme d'habitude sans aucune raison précise, d'un épuisement qui semblait rendre mou tout ce qui m'entourait. Je pensai qu'il m'avait peut-être fait sa déclaration parce qu'il savait déjà qu'il allait partir, et qu'il voulait me dire avant ce qu'il éprouvait pour moi. Je le regardai tandis qu'il s'essoufflait à transporter des caissettes débordantes d'objets et sentis l'erreur, la douleur de lui avoir dit non. Maintenant il s'enfuyait comme un petit oiseau.

La procession des meubles et du bric-à-brac finit par cesser. Nicola et Donato commencèrent à se passer des cordes afin d'arrimer le tout sur la charrette. Lidia Sarratore apparut, habillée comme pour aller à une fête, elle portait même un petit chapeau d'été en paille bleue. Elle poussait le landau avec son garçon le plus jeune et ses deux filles étaient à ses côtés : Marisa qui avait mon âge, huit-neuf ans, et Clelia qui en avait six. Soudain, on entendit le bruit d'objets brisés au troisième étage. Presque au même instant, Melina se mit à crier. Ses hurlements étaient tellement déchirants que

70

je vis Lila se mettre les mains sur les oreilles. La voix pleine de détresse d'Ada, le deuxième enfant de Melina, résonna aussi, elle criait : maman, non, maman ! Après un moment d'hésitation, je me bouchai les oreilles à mon tour. Mais alors des objets commencèrent à voler par la fenêtre et ma curiosité fut telle que je libérai mes tympans, comme si j'avais besoin de sons bien clairs pour comprendre. Melina, toutefois, ne criait pas des mots mais seulement « Aaah, aaah ! », comme si elle était blessée. On ne la voyait pas et rien n'apparaissait d'elle, pas même le bras ou la main qui lançait les objets. Des casseroles en cuivre, des verres, des bouteilles et des assiettes semblaient s'envoler par la fenêtre, mus par leur seule volonté : dans la rue, Lidia Sarratore filait tête baissée, le dos courbé sur le landau, ses filles derrière elle ; Donato grimpait sur la charrette au milieu de leurs possessions ; Don Nicola retenait son cheval par le mors ; et pendant ce temps, les objets heurtaient l'asphalte, rebondissaient et se cassaient en envoyant des éclats entre les jambes nerveuses de l'animal.

Je cherchai Lila du regard. Je lui vis alors un autre visage, un visage de désarroi. Elle dut se rendre compte que je la regardais car elle disparut aussitôt de la fenêtre. Entre-temps la charrette s'ébranla. Rasant le mur, sans saluer personne, Lidia et ses quatre plus jeunes enfants se glissèrent vers la grille, tandis que Nino paraissait n'avoir aucune envie de s'en aller, comme hypnotisé par tout ce gâchis d'objets fragiles qui s'écrasaient sur l'asphalte.

Enfin je vis voler par la fenêtre une espèce de tache noire. C'était un fer à repasser, tout en fer : manche en fer et base en fer. Quand j'avais encore

Tina et que je jouais à la maison, j'utilisais celui de ma mère, identique à celui-ci, avec sa forme de proue, et imaginais que c'était un bateau dans la tempête. L'objet descendit en piqué et fit un trou dans la terre avec un bruit sourd et sec, à quelques centimètres de Nino. Il manqua de le tuer – de très peu.

12

Aucun petit garçon ne déclara jamais sa flamme à Lila, et elle ne m'a jamais dit si elle en souffrit. Gigliola Spagnuolo recevait constamment des déclarations d'amour, et moi aussi j'étais très demandée. Lila en revanche ne plaisait pas, avant tout parce qu'elle était maigre comme un clou, sale et toujours marquée par quelque blessure, mais aussi parce qu'elle avait la langue bien pendue : elle inventait des surnoms humiliants et si, avec la maîtresse, elle déployait un vocabulaire italien que personne ne connaissait, avec nous elle ne parlait qu'un dialecte cinglant, plein de gros mots, qui coupait court à tout sentiment amoureux. Seul Enzo fit quelque chose qui, si ce n'était pas exactement une proposition de fiançailles, était quand même un signe d'admiration et de respect. Longtemps après lui avoir fendu le crâne avec une pierre et, me semble-t-il, avant d'être éconduit par Gigliola Spagnuolo, il nous courut après sur le boulevard et, sous mes yeux incrédules, tendit à Lila une guirlande de sorbes.

« Et qu'est-ce que j'en fais ?

— Tu les manges.

— Pas mûres ?

— Ben tu les fais mûrir.

— J'en veux pas.

— Jette-les, alors. »

C'est tout. Enzo tourna les talons et partit travailler en courant. Lila et moi éclatâmes de rire. Nous parlions peu, mais chaque fois qu'il nous arrivait quelque chose, c'était l'occasion de rire. Je lui dis simplement, d'un ton amusé :

« Moi j'aime bien ça, les sorbes. »

En fait je mentais, c'était un fruit qui ne me plaisait pas. J'étais attirée par leur couleur jaune-rouge quand elles n'étaient pas mûres, et par leur aspect compact quand elles resplendissaient au soleil. Mais lorsqu'elles mûrissaient sur les balcons et devenaient marron et molles comme de petites poires blettes, et que leur peau se détachait facilement, révélant une pulpe granuleuse dont le goût n'était pas mauvais, mais qui se défaisait d'une manière qui me rappelait les charognes de rats le long du boulevard, alors je ne les touchais même pas. Je prononçai cette phrase presque comme pour voir, espérant que Lila me les tendrait en disant : tiens, prends-les ! Je sentais que si elle me donnait le cadeau que lui avait fait Enzo, je serais plus heureuse que si elle m'offrait quelque chose à elle. Mais elle n'en fit rien, et je me rappelle encore mon impression d'avoir été trahie quand elle les ramena chez elle. Elle planta elle-même un clou à sa fenêtre. Et je la vis quand elle y suspendit la couronne.

13

Enzo ne lui fit jamais plus d'autres cadeaux. Après sa dispute avec Gigliola, qui avait raconté à tout le monde la déclaration qu'il lui avait faite, on le vit de moins en moins. Bien qu'il ait prouvé ses grandes capacités en calcul mental il était trop paresseux, de sorte que le maître ne le présenta pas à l'examen d'admission au collège : il ne le regretta pas et en fut même content. Il s'inscrivit à l'école d'apprentissage, mais de fait il travaillait déjà avec ses parents. Il se réveillait très tôt pour aller avec son père au marché aux fruits et légumes, ou pour circuler à travers notre quartier avec leur charrette pour vendre les produits de la campagne : il eut donc vite fait d'en finir avec l'école.

Nous au contraire, alors que nous nous apprêtions à terminer notre cinquième année de primaire, on nous annonça que nous étions faites pour continuer nos études. La maîtresse appela tour à tour mes parents, ceux de Gigliola et ceux de Lila, pour leur dire que nous devions absolument passer, outre l'examen de fin de primaire, celui d'admission au collège. Je tentai par tous les moyens de dissuader mon père d'envoyer auprès de la maîtresse ma mère, claudicante, l'œil strabique et surtout éternellement en colère, et de faire en sorte qu'il y aille lui, qui était portier à la mairie et savait utiliser des manières courtoises. Je n'y parvins pas. C'est elle qui s'y rendit : elle parla avec la maîtresse et rentra à la maison, très sombre.

« La maîtresse veut de l'argent. Elle dit qu'elle doit lui donner des cours supplémentaires car l'examen est difficile.

« — Mais à quoi il sert, cet examen ? demanda mon père.

— À lui faire apprendre le latin.

— Et pourquoi ?

— Parce qu'ils ont dit qu'elle était douée.

— Mais si elle est douée, pourquoi la maîtresse doit lui donner ces cours payants ?

— Pour que ça aille mieux pour elle, et pire pour nous. »

Ils discutèrent beaucoup. Au début, ma mère était opposée à cette idée et mon père indécis ; puis mon père y devint prudemment favorable et ma mère se résigna à modérer son opposition ; à la fin, ils décidèrent de me faire passer l'examen, mais toujours à la condition que si je n'étais pas excellente, ils me retiraient aussitôt du collège.

Les parents de Lila en revanche dirent non à leur fille. Nunzia Cerullo fit quelques tentatives peu convaincues, mais son père ne voulut même pas en discuter, et il gifla Rino qui lui avait dit qu'il avait tort. Ses parents étaient même enclins à ne pas aller voir la maîtresse, mais celle-ci les fit appeler par le directeur : alors Nunzia fut obligée de s'y rendre. Devant le refus timide et pourtant net de cette femme apeurée, Mme Oliviero, renfrognée mais calme, évoqua les merveilleuses rédactions de Lila, ses solutions brillantes à d'ardus problèmes mathématiques, et même ses dessins pleins de couleurs qui, quand elle s'appliquait, enchantaient toute la classe : avec ses pastels de marque Giotto chipés, elle dépeignait de façon très réaliste des princesses dotées de coiffures, de bijoux, de vêtements et de chaussures qu'on n'avait jamais vus dans aucun livre et même pas au cinéma de la paroisse. Quand le refus fut confirmé, Mme Oliviero finit par perdre son calme et elle traîna la mère de Lila chez le directeur, comme si c'était une élève indisciplinée. Mais Nunzia ne pouvait pas céder, elle n'avait pas la permission de son mari. Ainsi elle ne fit que répéter « non » jusqu'à épuisement de la maîtresse, du directeur et d'elle-même.

Le lendemain, sur le chemin de l'école, Lila me dit avec son ton habituel : de toute façon, moi, l'examen, je le passe quand même. Je la crus, car lui interdire quelque chose était inutile, nous le savions tous. Elle semblait la plus forte de nous toutes, les filles, mais aussi plus forte qu'Enzo, Alfonso ou Stefano, plus forte que son frère Rino, plus forte que nos parents, plus forte que toutes les grandes personnes, y compris la maîtresse et les carabiniers qui pouvaient nous mettre en prison. Même si elle était d'aspect fragile, aucune interdiction ne tenait devant elle. Elle savait comment passer les limites sans jamais vraiment en subir les conséquences. En fin de compte les gens cédaient et, même si c'était à contrecœur, ils étaient obligés de la féliciter.

14

Aller chez Don Achille aussi, c'était interdit, mais elle décida de le faire quand même, et je la suivis. Ce fut même cette occasion qui me convainquit que rien ne pouvait l'arrêter, et que chacune de ses désobéissances débouchait sur des prodiges à couper le souffle.

Nous voulions que Don Achille nous rende nos

poupées. C'est pour ça que nous montions les escaliers, même si à chaque marche j'étais sur le point de faire volte-face et de retourner dans la cour. Je sens encore la main de Lila qui saisit la mienne, et j'aime à penser qu'elle se décida à le faire non seulement parce qu'elle eut l'intuition que je n'aurais pas le courage d'arriver jusqu'au dernier étage, mais aussi parce qu'elle-même cherchait dans ce geste la force de continuer. C'est ainsi, tout près l'une de l'autre, moi du côté du mur et elle du côté de la rampe, nos mains jointes sur des paumes en sueur, que nous montâmes les dernières marches. Devant la porte de Don Achille, mon cœur battait très fort : je l'entendais dans mes oreilles, mais je me consolai en me disant que c'était aussi le bruit du cœur de Lila. Des voix provenaient de l'appartement, peut-être celles d'Alfonso, Stefano ou Pinuccia. Après une pause très longue et silencieuse devant la porte, Lila tourna la petite clef de la sonnette. Il y eut un silence, puis un bruit de savates. C'est Donna Maria qui nous ouvrit, elle portait une robe de chambre d'un vert fané. Quand elle parla, je vis dans sa bouche une dent en or très brillante. Elle crut que nous cherchions Alfonso, elle était un peu surprise. Lila lui répondit en dialecte :

« Non, c'est Don Achille que nous voulons voir.

— Dis-moi ce qu'il y a.

— Nous devons lui parler en personne. »

La femme cria :

« Achì ! »

D'autres bruits de savates. Une silhouette trapue apparut dans la pénombre. Son buste était long et ses jambes courtes, ses bras descendaient jusqu'aux genoux et il avait une cigarette à la bouche, dont on voyait la braise. Il demanda d'une voix rauque :

« Qui c'est ?

— La fille du cordonnier avec la grande des Greco. »

Don Achille entra dans la lumière et, pour la première fois, nous le vîmes vraiment. Aucun minéral, aucun scintillement de verre. Son visage long était fait de chair, et ses cheveux frisottaient juste au-dessus de ses oreilles, tandis que le centre de sa tête était tout brillant. Ses yeux étincelaient, leur blanc veiné de petits ruisseaux rouges, sa bouche était large et fine, et il avait un gros menton avec une fossette au milieu. Je le trouvai laid, mais pas autant que je l'avais imaginé.

« Ben quoi ?

— Les poupées ! dit Lila.

— Quelles poupées ?

— Les nôtres.

— Ici, on n'a pas besoin de vos poupées.

— Vous les avez prises dans la cave. »

Don Achille se tourna et cria vers l'intérieur de l'appartement :

« Pinù, c'est toi qui as pris la poupée de la fille du cordonnier ?

— Non, c'est pas moi.

— Alfò, c'est toi qui l'as prise ? »

Des rires.

Lila, immobile, lança – et je me demande bien d'où lui venait ce courage :

« C'est vous qui les avez prises, on vous a vu !

Il y eut un moment de silence.

« Ah, vous m'avez vu ?

— Oui, et vous les avez mises dans votre grand sac noir. »

En entendant ces derniers mots, l'homme plissa le front, agacé.

Je n'arrivais pas à croire que nous étions là, devant Don Achille, avec Lila qui lui parlait comme ça et lui qui la fixait d'un air perplexe, pendant que dans le fond on entrevoyait Alfonso, Stefano, Pinuccia et Donna Maria qui mettait la table pour le dîner. Je n'arrivais pas à croire que c'était une personne banale : il était un peu petit, chauve et disproportionné, mais banal. Du coup je m'attendais qu'il se transforme d'un moment à l'autre.

Don Achille répéta, comme pour bien comprendre le sens de ces mots :

« J'ai pris vos poupées et je les ai mises dans mon sac noir ? »

J'eus l'intuition qu'il n'était pas en colère mais que, tout à coup, il se sentait las, comme s'il recevait la confirmation de quelque chose qu'il savait déjà. Il dit quelques mots en dialecte que je ne compris pas, et Maria cria :

« Achì, c'est prêt !

— J'arrive. »

Don Achille porta sa grosse et large main à la poche-revolver de son pantalon. Nous nous serrâmes très fort la main, nous attendant qu'il en sorte un couteau. Mais c'est un portefeuille qu'il en tira : il l'ouvrit, regarda à l'intérieur et tendit à Lila de l'argent, je ne sais plus combien :

« Allez vous les acheter, vos poupées », dit-il.

Lila attrapa l'argent et me tira dans les escaliers. Se penchant au-dessus de la rampe, il bougonna :

« Et rappelez-vous que c'est moi qui vous les ai offertes. »

Je dis en italien, faisant attention à ne pas tomber dans les escaliers :

« Bonsoir et bon appétit ! »

15

Juste après Pâques, Gigliola et moi commençâmes à aller chez la maîtresse pour nous préparer à l'examen d'admission. La maîtresse habitait juste à côté de l'église de la Sacra Famiglia ; ses fenêtres donnaient sur le petit jardin et de là on voyait, derrière une dense végétation, les pylônes de la voie ferrée. Gigliola passait sous mes fenêtres et m'appelait. J'étais déjà prête et sortais en courant. J'aimais bien ces leçons particulières qui avaient lieu, me semble-t-il, deux fois par semaine. À la fin de la séance, la maîtresse nous offrait des gâteaux secs en forme de cœur et une limonade.

Lila ne vint jamais : ses parents n'avaient pas accepté de payer la maîtresse. Mais, comme désormais nous étions très amies, elle continua à me dire qu'elle passerait l'examen et qu'elle irait au collège, dans la même classe que moi.

« Et les livres ?

— Tu pourras me les prêter. »

Sur ce, pourtant, c'est un roman qu'elle s'acheta avec l'argent de Don Achille : *Les Quatre Filles du docteur March*. Elle se décida parce qu'elle connaissait déjà ce livre, qui lui avait beaucoup plu. En quatrième année, Mme Oliviero nous avait donné, à nous les meilleures de la classe, des livres à lire. Elle était tombée sur *Les Quatre Filles* avec, comme

phrase accompagnatrice, la formule suivante :
« C'est un livre pour les grandes, mais il te convient
bien » ; moi j'avais eu le livre *Cuore*, sans même un
mot m'expliquant de quoi il s'agissait. Lila avait lu
aussi bien *Les Quatre Filles du docteur March* que
Cuore en très peu de temps, et elle disait qu'il n'y
avait pas de comparaison possible : d'après elle,
Les Quatre Filles était sublime. Moi je n'avais pas
réussi à le lire et j'avais déjà eu du mal à finir *Cuore*
dans les délais fixés par la maîtresse pour la resti-
tution des livres. Je lisais lentement, et aujourd'hui
encore je suis ainsi. Lila, quand elle avait dû rendre
le livre à Mme Oliviero, s'était plainte de ne pas
pouvoir constamment relire *Les Quatre Filles du
docteur March*, et de ne pas pouvoir en parler avec
moi. C'est pour cela qu'un matin, elle se lança.
Elle m'appela de la rue et on alla aux étangs, à
l'endroit où nous avions enterré l'argent de Don
Achille dans une boîte en métal : on le prit pour
aller demander à Iolanda, la papetière qui expo-
sait dans sa vitrine depuis Dieu sait combien de
temps un exemplaire des *Quatre Filles du docteur
March* jauni par le soleil, si cela suffisait. C'était
bon. À peine devenues propriétaires du livre, nous
commençâmes à nous retrouver dans la cour pour
le lire, soit silencieusement, l'une à côté de l'autre,
soit à voix haute. Nous le lûmes pendant des mois,
tellement de fois qu'il en devint un torchon : il partait en lambeaux et perdit son dos, on pouvait en
tirer des fils et en détacher les cahiers. Mais c'était
notre livre, et nous l'aimions beaucoup. C'est moi
qui en étais la gardienne et je le conservais à la
maison au milieu de mes manuels scolaires, parce
que Lila ne se voyait pas le garder chez elle. Son

père, ces derniers temps, s'énervait rien qu'en la surprenant à lire.

Rino, en revanche, la protégeait. Quand il y eut le débat sur l'examen d'admission, des disputes ne cessèrent d'éclater entre son père et lui. À cette époque, il avait dans les seize ans, c'était un garçon très nerveux qui avait engagé sa propre bataille afin d'être payé pour le travail qu'il fournissait. Il raisonnait ainsi : je me lève à six heures, je vais au magasin et travaille jusqu'à huit heures du soir, je veux un salaire. Mais ces paroles scandalisaient son père aussi bien que sa mère. Rino avait un lit où dormir, il avait de quoi manger, alors pourquoi voulait-il de l'argent ? Son devoir était d'aider sa famille, pas de l'appauvrir. Mais le jeune homme insistait : il trouvait injuste de trimer autant que son père et de ne pas recevoir un centime. À ce stade, Fernando Cerullo lui rétorquait avec une feinte patience : « Mais moi, je te paye déjà, Rino ! Je te paye grassement en t'apprenant tout le métier : non seulement tu sauras bientôt refaire tout seul des talons ou une couture ou bien changer une demi-semelle, mais ton père te transmet tout ce qu'il sait et après tu arriveras à fabriquer, dans les règles de l'art, une chaussure entière. » Mais ce paiement à base d'instruction ne suffisait pas à Rino, et du coup les prises de bec s'enchaînaient, en particulier pendant le dîner. Elles commençaient sur des questions d'argent et finissaient en disputes à propos de Lila.

« Si tu me payes, c'est moi qui me chargerai de lui faire suivre des études, disait Rino.

— Des études ? Pourquoi, j'ai fait des études, moi ?

— Non.

« — Et toi, tu as fait des études ?

— Non.

— Alors pourquoi ta sœur devrait en faire, alors que c'est une fille ? »

L'affaire se terminait presque toujours par une claque sur la joue de Rino qui, d'une manière ou d'une autre et même sans l'avoir voulu, avait manqué de respect à son père. Le jeune homme, sans pleurer, demandait pardon d'une voix mauvaise.

Pendant ces discussions, Lila se taisait. Elle ne me l'a jamais dit, mais j'ai toujours eu l'impression qu'alors que je haïssais ma mère – et je la haïssais vraiment, profondément – elle, malgré tout, n'en voulait nullement à son père. Elle racontait qu'il était plein de gentillesse et que, quand il devait faire les comptes, il les lui laissait faire ; elle l'avait entendu dire à des amis que sa fille était la personne la plus intelligente du quartier ; quand c'était sa fête, il lui apportait lui-même un chocolat chaud et quatre biscuits au lit. Mais il n'y avait rien à faire, l'idée qu'elle continue ses études ne faisait pas partie de ses manières de voir. Et cela ne faisait pas partie non plus de ses possibilités économiques : il avait une famille nombreuse, et tout le monde vivotait grâce à sa petite boutique, y compris les deux sœurs célibataires de Fernando et les parents de Nunzia. Par conséquent, cette histoire de faire des études, c'était comme parler à un mur, et au fond sa mère était de la même opinion. Seul son frère pensait autrement, et il se battait courageusement contre son père. Et Lila, pour des raisons que je ne comprenais pas, semblait convaincue que Rino gagnerait. Il obtiendrait son salaire et l'enverrait à l'école avec son argent.

« S'il y a des frais d'inscription, il me les payera »,
m'expliquait-elle.

Elle était convaincue que son frère lui donnerait
de l'argent pour ses manuels scolaires mais aussi
pour ses plumes, son porte-plume, ses pastels, sa
mappemonde, sa blouse et son ruban. Elle l'adorait. Elle m'avoua qu'après ses études, elle voulait
gagner beaucoup d'argent uniquement pour que
son frère devienne la personne la plus riche du
quartier.

Au cours de notre dernière année de primaire,
la richesse devint notre idée fixe. Nous en parlions
comme on parle, dans les romans, de la recherche
d'un trésor. Nous nous exclamions : quand on sera
riches, on fera ceci, on fera cela ! À nous entendre,
on aurait dit que la richesse était cachée quelque
part dans le quartier, dans des coffres qui, une
fois ouverts, s'illuminaient, et qu'elle attendait
simplement que nous la trouvions. Puis, je ne sais
pourquoi, cela changea, et nous commençâmes à
associer les études à l'argent. Notre idée était qu'en
travaillant beaucoup nous écririons des livres,
et ces livres nous rendraient riches. La richesse
conservait la forme d'un scintillement de pièces
d'or enfermées dans d'innombrables caisses, mais
pour y arriver il suffisait de faire des études et
d'écrire un livre.

« On en écrit un ensemble ! » s'exclama Lila un
jour, me comblant de joie.

Ce projet naquit peut-être quand elle découvrit
que l'auteure des *Quatre Filles du docteur March*
avait gagné tellement d'argent qu'elle avait donné
une partie de ses richesses à sa famille. Mais je ne
le jurerais pas. Nous en discutâmes, et je proposai de commencer aussitôt l'examen d'admission

passé. Elle consentit, toutefois elle ne sut pas résister. Alors que je devais travailler beaucoup, ne serait-ce que pour mes cours de l'après-midi avec Spagnuolo et la maîtresse, elle était plus libre, alors elle se mit à l'œuvre et écrivit un roman sans moi.

J'eus bien de la peine quand elle me l'apporta pour que je le lise, mais je ne dis rien, au contraire je retins ma déception et lui fis grande fête. Il s'agissait d'une dizaine de feuilles quadrillées, pliées et fermées avec une épingle à couture. La couverture était illustrée avec des pastels, et je me souviens du titre : il s'intitulait « La Fée bleue ». Ah, comme il était passionnant, et plein de mots difficiles ! Je lui conseillai de le faire lire à la maîtresse. Elle refusa. Je la suppliai et proposai de le lui donner. Peu convaincue, elle fit signe qu'elle acceptait.

Un jour où j'étais chez Mme Oliviero pour mon cours, je profitai d'un moment où Gigliola était aux toilettes pour sortir « La Fée bleue ». J'expliquai que c'était un superbe roman écrit par Lila, et que Lila voulait qu'elle le lise. Mais la maîtresse, qui ces cinq dernières années avait toujours été enthousiaste de tout ce que faisait Lila – méchancetés mises à part –, répliqua froidement :

« Dis à Cerullo qu'elle ferait mieux de travailler pour l'examen, au lieu de perdre son temps. » Elle garda quand même le roman de Lila, qu'elle posa sur la table sans daigner lui accorder un regard.

Ce comportement me désorienta. Que s'était-il passé ? Elle s'était fâchée avec la mère de Lila ? Elle avait étendu sa colère à Lila elle-même ? Elle était déçue parce que les parents de mon amie n'avaient pas voulu lui donner de l'argent ? Je ne compris pas. Quelques jours plus tard, je lui demandai prudemment si elle avait lu « La Fée bleue ». Elle me répondit d'une manière insolite, obscure, comme si seulement elle et moi pouvions vraiment nous comprendre :

« Greco, tu sais ce que c'est, la plèbe ?

— Oui : la plèbe, les tribuns de la plèbe, les Gracques.

— La plèbe, c'est vraiment pas du joli.

— Ben non.

— Et si quelqu'un veut rester dans la plèbe, lui, ses enfants et les enfants de ses enfants, il ne mérite rien. Laisse tomber Cerullo, et pense à toi. »

Mme Oliviero ne reparla jamais de « La Fée bleue ». Lila m'en demanda des nouvelles deux ou trois fois, puis elle abandonna. Elle déclara sombrement :

« Dès que j'ai le temps, j'en écris un autre : celui-là n'était pas bon.

— Il était magnifique.

— Il était nul. »

Mais elle devint moins vive, surtout en classe, sans doute parce qu'elle se rendit compte que Mme Oliviero ne chantait plus ses louanges, et était même parfois agacée par ses excès de bravoure. Quand ce fut la compétition de fin d'année, elle finit quand même la première, mais sans son côté effronté d'autrefois. À la fin de la journée, le directeur soumit les élèves restés en lice – à savoir Lila, Gigliola et moi – à un problème très difficile qu'il avait inventé lui-même. On peina, Gigliola et moi, sans résultat. Lila, comme d'habitude, réduisit ses yeux à deux fentes et s'appliqua à la tâche. Elle fut la dernière à capituler. Elle annonça d'un ton timide, inhabituel pour elle, qu'il était impossible de résoudre ce problème car il y avait une erreur dans l'énoncé, mais elle ne savait pas où. Tonnerre de Zeus ! Mme Oliviero lui passa un énorme savon. Je voyais Lila au tableau, toute menue, la craie à la main et très pâle, assaillie par des rafales de phrases agressives. Je souffrais pour elle, je ne supportais pas la vue du tremblement de sa lèvre inférieure et j'étais sur le point d'éclater en sanglots.

« Quand on ne sait pas résoudre un problème, conclut Mme Oliviero glaciale, on ne dit pas : il y a une erreur dans l'énoncé, mais : je ne suis pas capable de le résoudre. »

Le directeur garda le silence. Pour autant que je me souvienne, la journée finit comme ça.

16

Peu avant l'examen de fin de primaire, Lila me poussa encore à faire l'une de ces choses que, toute seule, je n'aurais jamais eu le courage de faire. Nous décidâmes de ne pas aller à l'école et de franchir les frontières de notre quartier.

Ça ne nous était jamais arrivé. Aussi loin que je me souvienne, je ne m'étais jamais éloignée de nos immeubles blancs de quatre étages, de notre cour, de la paroisse et du jardin public, et n'en avais jamais éprouvé le désir. Des trains passaient toute la journée au fond de la campagne, des voitures et des camions allaient et venaient sur le boulevard, et pourtant je ne me rappelle pas la moindre occasion où j'aurais pu demander à mon père, à la maîtresse ou à moi-même : mais ils vont où, ces trains, ces voitures, ces camions ? Dans quelle ville, dans quel monde ?

Lila non plus n'avait jamais montré aucun intérêt particulier pour cette question, pourtant ce jour-là elle organisa tout. Elle me dit de raconter à ma mère qu'après l'école nous irions toutes chez la maîtresse pour fêter la fin de l'année scolaire : quand je m'efforçai de lui rappeler que les institutrices n'avaient jamais invité toutes leurs jeunes élèves chez elles pour une fête, elle répondit que c'était précisément pourquoi il fallait raconter ça. L'événement semblerait tellement exceptionnel qu'aucun de nos parents n'oserait aller demander à l'école si c'était vrai. Comme d'habitude je lui fis confiance, et tout se passa exactement comme elle l'avait prévu. Chez moi tout le monde y crut, non seulement mon père et mes frères mais aussi ma mère.

La veille je n'arrivai pas à m'endormir. Qu'y avait-il donc au-delà de notre quartier, au-delà de ce périmètre que nous connaissions par cœur ? Derrière chez nous s'élevaient une petite colline recouverte d'arbres et quelques rares constructions qui longeaient les rails brillants. Devant, de l'autre côté du boulevard, commençait une route pleine de trous qui suivait les étangs. À droite, en sortant par le portail, une plate campagne s'étendait, sans un arbre et sous un ciel énorme. À gauche il y avait un tunnel avec trois entrées ; mais si par une belle journée on grimpait jusqu'à la voie ferrée on voyait, derrière des maisons basses, quelques murs en tuf et une épaisse végétation, se dresser une montagne bleu ciel dotée de deux sommets, l'un plus haut que l'autre : elle s'appelait le Vésuve et c'était un volcan.

Mais rien de ce que nous avions sous les yeux tous les jours, ou de ce que nous pouvions voir en escaladant la colline, ne nous impressionnait. Habituées par nos manuels scolaires à parler savamment de ce que nous n'avions jamais vu, c'était l'invisible qui nous attirait. Lila disait que dans la direction du Vésuve, justement, il y avait la mer. Rino y était allé et lui avait raconté que c'était de l'eau bleue et scintillante : un spectacle merveilleux. Le dimanche, surtout l'été mais souvent l'hiver aussi, il courait s'y baigner avec ses amis, et il lui avait promis de l'emmener. Bien sûr, il n'était pas le seul à avoir vu la mer, et d'autres personnes que nous connaissions l'avaient vue aussi. Une fois, Nino Sarratore et sa sœur Marisa nous en avaient parlé comme s'ils trouvaient normal d'y aller de temps en temps pour manger des *taralli* et des fruits de mer. Gigliola Spagnuolo aussi y avait été. Nino, Marisa et elle avaient la chance d'avoir des parents qui emmenaient leurs enfants se promener très loin, et pas seulement faire deux pas dans le jardinet de la paroisse. Les nôtres n'étaient pas ainsi : le temps leur manquait, mais aussi l'argent et l'envie. À vrai dire, il me semblait avoir un vague souvenir bleuté de la mer : ma mère soutenait qu'elle m'y avait emmenée quand j'étais petite et qu'elle avait dû faire des bains de sable pour sa jambe vexée. Mais je ne croyais pas beaucoup ma mère et, Lila ignorant tout de la mer, je lui avouais n'en rien savoir non plus. C'est ainsi qu'elle eut l'idée de faire comme Rino, de se mettre en chemin et d'y aller seule. Elle me convainquit de l'accompagner. Le lendemain.

Je me levai de bonne heure et fis tout comme si je devais aller à l'école : le pain trempé dans le lait chaud, le cartable, la blouse. Comme d'habitude j'attendis Lila devant le portail, mais au lieu de partir à droite nous traversâmes le boulevard et partîmes à gauche, vers le tunnel.

C'était tôt le matin et il faisait déjà chaud. On sentait une forte odeur de terre et d'herbe qui séchaient au soleil. Nous passâmes entre les arbres, par des sentiers incertains qui montaient vers les rails. Arrivées à un pylône électrique nous ôtâmes nos blouses pour les ranger dans nos cartables, que nous cachâmes entre les buissons. Alors nous nous mîmes à courir à travers cette campagne que nous connaissions si bien, volant tout excitées le long d'une pente qui nous conduisit à l'entrée du tunnel. La gueule de droite était toute noire et nous n'avions jamais pénétré dans cette obscurité. On se prit par la main et on entra. C'était un long passage et le cercle lumineux de la sortie semblait bien loin. Une fois habituées à la pénombre, étourdies par la résonance de nos pas, nous vîmes des filets d'eau argentée qui glissaient le long des parois et de grandes flaques. Nous avançâmes, très tendues. Puis Lila poussa un cri et rit de la violence avec laquelle le son retentissait. Aussitôt après je criai et ris à mon tour. À partir de là nous ne fîmes que crier, ensemble et séparément : éclats de rire et cris, cris et éclats de rire, pour le plaisir de les entendre amplifiés. Notre tension diminua et le voyage commença.

Nous avions tellement d'heures devant nous pendant lesquelles aucun membre de nos familles ne nous chercherait ! Quand je songe au plaisir d'être libre, je repense au début de cette journée, à la sortie du tunnel, à ce moment où nous nous retrouvâmes sur cette route toute droite, à perte de vue : d'après ce que Rino avait dit à Lila, en la suivant jusqu'au bout on arrivait à la mer. C'est avec joie que je me sentis exposée à l'inconnu. Rien de comparable avec notre descente dans les caves ou notre ascension chez Don Achille. Il y avait un soleil nébuleux et une forte odeur de brûlé. Nous marchâmes longtemps entre des murs écroulés envahis par les mauvaises herbes et de petits édifices d'où provenaient des paroles en dialecte et parfois quelque bruit retentissant. Nous vîmes un cheval descendre prudemment d'un terre-plein et traverser la route en hennissant. Nous vîmes une jeune femme à son petit balcon occupée à se passer le peigne à poux dans les cheveux. Nous vîmes beaucoup de petits morveux qui arrêtaient leurs jeux pour nous regarder d'un air menaçant. Nous vîmes aussi un gros type en maillot de corps surgir d'une maison en ruine, ouvrir son pantalon et nous montrer son pénis. Mais rien de tout cela ne nous effraya : Don Nicola, le père d'Enzo, nous faisait parfois caresser son cheval, les enfants de notre cour étaient menaçants aussi, et le vieux Don Mimì nous montrait son machin dégoûtant à chaque fois que nous rentrions de l'école. Pendant au moins trois heures de marche, la route que nous parcourions ne nous sembla guère différente de celle que nous voyions tous les jours. À aucun moment je ne me sentis responsable de l'itinéraire. Nous nous tenions par la main et avancions côte à côte mais pour moi, comme toujours, c'était comme si Lila se trouvait dix pas devant moi et savait précisément que faire et où aller. J'étais habituée à me sentir constamment la deuxième et du coup j'étais persuadée que pour elle, qui était la première depuis toujours, tout était clair : notre rythme, le calcul du temps à disposition pour aller et revenir, et le chemin pour arriver à la mer. Je pensais que tout était organisé dans sa tête de telle manière que le monde alentour ne pourrait jamais y semer le désordre. Je m'abandonnai avec allégresse. Je me rappelle une lumière diffuse qui semblait provenir non pas du ciel mais des profondeurs de la terre, bien que sa surface soit aride et laide.

Puis nous commençâmes à fatiguer et à avoir faim et soif. Nous n'avions pas pensé à ça. Lila ralentit et je ralentis moi aussi. Je la surpris deux ou trois fois à me regarder comme si elle s'en voulait de m'avoir fait une méchanceté. Qu'est-ce qui se passait ? Je me rendis compte qu'elle se retournait souvent et me mis à me retourner moi aussi. Sa main était en sueur. Cela faisait longtemps que nous n'avions plus le tunnel, la frontière de notre quartier, derrière nous. La route déjà parcourue nous était désormais peu familière, comme l'était celle qui continuait à se dérouler devant nous. Les gens semblaient tout à fait indifférents à notre sort. Et c'était un paysage d'abandon qui se dressait maintenant autour de nous : des monceaux de bidons, du bois brûlé, des carcasses de voitures, des roues de charrettes aux rayons brisés, des meubles à moitié détruits et de la ferraille rouillée. Pourquoi Lila regardait-elle derrière elle ? Pourquoi ne disait-elle plus rien ? Qu'est-ce qui n'allait pas ?

Je regardai mieux. Le ciel, qui au début était haut, semblait très bas maintenant. Derrière nous tout devenait noir : de gros nuages très lourds s'étaient posés sur les arbres et les réverbères. Devant nous, en revanche, la lumière demeurait aveuglante, mais elle était comme poussée sur les côtés par une grisaille violacée qui semblait vouloir l'étouffer. Nous entendîmes au loin les grondements du tonnerre. Je pris peur, mais ce qui m'effraya le plus ce fut l'expression de Lila, nouvelle pour moi. Elle était là, bouche bée, les yeux grands ouverts, et regardait nerveusement devant elle, derrière, sur le côté, en me serrant la main très fort. Est-il donc possible, me demandai-je, qu'elle ait peur? Qu'est-ce qui lui arrive?

Les premières grosses gouttes tombèrent, elles frappèrent la poussière de la route en y laissant de petites taches marron.

«On rentre, dit Lila.

— Ben, et la mer?

— C'est trop loin.

— Et la maison?

— Aussi.

— Autant aller à la mer, alors!

— Non.

— Et pourquoi?»

Je la vis agitée comme je ne l'avais jamais vue. On aurait dit que quelque chose – quelque chose qu'elle avait sur le bout de la langue mais ne se décidait pas à me dire – l'obligeait tout à coup à me traîner en toute hâte vers la maison. Je ne comprenais pas: pourquoi est-ce qu'on faisait demi-tour? On avait le temps, la mer ne devait plus être bien loin! Et que l'on rentre à la maison ou que l'on continue à avancer, s'il se mettait à pleuvoir on serait mouillées pareil. C'était un modèle de raisonnement que j'avais appris d'elle et j'étais stupéfaite qu'elle ne l'applique pas.

Une lumière violette déchira le ciel noir et il tonna plus fort. Lila me tira brutalement et je me retrouvai à courir sans conviction en direction de notre quartier. Le vent se leva, les gouttes se firent plus drues et, en l'espace de quelques secondes, elles se transformèrent en cascade. Il ne vint à l'esprit ni de l'une ni de l'autre de chercher refuge quelque part. Nous courûmes aveuglées par l'eau, nos vêtements bientôt trempés et nos pieds nus dans des sandales usées qui avaient peu de prise sur le terrain désormais boueux. Nous courûmes jusqu'à en perdre le souffle.

Puis ce ne fut plus possible et on dut ralentir. Éclairs, coups de tonnerre, eau de pluie ruisselant le long de la route comme des coulées de lave, camions assourdissants qui passaient à toute allure en soulevant des vagues de boue. Nous fîmes le chemin d'un pas rapide et le cœur en tumulte, d'abord sous des trombes d'eau, puis sous une pluie fine et finalement sous un ciel gris. Nous étions trempées, avions les cheveux collés sur le crâne, les lèvres livides et le regard effaré. On retraversa le tunnel puis on grimpa à travers la campagne. Les arbres lourds de pluie nous effleuraient en nous faisant frissonner. On retrouva nos cartables, on enfila nos blouses sèches par-dessus nos habits mouillés et on se dirigea vers la maison. Tendue, gardant les yeux baissés, Lila ne me donna plus la main.

Nous comprîmes vite que rien ne s'était passé comme prévu. Le ciel s'était fait tout noir au-dessus de notre quartier juste à l'heure de la sortie des classes. Ma mère était venue à l'école avec un parapluie pour m'accompagner à la fête chez la maîtresse. Elle avait découvert que je n'y étais pas et qu'il n'y avait aucune fête. Elle me cherchait depuis des heures. Quand je vis de loin sa silhouette qui claudiquait à grand-peine, je quittai aussitôt Lila pour qu'elle ne s'en prenne pas à elle et courus à sa rencontre. Elle ne me laissa même pas le temps de parler. Elle me donna des gifles et des coups de parapluie, hurlant qu'elle me tuerait si je faisais encore une chose pareille.

Lila passa à travers : chez elle, personne ne s'était aperçu de rien.

Le soir, ma mère raconta tout à mon père et l'obligea à me battre. Il s'énerva parce qu'il ne voulait pas et ils finirent par se disputer. Alors il lui flanqua une gifle puis, en colère contre lui-même, me fila une bonne raclée. Pendant toute la nuit je tentai de saisir ce qui s'était réellement passé. Nous devions aller à la mer et nous n'y étions pas allées, je m'étais ramassé des coups pour rien. Une mystérieuse inversion des rôles s'était produite : malgré la pluie, j'aurais voulu continuer à avancer, je me sentais loin de tout et de tous, et cette distance – c'est la première fois que je le découvrais – éteignait en moi tout lien et toute préoccupation ; Lila au contraire avait brusquement regretté son propre plan, avait renoncé à la mer et avait voulu rentrer dans les frontières de notre quartier. Je n'y comprenais rien.

Le lendemain, je ne l'attendis pas devant le portail et allai seule à l'école. Nous nous retrouvâmes dans le jardin public : elle découvrit les bleus que j'avais sur les bras et me demanda ce qui s'était passé. Je haussai les épaules : à quoi bon y revenir ?

« Ils t'ont seulement tapée ?

— Et qu'est-ce que tu voulais qu'ils me fassent d'autre ?

— Ils t'envoient toujours apprendre le latin ? »

Je la fixai, perplexe.

Était-ce donc possible ? M'avait-elle entraînée avec elle dans l'espoir que mes parents, en guise de punition, ne m'enverraient plus au collège ? Ou m'avait-elle ramenée à la maison en toute hâte justement pour m'éviter cette punition ? Ou encore – c'est ce que je me demande aujourd'hui – avait-elle suivi à des moments différents ces deux désirs ?

17

Nous passâmes ensemble l'examen de fin de primaire. Quand elle se rendit compte que je passerais aussi celui d'admission au collège, l'énergie vint à lui manquer. Il se produisit alors quelque chose qui surprit tout le monde : je réussis mes deux examens avec des dix sur dix partout ; Lila réussit son examen avec des neuf partout et un huit en arithmétique.

Elle n'eut pas un mot de colère ni de mauvaise humeur. En revanche elle se mit à faire bande à part avec Carmela Peluso, la fille du menuisier joueur, comme si je ne lui suffisais plus. En quelques jours nous devînmes un trio, mais moi qui avais fini première à l'école, j'étais presque toujours la troisième au sein de ce trio. Elles parlaient et plaisantaient tout le temps entre elles ou, plus précisément, Lila parlait et plaisantait tandis que Carmela écoutait et s'amusait. Quand nous allions nous promener entre l'église et le boulevard, Lila se tenait toujours au milieu et nous à ses côtés. Si je sentais qu'elle se rapprochait de Carmela, cela me faisait de la peine et j'avais envie de rentrer chez moi.

Lors de cette dernière phase elle était comme étourdie, on aurait dit qu'elle était victime d'un coup de soleil. Il faisait déjà très chaud et nous nous trempions souvent la tête dans la petite fontaine. Je me souviens d'elle les cheveux et le visage dégoulinant, qui n'arrêtait pas de parler de l'année suivante, quand nous irions au collège. C'était devenu son sujet préféré et elle le traitait comme si c'était un de ces récits qu'elle avait l'intention d'écrire pour devenir riche. Désormais, quand elle parlait elle s'adressait de préférence à Carmela Peluso, qui avait eu des sept partout à l'examen et n'avait pas passé l'examen d'admission non plus.

Lila avait de grands talents de conteuse et tout semblait vrai – l'école où nous irions, nos professeurs –, elle savait me faire rire et me faire peur. Un matin pourtant je l'interrompis :

« Lila, lui dis-je, toi tu ne peux pas aller au collège parce que tu n'as pas passé l'examen. Ni toi ni Peluso ne pouvez y aller. »

Elle se mit en colère. Elle répondit qu'elle irait au collège de toute façon, examen ou pas examen.

« Carmela aussi ?

— Oui.

— Ce n'est pas possible.

— C'est ce que tu vas voir. »

Mais mes paroles durent lui faire un sacré choc. Dès lors elle cessa ses récits sur notre futur de collégiennes et retomba dans le silence. Puis, avec une détermination inattendue, elle se mit à tourmenter toute sa famille en criant qu'elle voulait apprendre le latin comme Gigliola Spagnuolo et moi. Elle s'en prit surtout à Rino, qui avait promis de l'aider et ne l'avait pas fait. Il était inutile de lui expliquer que désormais il n'y avait plus rien à faire, elle devenait encore plus déraisonnable et agressive.

Au début de l'été, je fus envahie par un sentiment sur lequel j'ai du mal à mettre des mots. Je voyais qu'elle était nerveuse et méchante comme elle l'avait toujours été et j'en étais contente car ainsi, je la reconnaissais. Mais je percevais aussi, derrière ses vieilles manières de faire, une peine qui m'agaçait. Elle souffrait et sa douleur me déplaisait. Je l'aimais mieux quand elle était différente de moi, le plus éloignée possible de mes angoisses. Découvrir sa fragilité me mettait mal à l'aise et, par des méandres secrets, ce sentiment se transformait en un besoin de supériorité. Dès que je le pouvais, avec prudence, et surtout quand Carmela Peluso n'était pas avec nous, je trouvais le moyen de lui rappeler que mon bulletin avait été meilleur que le sien. Dès que je le pouvais, avec prudence, je lui signalais que j'irais au collège et pas elle. Cesser d'être la deuxième et la dépasser me sembla, pour la première fois, un succès. Elle dut s'en rendre compte car elle devint encore plus dure mais pas avec moi, avec sa famille.

Souvent, quand j'attendais qu'elle descende dans la cour, j'entendais ses hurlements qui arrivaient par la fenêtre. Elle lançait des insultes dans un dialecte de la rue des plus agressifs : elle était tellement violente qu'en l'écoutant des idées d'ordre et de respect me venaient, car il ne me semblait pas juste qu'elle traite les grands de cette façon, y compris son frère. C'est vrai que son père Fernando le cordonnier, quand ça lui prenait, pouvait devenir mauvais. Mais tous les pères avaient des accès de fureur. Et puis le sien, quand elle ne le provoquait pas, était un homme doux, sympathique, et un grand travailleur. De visage, il ressemblait à un acteur qui s'appelait Randolph Scott, mais sans en avoir la finesse. Il était plus rustre, sans rien de lumineux, une espèce de barbe toute noire lui montait jusque sous les yeux et la crasse était fichée dans chaque sillon de ses mains larges et courtes, ainsi que sous ses ongles. Il plaisantait volontiers. Quand je me rendais chez Lila il prenait mon nez entre son index et son majeur et faisait semblant de me l'enlever. Il voulait me faire croire qu'il me l'avait volé et que maintenant mon nez se débattait, prisonnier entre ses doigts, s'efforçant de lui échapper et de retourner sur mon visage. Cela me faisait rire. Mais si Rino, Lila ou ses autres enfants l'énervaient alors moi aussi, l'entendant depuis la rue, j'étais effrayée.

Un après-midi, je ne sais ce qui se produisit. À la belle saison, nous restions dehors jusqu'à l'heure du dîner. Ce jour-là, Lila demeurant invisible, j'allai l'appeler sous ses fenêtres qui se trouvaient au rez-de-chaussée. Je criais « Lì, Lì, Lì ! » et ma voix se superposait à celle, très forte, de Fernando, à celle de sa femme, forte elle aussi, et à celle très insistante de mon amie. Je sentis clairement qu'il était en train de se passer quelque chose d'affreux. Des fenêtres provenaient un napolitain grossier et le fracas d'objets que l'on brisait. À première vue, rien ne différait de ce qui se passait chez moi quand ma mère s'énervait parce qu'on n'avait pas assez d'argent et que mon père se mettait en colère parce qu'elle avait déjà dépensé la part du salaire qu'il lui avait donnée. Mais en fait, il y avait une différence fondamentale. Mon père se retenait même lorsqu'il était furieux et il devenait violent en sourdine, empêchant sa voix d'exploser même si les veines de son cou se gonflaient et si ses yeux s'enflammaient. Fernando, en revanche, hurlait, cassait des objets, et sa rage se nourrissait d'elle-même : non seulement il ne parvenait pas à s'arrêter, mais les tentatives que faisait sa femme pour s'interposer ne faisaient que l'excéder davantage au point que, même s'il n'avait rien contre elle, il finissait par la frapper. J'insistais et continuais à appeler Lila, ne serait-ce que pour la sortir de cette tempête de cris, d'obscénités et de bruits de dévastation. Je criais : « Lì, Lì ! » mais elle – je l'entendis – ne cessa d'insulter son père.

Nous avions dix ans, bientôt nous en aurions onze. Je devenais de plus en plus ronde ; Lila, elle, restait toute petite, elle était très maigre, légère et délicate. Tout à coup les cris cessèrent, et quelques instants plus tard mon amie vola par la fenêtre, passa au-dessus de ma tête et atterrit derrière moi, sur le bitume.

Je restai bouche bée. Fernando se mit à la fenêtre, hurlant toujours d'horribles menaces à sa fille. Il l'avait lancée comme un objet.

Je la regardai consternée tandis qu'elle tentait de se relever et me disait avec une moue presque amusée : « Je me suis même pas fait mal ! »

Mais elle saignait et s'était cassé le bras.

18

Les pères pouvaient faire cela et bien d'autres choses encore aux petites filles impertinentes.

Après, Fernando devint plus sombre et s'absorba dans son travail encore plus qu'à l'ordinaire. Pendant tout l'été il nous arriva souvent à Carmela, Lila et moi de passer devant sa petite boutique : mais si Rino nous saluait toujours joyeusement, le cordonnier, tant que sa fille eut le bras dans le plâtre, ne la regarda même pas. On voyait qu'il regrettait. Ses violences de père n'étaient que peu de chose par rapport à la violence diffuse dans notre quartier. Au bar Solara, quand il faisait chaud, entre les pertes au jeu et les ivresses mauvaises, on arrivait souvent au désespoir (un mot qui, en dialecte, voulait dire avoir perdu tout espoir mais aussi, en même temps, être sans le sou) et alors aux coups. Silvio Solara, le patron, un gros type au ventre imposant, les yeux bleus et le front très haut, gardait un bâton noir derrière le comptoir avec lequel il n'hésitait pas à frapper ceux qui ne payaient pas leurs consommations, ceux qui avaient demandé des prêts et à échéance ne voulaient pas rembourser, bref tous ceux qui négociaient des pactes quelconques mais ne s'y tenaient pas ; et souvent il était aidé par ses fils Marcello et Michele, des garçons qui avaient l'âge du frère de Lila mais qui frappaient encore plus dur que leur père. Au bar on donnait des coups et on en recevait. Puis les hommes rentraient chez eux exaspérés par les pertes au jeu, l'alcool, les dettes, les échéances et les bagarres et, au premier mot de travers, ils battaient les membres de leur famille : un enchaînement de fautes qui engendrait d'autres fautes.

En plein milieu de cette très longue saison survint un événement qui bouleversa tout le monde, et qui eut un effet particulier sur Lila. Don Achille, le terrible Don Achille, fut assassiné chez lui un début d'après-midi, lors d'une journée d'août étonnamment pluvieuse.

Il était dans sa cuisine et venait d'ouvrir la fenêtre pour laisser entrer l'air frais de la pluie. Il s'était levé de son lit exprès, interrompant sa sieste. Il portait un pyjama bleu clair élimé et n'avait aux pieds que des chaussettes d'une couleur jaunâtre, noircies aux talons. À peine ouvrit-il la fenêtre qu'une rafale de pluie le frappa au visage ainsi que, du côté droit du cou, exactement à mi-chemin entre la mâchoire et la clavicule, un coup de couteau.

Le sang jaillit de son cou et éclaboussa une casserole en cuivre accrochée au mur. Le cuivre était tellement brillant que le sang ressemblait à une tache d'encre d'où – nous racontait Lila – une ligne noire au tracé incertain coulait. L'assassin – mais elle penchait pour une assassine – était entré sans effraction à une heure où les enfants et les jeunes se trouvaient dans la rue et où les grandes personnes, si elles n'étaient pas au travail, se reposaient. Il avait certainement ouvert avec une fausse clef. Son intention était sans nul doute de le frapper au cœur pendant qu'il dormait, mais il l'avait trouvé éveillé et lui avait donné ce coup à la gorge. Don Achille s'était retourné, la lame tout entière enfoncée dans le cou, les yeux écarquillés, le sang jaillissait à flots et dégoulinait sur son pyjama. Il était tombé d'abord à genoux, puis face contre terre.

Cet assassinat avait tellement impressionné Lila qu'elle nous en imposait le récit presque tous les jours, très sérieusement et en ajoutant toujours de nouveaux détails, comme si elle y avait assisté.

En l'écoutant, Carmela Peluso et moi étions terri-fiées, au point que Carmela n'en dormait pas de la nuit. Dans les moments les plus terribles, quand la ligne noire du sang coulait le long de la casserole en cuivre, les yeux de Lila devenaient deux fentes féroces. Elle imaginait sans doute que le coupable était une femme simplement parce que, pour elle, il était plus facile de s'y identifier.

À cette époque, nous allions souvent chez les Peluso pour jouer aux dames et au morpion, la nouvelle passion qui avait gagné Lila. La mère de Carmela nous faisait entrer dans leur salle à man-ger où tous les meubles avaient été fabriqués par son mari quand Don Achille ne lui avait pas encore enlevé ses outils de menuisier et son magasin. Nous nous asseyions autour de la table placée entre deux buffets munis de miroirs et nous jouions. Je trou-vais Carmela de plus en plus antipathique mais je faisais semblant d'être son amie au moins autant que je l'étais de Lila et, dans certaines occasions, je laissais même croire que je tenais plus à elle. En revanche j'aimais beaucoup Mme Peluso. Elle travaillait à la manufacture de tabac mais avait perdu son travail il y avait quelques mois et depuis elle était toujours à la maison. Mais dans les bons comme dans les mauvais jours elle restait joyeuse, c'était une femme très ronde, avec une poitrine généreuse et deux flammes rouges brûlant sur ses joues, et même s'ils manquaient d'argent elle avait toujours quelque chose de bon à nous offrir. Même son mari semblait un peu plus paisible. À présent il était serveur dans une pizzeria et s'efforçait de ne plus aller au bar Solara pour perdre au jeu le peu qu'il gagnait.

Un matin nous étions dans la salle à manger en

train de jouer aux dames, Carmela et moi contre Lila. Nous étions assises autour de la table, nous d'un côté et elle de l'autre. Derrière Lila comme derrière Carmela et moi il y avait ces meubles munis de miroirs, identiques. Ils étaient en bois sombre avec une corniche à volutes. Je nous regardais toutes trois réfléchies à l'infini et n'arrivais pas à me concentrer, à la fois à cause de toutes ces images de nous-mêmes qui ne me plaisaient pas et à cause des cris d'Alfredo Peluso qui, ce jour-là, était très énervé et s'en prenait à sa femme Giuseppina.

À un moment donné quelqu'un frappa à la porte et Mme Peluso alla ouvrir. Des exclamations, des cris. Nous passâmes toutes trois la tête dans le couloir : c'étaient les carabiniers, des personnages que nous craignions beaucoup. Les carabiniers se saisirent d'Alfredo et l'emmenèrent. Il se débattait, hurlait, appelait par leurs noms ses enfants – Pasquale, Carmela, Ciro, Immacolata –, s'agrippait aux meubles qu'il avait faits de ses mains, aux chaises, à Giuseppina, et jurait qu'il n'avait pas tué Don Achille, qu'il était innocent. Carmela pleurait, désespérée, tout le monde pleurait et je me mis à pleurer moi aussi. Pas Lila : Lila avait ce regard qu'elle avait eu des années auparavant pour Melina, mais avec une différence ; en ce moment, même si elle était immobile, elle semblait suivre les mouvements d'Alfredo Peluso qui lançait des hurlements rauques – aaaah – et effrayants.

C'est la scène la plus terrible à laquelle nous assistâmes pendant notre enfance, et elle me marqua beaucoup. Lila s'occupa de Carmela et la réconforta. Elle lui disait que, si c'était vraiment son père, il avait très bien fait de tuer Don Achille, mais que d'après elle ce n'était pas lui : il était certainement innocent et sortirait bientôt de prison. Elles chuchotaient constamment entre elles et, si je m'approchais, s'éloignaient un peu pour éviter que je ne les entende.

ADOLESCENCE

Histoire des chaussures

1

Le 31 décembre 1958 Lila eut son premier épisode de *délimitation*. Le terme n'est pas de moi :
c'est elle qui a toujours utilisé ce mot, en en
détournant le sens normal. Elle expliquait qu'en
ces occasions, les limites des personnes et des
objets semblaient soudain s'effacer. Quand cette
nuit-là, sur la terrasse où nous fêtions l'arrivée de
1959, elle fut brusquement envahie d'une sensation de ce genre, elle prit peur et garda cette expérience pour elle, encore incapable de lui donner
un nom. Ce n'est que des années plus tard, un soir
de novembre 1980 – nous avions alors trente-six
ans toutes les deux, étions mariées et avions des
enfants –, qu'elle me raconta par le détail ce qui lui
était arrivé ce jour-là, et ce qui lui arrivait encore :
c'est alors qu'elle eut recours à ce terme pour la
première fois.

Nous étions dehors, sur le toit d'un des
immeubles du quartier. Malgré le grand froid
nous avions mis des robes légères et décolletées
pour nous faire belles. Nous regardions les garçons, qui étaient joyeux et agressifs : autant de silhouettes noires emportées par la fête, la nourriture

et le mousseux. Ils allumaient les mèches des feux d'artifice pour fêter la nouvelle année, un rite à la réalisation duquel Lila, comme je le raconterai plus tard, avait activement collaboré; à présent elle était heureuse et regardait les lignes de feu dans le ciel. Mais tout à coup – me raconta-t-elle – en dépit du froid elle s'était sentie couverte de sueur. Elle avait eu l'impression que tout le monde criait trop fort et bougeait trop vite. Cette sensation avait été accompagnée de nausée, et elle avait eu l'impression que quelque chose d'absolument matériel qui se trouvait autour d'elle, de tout le monde et de toute chose depuis toujours, mais sans que l'on puisse s'en rendre compte, était en train de se révéler en brisant le contour des personnes et des objets.

Son cœur s'était mis à battre de manière incontrôlable. Les hurlements qui sortaient de la gorge de tous ceux qui s'agitaient sur la terrasse au milieu de la fumée et des explosions avaient commencé à la remplir d'horreur, comme si leur sonorité obéissait à des lois nouvelles et inconnues. Elle avait été prise de nausée; le dialecte avait perdu toute familiarité, et la manière dont nos gorges humides mouillaient les mots dans notre salive lui était insupportable. Son sentiment de révulsion se déversait sur tous les corps en mouvement, sur leur structure osseuse et sur la frénésie qui les agitait. Nous sommes tellement ratés, avait-elle pensé, et pleins de défaillances! Toutes ces larges épaules, ces bras, ces jambes, ces oreilles, ces nez et ces yeux lui avaient semblé les attributs d'êtres monstrueux tombés de quelque sombre recoin du ciel. Et son dégoût, Dieu sait pourquoi, s'était surtout concentré sur le corps de son frère Rino, la personne qui lui était la plus proche, celle qu'elle aimait le plus.

Elle avait eu l'impression de le voir pour la première fois tel qu'il était vraiment : une forme animale râblée et trapue, la plus hurlante, féroce, avide et mesquine de toutes. Le tumulte de son cœur l'avait débordée et elle s'était sentie étouffer. Trop de fumée, trop de cette odeur âcre et trop d'éclairs de feu dans la nuit glacée. Lila avait tenté de se calmer et s'était dit : je dois attraper ce trait qui est en train de me traverser et le jeter loin de moi. Mais c'est alors qu'elle avait entendu, au milieu des hurlements de jubilation, une espèce d'ultime détonation, et quelque chose comme le souffle d'une aile était passé près d'elle. Quelqu'un ne tirait plus de feux d'artifice ni de pétards, mais des coups de pistolet. Son frère Rino criait d'insupportables obscénités en direction des éclairs jaunâtres.

Quand elle me fit ce récit, Lila m'expliqua aussi que si ce jour-là fut le premier où elle perçut clairement ce phénomène qu'elle appelait la *délimitation*, ce n'était pourtant pas tout à fait une nouveauté pour elle. Par exemple, elle avait déjà souvent eu la sensation d'être transportée pendant quelques fractions de seconde à l'intérieur d'une personne, d'un objet, d'un nombre ou d'une syllabe dont elle violait les contours. Le jour où son père l'avait jetée par la fenêtre, elle avait eu l'absolue certitude, au moment précis où elle volait vers l'asphalte, que de petits animaux rougeâtres, très amicaux, étaient en train de faire fondre le revêtement de la route pour le transformer en une matière lisse et molle. Mais cette nuit de la Saint-Sylvestre, c'était la première fois qu'elle sentait des entités inconnues qui brisaient le profil du monde et en dévoilaient l'effrayante nature. C'était ce qui l'avait bouleversée.

2

Quand on enleva son plâtre à Lila, c'est un petit bras tout blanc mais en parfait état de marche qui réapparut ; son père Fernando parvint alors à se mettre d'accord avec lui-même et, sans se prononcer directement mais par l'intermédiaire de Rino et de sa femme Nunzia, il accepta qu'elle fréquente une école pour apprendre je ne sais trop quoi – la sténodactylographie, la comptabilité, l'économie domestique ou ces trois matières à la fois.

Elle n'y alla pas de bon cœur. Nunzia fut convoquée par les professeurs parce que sa fille avait de nombreuses absences injustifiées, perturbait les cours, refusait de répondre quand elle était interrogée et, quand elle avait des exercices à faire, les expédiait en cinq minutes avant d'embêter ses camarades. À un moment donné elle attrapa une très mauvaise grippe, elle qui n'était jamais malade, et elle eut l'air de l'accueillir avec une sorte d'abandon, à tel point que le virus ne tarda pas à lui ôter toute énergie. Les jours passaient et elle n'arrivait pas à se remettre. À peine essayait-elle de sortir à nouveau, encore plus pâle qu'à l'ordinaire, que la fièvre la reprenait. Un jour je la vis dans la rue et elle me fit penser à un spectre, celui d'une enfant qui avait mangé des baies vénéneuses, tel que je l'avais vu dans un livre de Mme Oliviero. Peu après la rumeur courut qu'elle allait bientôt mourir, ce qui me causa une anxiété insupportable. Mais elle finit par récupérer, presque malgré elle. En revanche, sous prétexte qu'elle n'en avait pas la force elle alla de moins en moins à l'école, et à la fin de l'année elle fut recalée.

Moi non plus je n'aimai pas le collège. Au début j'en attendais beaucoup et, même si je ne me l'avouais pas clairement, j'étais contente d'y aller avec Gigliola Spagnuolo au lieu de Lila. Une partie de moi, très secrète, savourait par avance une école à laquelle elle n'aurait jamais accès, où en son absence je serais la meilleure, et dont à l'occasion je pourrais lui parler pour me vanter. Mais très vite je commençai à peiner car de nombreux élèves se révélèrent meilleurs que moi. Avec Gigliola je finis dans une sorte de marécage, nous étions comme de petits animaux effrayés par notre propre médiocrité, et nous bataillâmes toute l'année pour ne pas nous retrouver parmi les derniers. Ce fut très dur pour moi. L'idée commença lentement à germer dans mon esprit que, sans Lila, je n'éprouverais jamais plus le plaisir d'appartenir au groupe très restreint des meilleurs.

De temps en temps, devant le collège, je rencontrais Alfonso, le petit dernier de Don Achille, mais nous faisions comme si nous ne nous connaissions pas. Je ne savais pas quoi lui dire, je pensais qu'Alfredo Peluso avait bien fait de tuer son père et aucune parole de réconfort ne me venait. Je n'arrivais même pas à m'émouvoir de sa condition d'orphelin, c'était comme s'il était un peu coupable de l'effroi que m'avait causé Don Achille pendant toutes ces années. Il avait un liseré noir cousu sur la veste, ne riait jamais et s'occupait seulement de ses affaires. Il n'était pas dans la même classe que moi et le bruit courait qu'il était très bon. À la fin de l'année on sut qu'il passait avec une moyenne de huit sur dix, ce qui me déprima beaucoup. Gigliola fut recalée en latin et en mathématiques, et moi je m'en sortis avec des six partout.

À la parution des tableaux d'honneur ma professeure convoqua ma mère et lui dit, en ma présence, qu'en latin c'était uniquement grâce à sa générosité que je m'en étais tirée mais que, sans cours particuliers, je ne m'en sortirais certainement pas l'année suivante. J'éprouvai une double humiliation : j'eus honte de ne pas avoir réussi à être aussi forte qu'en primaire, et j'eus honte de la différence qu'il y avait entre la silhouette harmonieuse et bien habillée de l'enseignante, et son italien qui ressemblait un peu à celui de l'*Iliade*, et la silhouette toute tordue de ma mère, avec ses vieilles chaussures, ses cheveux ternes et son italien bourré de fautes dues au dialecte.

Ma mère aussi dut ressentir le poids de cette humiliation. Elle rentra à la maison d'humeur féroce et dit à mon père que les professeurs n'étaient pas contents de moi, qu'elle avait besoin d'aide à la maison et que je devais arrêter mes études. Ils discutèrent longuement, se disputèrent, et à la fin mon père décida que, puisque j'étais passée dans la classe supérieure alors que Gigliola avait été recalée dans deux matières, je méritais de continuer.

Je passai un été plein de torpeur, dans la cour ou aux étangs, généralement en compagnie de Gigliola qui me parlait souvent du jeune étudiant qui venait chez elle lui donner des cours particuliers et qui, à l'en croire, était amoureux d'elle. Je restais là à l'écouter mais je m'ennuyais. De temps en temps je voyais Lila qui se promenait avec Carmela Peluso, qui elle aussi avait fait une école de je ne sais quoi et avait été recalée. Je sentais que Lila ne voulait plus être mon amie et cette idée provoquait en moi une lourde fatigue, comme si j'avais sommeil. Parfois, espérant que ma mère ne me verrait pas, j'allais m'allonger sur mon lit et je somnolais.

Un après-midi je m'endormis vraiment et, à mon réveil, je sentis que j'étais mouillée. J'allai aux toilettes pour voir ce que j'avais et découvris que ma culotte était imbibée de sang. Effrayée sans trop savoir pourquoi, craignant peut-être que ma mère ne me gronde pour m'être fait mal entre les jambes, je lavai ma culotte à fond, l'essorai et me la remis mouillée. Puis je sortis dans la chaleur de la cour. La peur faisait battre mon cœur.

Je croisai Lila et Carmela et me promenai avec elles jusqu'à l'église. Je sentis que je recommençais à être mouillée, mais tentai de me calmer en me disant que c'était juste l'humidité de la culotte. Quand ma peur devint insupportable je murmurai à Lila :

« Il faut que je te dise un truc.

— Quoi ?

— Je veux le dire à toi toute seule. »

Je la pris par le bras en essayant de l'éloigner de Carmela, mais celle-ci nous suivit. Mon inquiétude était telle qu'à la fin je me confiai à toutes les deux, même si je m'adressai seulement à Lila.

« Qu'est-ce que ça peut être ? » demandai-je.

Carmela savait tout. Cela faisait déjà un an qu'elle saignait, tous les mois.

« C'est normal, expliqua-t-elle, les femmes ont ça

115

par nature : tu saignes pendant quelques jours, tu as mal au ventre et au dos, et puis ça passe.

— Tu es sûre ?

— Oui oui. »

Le silence de Lila me poussa vers Carmela. Le naturel avec lequel elle m'avait dit le peu qu'elle savait me rassura et me la rendit sympathique. Je discutai tout l'après-midi avec elle, jusqu'à l'heure du dîner. Je m'assurai qu'on ne mourait pas de cette blessure. Au contraire : « Ça veut dire que tu es grande et que tu peux faire des bébés si un garçon te met son truc dans le ventre. »

Lila nous écouta sans mot dire ou presque. On lui demanda si elle saignait comme nous et on la vit hésiter, puis à contrecœur elle répondit que non. Tout à coup elle me parut toute petite, plus petite que je ne l'avais jamais vue. Elle faisait six ou sept centimètres de moins que moi, c'était un sac d'os et elle était toute pâle malgré les journées qu'elle passait en plein air. Et elle avait été recalée. Et elle ne savait même pas ce que c'était que ce sang. Et aucun garçon ne lui avait jamais fait de déclaration.

« Ça viendra pour toi aussi », lui dit-on toutes les deux avec un ton faussement consolateur.

« Qu'est-ce que ça peut me foutre, répondit-elle, moi votre machin je l'ai pas parce que je veux pas l'avoir, ça me dégoûte. Et celles qui l'ont, elles me dégoûtent aussi. »

Elle était sur le point de s'en aller mais elle s'arrêta et me demanda :

« C'est comment, le latin ?

— J'adore.

— Tu es bonne ?

— Très. »

116

Elle y réfléchit, puis bougonna :

« Moi c'est exprès que je me suis fait recaler. Je ne veux plus jamais aller à l'école.

— Et qu'est-ce que tu vas faire ?

— Ce que j'ai envie. »

Elle nous planta là au beau milieu de la cour et s'en alla.

On ne la vit plus pendant tout le reste de l'été. Je devins très amie avec Carmela Peluso qui, malgré son énervante habitude de passer constamment des éclats de rire aux lamentations, avait subi l'influence de Lila de manière tellement puissante qu'elle en devenait presque une sorte de succédané. Carmela parlait en imitant les intonations de notre amie, elle utilisait certaines de ses expressions préférées, gesticulait de manière semblable et, quand elle marchait, essayait de bouger comme elle, même si physiquement elle était plus proche de moi : gracieuse et potelée, elle resplendissait de santé. Cette espèce d'appropriation clandestine me gênait et m'attirait en même temps. J'hésitais entre irritation devant une contrefaçon qui me semblait caricaturale et fascination parce que, même si elles étaient ainsi affadies, les manières de Lila continuaient à m'enchanter. Ce fut ainsi que Carmela, finalement, me conquit. Elle me dit combien elle avait détesté sa nouvelle école : tout le monde lui faisait des crasses et ses professeurs ne pouvaient pas la voir. Elle me raconta ses visites à la prison de Poggioreale avec sa maman, ses frères et ses sœurs pour voir son père, et combien ils pleuraient. Elle me dit que son père était innocent : celui qui avait tué Don Achille c'était un être noirâtre, un peu homme mais surtout femme, qui vivait avec les rats, sortait par les grilles d'égout même de jour et faisait toutes les choses terribles qu'il devait faire avant de s'enfuir sous terre. Soudain, avec un petit sourire satisfait, elle me raconta qu'elle aimait Alfonso Carracci. Aussitôt après ce sourire elle passa aux larmes : cet amour la tourmentait et l'épuisait – la fille de l'assassin était tombée amoureuse du fils de la victime ! Il suffisait qu'elle le voie traverser la cour ou longer le boulevard pour qu'elle se sente défaillir.

Cette dernière confidence me frappa beaucoup, et elle consolida notre amitié. Carmela jura qu'elle n'en avait jamais parlé à personne, même pas à Lila : si elle avait décidé de s'ouvrir à moi c'était parce qu'elle n'arrivait plus à garder tout ça pour elle. J'aimai ses tons dramatiques. Jusqu'à la rentrée des classes on examina toutes les conséquences possibles de cette passion, après je n'eus plus le temps de l'écouter.

Quelle histoire ! Même Lila, je pense, n'aurait pu inventer un récit pareil.

3

Une période de malaise débuta. Je grossis, deux boules très dures se mirent à pousser sous la peau de ma poitrine, des poils apparurent sous mes aisselles et sur mon pubis, je devins à la fois triste et nerveuse. En classe j'eus plus de mal que les années précédentes, les exercices de maths ne donnaient presque jamais le résultat prévu par le manuel et les phrases de latin ne me semblaient avoir ni queue ni tête. Dès que je le pouvais, je

118

m'enfermais dans les toilettes et me regardais nue dans la glace. Je ne savais plus qui j'étais. Le doute me vint que j'allais changer de plus en plus, jusqu'à ce que ma mère finisse par sortir de moi pour de bon, boiteuse et l'œil de travers, et alors personne ne m'aimerait plus. Je pleurais souvent et brusquement. Puis ma poitrine, de dure qu'elle était, se fit au contraire plus grasse et plus molle. Je me sentis possédée par des forces obscures qui agissaient à l'intérieur de mon corps et j'étais tout le temps angoissée.

Un matin à la sortie des classes, Gino, le fils du pharmacien, me suivit dans la rue : ses camarades, m'expliqua-t-il, racontaient que mes seins n'étaient pas des vrais et que je me mettais du coton. Il parlait et riait en même temps. Il ajouta que lui, au contraire, pensait que c'étaient des vrais, et qu'il avait même parié vingt lires dessus. Il dit enfin que, s'il gagnait, il garderait dix lires pour lui et me donnerait les dix autres, mais je devais lui prouver que je ne mettais pas de coton.

Cette requête me fit très peur. Comme je ne savais pas comment réagir j'eus recours, délibérément, au ton effronté de Lila :

« Donne-moi d'abord les dix lires.

— Alors c'est moi qui ai raison ?

— Ouais. »

Il partit en courant et je m'en allai déçue. Mais il me rejoignit peu après en compagnie d'un autre garçon de la classe dont je ne me rappelle pas le nom, un enfant très maigre avec du duvet noir au-dessus des lèvres. Gino m'expliqua :

« Il doit voir lui aussi, autrement les autres ne croiront pas que j'ai gagné. »

Je me servis à nouveau du ton de Lila :

« L'argent d'abord.

— Et si tu te mets du coton ?

— J'en mets pas. »

Il me donna les dix lires et nous montâmes tous les trois en silence jusqu'au dernier étage d'un immeuble qui se trouvait à quelques mètres du jardin. Là, près de la petite porte en fer qui donnait sur la terrasse, dessinée de manière bien nette par d'étroits filets de lumière, je soulevai mon chemisier et montrai mes seins. Les deux garçons restèrent là, immobiles, à les regarder, comme s'ils ne pouvaient pas en croire leurs yeux. Puis ils firent demi-tour et s'enfuirent dans les escaliers.

Je poussai un soupir de soulagement et allai m'acheter une glace au bar Solara.

Cet épisode est resté gravé dans ma mémoire : j'expérimentai pour la première fois la force d'attraction que mon corps exerçait sur les hommes, mais surtout je me rendis compte que Lila agissait comme un fantôme exigeant, non seulement sur Carmela mais aussi sur moi. Dans une circonstance comme celle-ci, si j'avais dû prendre une décision dans le désordre total de mes émotions, qu'est-ce que j'aurais fait ? Je serais partie en courant. Et si j'avais été avec Lila ? Je l'aurais tirée par le bras en murmurant « On s'en va » et puis comme d'habitude je n'aurais pas bougé, simplement parce qu'elle aurait décidé de rester, comme elle le faisait toujours. En revanche, en son absence, après une brève hésitation je m'étais mise à sa place. Ou, plus exactement, je lui avais fait de la place en moi-même. Si je repensais au moment où Gino avait avancé sa requête, je sentais avec précision comment je m'étais retirée en moi-même et comment j'avais mimé le regard, le ton et le geste de Cerullo dans des situations de conflit ouvert – et j'en étais très contente. Mais parfois je me demandais, un peu anxieuse : est-ce que je fais comme Carmela ? Il ne me semblait pas, je croyais être différente, mais je n'arrivais pas à m'expliquer dans quel sens, ce qui gâchait mon plaisir. Quand je passai avec ma glace devant le magasin de Fernando et aperçus Lila occupée à ranger des chaussures sur une longue étagère, je fus tentée de l'appeler et de tout lui raconter pour savoir ce qu'elle en pensait. Mais elle ne me vit pas et je continuai mon chemin.

4

Elle avait toujours à faire. Cette année-là Rino l'obligea à se réinscrire à l'école, mais cette fois encore elle n'y alla presque jamais et se fit recaler. Sa mère lui demandait de l'aider à la maison, son père voulait qu'elle reste au magasin, et de but en blanc, au lieu de faire résistance, elle sembla satisfaite de trimer pour tous les deux. Les rares fois où il nous arriva de nous croiser – le dimanche après la messe ou lors de promenades entre le jardin et le boulevard – elle n'exprima jamais la moindre curiosité envers mon école et se mettait tout de suite à discourir, pleine d'admiration, sur le travail que faisaient son père et son frère.

Elle avait appris que son père, quand il était jeune, avait voulu s'émanciper et avait fui la boutique de son grand-père, cordonnier lui aussi, pour aller travailler dans une fabrique de chaussures à Casoria où il avait fait des souliers pour tout le monde, y compris pour les gens qui partaient à la guerre. Elle avait découvert que Fernando était capable de fabriquer une chaussure à la main du début à la fin et qu'il connaissait aussi très bien les machines, qu'il savait toutes utiliser, que ce soit pour amincir, assembler ou poncer. Elle me parla de cuir, de tige, de maroquinier et de maroquinerie, de bonbouts et de talons, de la préparation du fil, des patins et de la manière dont on fixait la semelle, la colorait et la faisait briller. Elle utilisa tous ces mots de professionnels comme s'ils étaient magiques et comme si son père les avait appris dans un monde enchanté – Casoria, la fabrique – dont il était revenu tel un explorateur blasé, tellement blasé qu'à présent il préférait la modeste boutique de famille avec son petit comptoir tranquille, son marteau, son pied en fer et sa bonne odeur de colle mélangée à celle des chaussures usagées. Et elle m'entraîna dans ce vocabulaire avec un tel enthousiasme et une telle énergie que son père et Rino, par leur habileté à envelopper les pieds des gens dans des chaussures solides et confortables, m'apparurent comme les plus braves personnes du quartier. Et surtout, à chaque fois je rentrai chez moi avec l'impression que, ne passant pas mes journées dans la boutique d'un cordonnier et ayant pour père, de surcroît, un très banal portier de mairie, j'étais exclue d'un rare privilège.

En classe je commençai à sentir ma présence inutile. Pendant des mois et des mois j'eus l'impression que toute promesse et toute énergie avaient disparu de mes manuels. Quand je sortais du collège, étourdie et malheureuse, je passais devant le magasin de Fernando juste pour voir Lila à son poste de travail, assise à une petite table, au fond, avec son buste tout maigre sans l'ombre d'une poitrine, son cou délicat et son visage émacié. Je ne sais pas exactement ce qu'elle faisait mais elle était là, active, derrière la porte en verre, encadrée par la tête penchée de son père et celle de son frère – sans livre, sans cours et sans devoirs à la maison. Parfois je m'arrêtais pour regarder en vitrine les boîtes de cirage, les vieux souliers fraîchement ressemelés ou les chaussures neuves placées dans une forme qui dilatait leur cuir et les élargissait pour les rendre plus confortables, comme si j'étais une cliente et que je m'intéressais à la marchandise. Je m'éloignais seulement, et à contrecœur, lorsqu'elle me voyait et me faisait signe : je répondais à son salut et elle retournait à son travail, très concentrée. Mais c'était souvent Rino qui m'apercevait le premier et il faisait des grimaces rigolotes pour me faire rire. Gênée, je partais en courant sans attendre le regard de Lila.

Un dimanche je me surpris à parler passionnément de chaussures avec Carmela Peluso. Elle achetait *Sogno* dont elle dévorait les romans-photos. Au début je trouvai que c'était du temps perdu, mais ensuite j'avais commencé à y jeter un œil moi aussi et désormais nous le lisions ensemble au jardin public, commentant les histoires et les répliques de tous les personnages, qui étaient écrites en lettres blanches sur fond noir. Carmela, plus que moi, avait tendance à passer sans transition des commentaires sur les amours de fiction aux commentaires sur le récit de son amour réel, celui pour Alfonso. Moi, pour ne pas être en reste, je lui parlai un jour du fils du pharmacien, Gino, et affirmai qu'il était amoureux de moi. Elle n'y crut pas. À ses yeux, le fils du pharmacien était une espèce de prince inaccessible, le futur héritier de la pharmacie, un seigneur qui n'épouserait jamais la fille d'un portier de mairie, et alors je fus sur le point de lui raconter la fois où il avait demandé à voir ma poitrine et où j'avais accepté, gagnant dix lires. Mais nous avions sur les genoux, déplié en grand, un numéro de *Sogno*, et mes yeux tombèrent sur les splendides chaussures à talons de l'une des actrices. Ce sujet me sembla du plus bel effet, et bien meilleur que mon histoire de mamelles : je ne pus me retenir et me mis à les admirer, faisant l'éloge de celui qui les avait faites et conjecturant que si nous portions des chaussures pareilles, Gino et Alfonso ne pourraient pas nous résister. Cependant, plus je parlais et plus je me rendais compte, à mon grand embarras, que j'essayais de faire mienne la nouvelle passion de Lila. Carmela m'écouta distraitement et puis annonça qu'elle devait s'en aller. Peu lui importaient les chaussures et les fabricants de chaussures. Contrairement à moi, si elle imitait les manières de Lila elle se cantonnait strictement à ce qui la captivait : les romans-photos et l'amour.

5

Toute cette période se déroula comme ça. Je dus admettre bien vite que ce que je faisais toute seule n'arrivait pas à me faire battre le cœur, seulement ce que Lila effleurait devenait important. Mais si elle s'éloignait et si sa voix s'éloignait des choses, alors celles-ci s'abîmaient et se couvraient de poussière. Le collège, le latin, les professeurs, les livres et la langue des livres me semblèrent décidément moins évocateurs que la finition d'une chaussure, ce qui me déprima.

Mais un dimanche tout changea à nouveau. Nous étions allées au catéchisme, Carmela, Lila et moi, car nous devions préparer notre première communion. À la sortie Lila dit qu'elle avait à faire et partit. Mais je vis qu'elle ne se dirigeait pas vers sa maison : à ma grande surprise, elle entra dans le bâtiment de notre école primaire.

Je continuai mon chemin avec Carmela, mais au bout d'un moment je m'ennuyai et lui dis au revoir, je fis le tour de l'immeuble et retournai sur mes pas. Le dimanche l'école était fermée, alors pourquoi Lila était-elle entrée dans ce bâtiment ? Après mille hésitations je m'aventurai à passer la porte, puis traverser le hall. Je n'étais jamais retournée dans mon ancienne école et en éprouvai une forte émotion, je reconnus son odeur qui m'apporta une sensation de bien-être, faisant resurgir une part de moi que j'avais perdue. Je franchis la seule porte ouverte du rez-de-chaussée. C'était une vaste pièce éclairée au néon, dont les murs étaient couverts d'étagères remplies de vieux livres. Je comptai une dizaine d'adultes et de nombreux enfants, petits et grands. Ils prenaient des volumes, les feuilletaient, les remettaient à leur place et en choisissaient un. Puis ils se mettaient en file indienne devant un bureau où était assis un vieil ennemi de Mme Oliviero, M. Ferraro, maigre et les cheveux gris coupés en brosse. Ferraro examinait le texte sélectionné, inscrivait quelque chose dans un registre et les personnes sortaient avec un ou plusieurs livres.

Je regardai autour de moi : Lila n'était pas là, peut-être était-elle déjà partie. Que faisait-elle donc ? Elle n'allait plus à l'école, se passionnait pour les belles chaussures comme pour les vieilles godasses, et pourtant, sans rien me dire, elle venait prendre des livres ici. Aimait-elle cet endroit ? Pourquoi ne m'invitait-elle pas à l'accompagner ? Pourquoi m'avait-elle laissée avec Carmela ? Pourquoi me parlait-elle de la façon de poncer les semelles et pas de ce qu'elle lisait ?

Cela me mit en colère et je me dépêchai de partir.

Après cet épisode le temps de l'école me sembla encore plus insignifiant que d'ordinaire. Puis je fus emportée par la masse des devoirs et des interrogations de fin d'année, je craignais les mauvaises notes et étudiais sans application, mais beaucoup. Et puis d'autres soucis me tenaillaient. Ma mère me dit que j'étais indécente avec toute cette poitrine qui avait poussé et elle m'emmena acheter un soutien-gorge. Elle était encore plus brusque que d'habitude. Elle avait l'air d'avoir honte que j'aie des seins et mes ragnagnas. Les instructions abruptes qu'elle me donnait étaient brèves et insuffisantes, grommelées du bout des lèvres. Je n'avais pas le temps de lui poser la moindre question qu'elle me tournait déjà le dos et s'éloignait de son pas de guingois.

Avec le soutien-gorge ma poitrine devint encore plus visible. Au cours des derniers mois de classe je fus assaillie par les garçons et compris rapidement pourquoi. Gino et son copain avaient fait courir le bruit que je montrais sans aucun problème comment j'étais faite, et de temps en temps quelqu'un se pointait pour me demander de répéter le spectacle. Je me dérobais et comprimais mes seins en tenant mes bras croisés par-dessus, je me sentais mystérieusement coupable et toute seule avec ma faute. Les garçons insistaient, même dans la rue ou dans notre cour. Ils riaient et se moquaient de moi. Je tentai une ou deux fois de les repousser avec des manières à la Lila mais cela ne me réussit guère, alors je ne pus résister et éclatai en sanglots. Par peur qu'ils ne m'embêtent je restai recluse à la maison. Je travaillais beaucoup et ne sortais désormais que pour aller au collège, à contrecœur.

Un matin de mai Gino me courut après et me demanda sans bravade, et même avec une grande émotion, si je voulais être sa petite amie. Je lui répondis que non, par rancune, vengeance et gêne, mais j'étais quand même fière que le fils du pharmacien s'intéresse à moi. Le lendemain il me le demanda encore et il ne cessa de me le demander jusqu'au mois de juin lorsque, avec un peu de retard dû à la vie compliquée de nos parents, on fit notre première communion, en robe blanche comme des mariées.

Ainsi habillées, nous nous attardâmes sur le parvis où nous nous dépêchâmes de commettre un péché en parlant d'amour. Carmela n'arrivait pas à croire que je refuse le fils du pharmacien et elle le dit à Lila. Celle-ci, à ma très grande surprise, au lieu de décamper avec l'air de dire « Mais qu'est-ce qu'on s'en fout ! », s'intéressa à mon cas. Nous en discutâmes toutes les trois.

« Pourquoi tu ne veux pas de lui ? » me demanda Lila en dialecte.

Je répondis en parlant soudain en italien, pour l'impressionner et lui faire comprendre que, même si je passais mon temps à parler garçons, il ne fallait pas me traiter comme Carmela :

« Parce que je ne suis pas sûre de mes sentiments. »

C'était une phrase que j'avais apprise en lisant *Sogno* et elle eut l'air de frapper Lila. Comme si c'était une de nos compétitions à l'école primaire, nous nous mîmes à discuter dans la langue des bandes dessinées et des livres, ce qui réduisit Carmela à un rôle de pure et simple spectatrice. Mon cœur et mon esprit s'enflammèrent : elle et moi et toutes ces phrases si bien tournées, quel grand moment ! Au collège il ne m'arrivait jamais rien de tel, ni avec mes camarades ni avec les professeurs. Ce fut magnifique. De fil en aiguille Lila me convainquit qu'en amour on ne peut être sûr de rien à moins de soumettre son prétendant à de terribles épreuves. Alors, repassant soudain au dialecte, elle me conseilla bien de dire oui à Gino, mais seulement à condition que pendant tout l'été il accepte d'acheter des glaces pour Carmela, elle et moi.

« S'il refuse, ça veut dire que ce n'est pas vraiment de l'amour. »

Je fis comme elle m'avait dit et Gino disparut. Donc ce n'était pas vraiment de l'amour et pourtant je n'en souffris pas. Cet échange avec Lila m'avait donné un plaisir tellement intense que je décidai de me consacrer entièrement à elle, surtout l'été, quand j'aurais plus de temps libre. En attendant je voulais que cette conversation devienne le modèle de toutes nos prochaines rencontres. J'avais senti à nouveau que j'avais du talent, comme si quelque chose m'avait heurté la tête, en faisant surgir toutes sortes d'images et de mots.

Pourtant cet épisode n'eut pas la suite que

j'attendais. Au lieu de rétablir ma relation avec Lila et de la rendre exclusive, il attira à elle un tas d'autres gamines. Notre conversation, le conseil qu'elle m'avait donné et ses conséquences avaient tellement frappé Carmela Peluso qu'elle avait fini par le raconter à tout le monde. Résultat : en quelques jours la fille du cordonnier, qui n'avait pas de poitrine, pas ses règles et même pas de soupirant, devint la conseillère en affaires de cœur la plus réputée du quartier. Et, nouvelle surprise, elle accepta ce rôle. Quand elle n'était pas occupée à la maison ou au magasin, je la voyais en conciliabule tantôt avec l'une, tantôt avec l'autre. Je passais près d'elle et lui disais bonjour, mais elle était tellement concentrée qu'elle ne m'entendait pas. Je cueillais toujours au vol des phrases qui me semblaient superbes et ça me faisait mal.

6

Ce furent alors des jours de désolation, qui culminèrent avec une humiliation que j'aurais dû prévoir mais que j'avais fait semblant d'ignorer : Alfonso Carracci passa avec une moyenne de huit sur dix, Gigliola Spagnuolo avec une moyenne de sept, et moi j'eus des six partout et un quatre en latin. Je fus convoquée au rattrapage en septembre dans cette matière.

Cette fois c'est mon père lui-même qui décréta qu'il était inutile que je continue. Les manuels scolaires avaient déjà coûté beaucoup d'argent. Le dictionnaire de latin, le Campanini et Carboni, même acheté d'occasion, avait été une grosse dépense. On n'avait pas de quoi me payer des cours particuliers pendant l'été. Mais surtout, maintenant il était évident que je n'étais pas douée : le petit dernier de Don Achille y était arrivé et pas moi, la fille de Spagnuolo le pâtissier y était arrivée et pas moi. Il fallait se résigner.

Je pleurai jour et nuit et m'enlaidis exprès pour me punir. J'étais l'aînée, après moi il y avait deux garçons et une autre fille, la petite Elisa : Peppe et Gianni, les deux garçons, vinrent tour à tour me consoler, m'apportant quelques fruits ou me demandant de jouer avec eux. Mais je me sentais tout aussi seule avec mon triste destin, et ne parvenais pas à m'apaiser. Puis un après-midi j'entendis ma mère arriver dans mon dos. Elle me dit en dialecte, avec sa sécheresse habituelle :

« On peut pas te payer de cours mais tu peux toujours essayer de travailler seule, on verra si tu réussis l'examen. » Je la regardai, perplexe. Elle était égale à elle-même, avec ses cheveux tristes, son œil strabique, son gros nez et son corps lourd. Elle ajouta : « Rien ne dit que t'en es pas capable. »

C'est tout ce qu'elle me dit, en tout cas je ne me rappelle rien d'autre. Le lendemain je me mis à travailler, m'obligeant à ne jamais aller ni dans la cour ni au jardin.

Mais un matin j'entendis qu'on m'appelait de la rue. C'était Lila, qui avait complètement perdu cette habitude depuis que nous avions fini l'école primaire :

« Lenù ! » appelait-elle.

Je me mis à la fenêtre.

« J'ai un truc à te dire.

— Quoi ?

— Descends ! »

Je descendis de mauvais gré, ça m'embêtait de lui avouer que j'avais été recalée. Nous marchâmes un moment dans la cour, sous le soleil. Je m'informai mollement de ce qu'il y avait de neuf côté couples. Je me souviens que je lui demandai explicitement s'il y avait eu des développements entre Carmela et Alfonso.

« Quels développements ?

— Elle est amoureuse de lui. »

Elle plissa les yeux. Quand elle faisait cela, sérieuse, sans un sourire, et comme si elle ne laissait à ses pupilles qu'une fente qui leur permette de voir de manière plus concentrée, elle me rappelait les rapaces que j'avais vus dans les films au cinéma paroissial. Mais cette fois j'eus l'impression qu'elle avait repéré quelque chose qui la mettait en colère et, en même temps, l'effrayait.

« Elle t'a dit quelque chose sur son père ? me demanda-t-elle.

— Qu'il est innocent.

— Et ce serait qui, l'assassin ?

— Un être mi-homme mi-femme qui vit caché dans les égouts et sort par les grilles de caniveaux comme les rats.

— Alors c'est vrai ! » s'exclama-t-elle soudain presque peinée, avant d'ajouter que Carmela prenait pour argent comptant tout ce qu'elle disait, et que les filles de la cour étaient toutes comme ça. « Je ne veux plus leur parler, je ne veux plus parler à personne », bougonna-t-elle maussade. Je sentis qu'elle ne le disait pas avec mépris et qu'elle n'éprouvait aucun orgueil pour l'influence qu'elle exerçait sur nous : j'avais du mal à la comprendre car à sa place j'aurais été très fière alors qu'en elle il n'y avait aucune fierté, juste une espèce d'agacement mêlé à la peur des responsabilités.

« C'est pourtant bien, murmurai-je, de discuter avec les autres.

— Oui, mais seulement si tu parles à quelqu'un capable de te répondre. »

Je sentis une bouffée de joie dans ma poitrine. Que me demandait-elle, avec cette belle phrase ? Me disait-elle qu'elle voulait parler avec moi seule parce que je ne prenais pas pour argent comptant tout ce qui sortait de sa bouche, mais que je lui répondais ? Me disait-elle que j'étais la seule à pouvoir suivre tout ce qui lui venait à l'esprit ?

Eh bien oui. Et elle me le disait sur un ton que je ne lui connaissais pas, un peu étouffé même si, comme toujours, il était brusque. J'ai suggéré à Carmela, me raconta-t-elle, que dans un roman ou dans un film la fille de l'assassin tomberait amoureuse du fils de la victime. C'était une possibilité : pour que cela soit un fait réel, il aurait fallu que naisse un véritable amour. Mais Carmela n'avait rien compris, et dès le lendemain elle était allée raconter à tout le monde qu'elle était amoureuse d'Alfonso : un mensonge pour se faire mousser aux yeux des autres filles, mais qui sait quelles conséquences il pourrait avoir ! Nous en discutâmes longuement. Nous avions douze ans et nous marchions sans fin dans les rues brûlantes du quartier, au milieu des mouches et de la poussière que les vieux camions soulevaient sur leur passage, comme deux petites vieilles qui font le point sur leur vie pleine de déceptions, en se serrant l'une contre l'autre. Je me disais que personne ne nous comprenait et que nous seules pouvions nous comprendre. Et toutes deux, nous étions aussi les seules à comprendre que la chape qui pesait sur notre quartier depuis toujours – c'est-à-dire aussi loin que remontait notre mémoire – s'allégerait au moins un peu si ce n'était pas Peluso, l'ancien menuisier, qui avait enfoncé le couteau dans le cou de Don Achille mais si c'était l'habitant des égouts qui avait fait le coup, et si la fille de l'assassin épousait le fils de la victime. Il y avait une part d'insoutenable dans les choses, les gens, les immeubles et les rues : il fallait tout réinventer comme dans un jeu pour que cela devienne supportable. L'essentiel, toutefois, c'était de savoir jouer, et elle et moi – personne d'autre – nous savions le faire.

À un moment elle me demanda sans transition, mais comme si tous ces discours ne pouvaient qu'aboutir à cette question :

« On est encore copines ?

— Bien sûr.

— Alors tu peux me rendre un service ? »

J'aurais fait n'importe quoi pour elle, en cette matinée de retrouvailles : fuir de chez moi, quitter le quartier, dormir dans des granges, me nourrir de racines, soulever la grille d'un égout et descendre à l'intérieur, ne jamais revenir, même s'il faisait froid et s'il pleuvait. Mais ce qu'elle me demanda ne me sembla rien du tout et, sur le coup, me déçut. Elle voulait simplement que nous nous retrouvions une fois par jour dans le jardin public, ne serait-ce que pour une heure, avant le dîner, et que j'apporte mes livres de latin.

« Je ne t'embêterai pas », ajouta-t-elle.

Elle savait déjà que j'avais été recalée et voulait réviser avec moi.

7

Pendant ces années de collège beaucoup de choses changèrent autour de nous mais petit à petit, de sorte qu'on ne les perçut pas vraiment comme des changements.

Le bar Solara s'agrandit et se mit à faire pâtisserie – le chef pâtissier étant le père de Gigliola Spagnuolo – et tous les dimanches une foule d'hommes, des jeunes comme des vieux, se pressaient devant les étalages pour y acheter des gâteaux pour la famille. Les deux fils de Silvio Solara, Marcello qui avait dans les vingt ans et Michele qui était à peine plus jeune, s'achetèrent une Fiat Millecento blanc et bleu avec laquelle ils paradaient le dimanche en tournant dans les rues du quartier.

L'ancienne menuiserie de Peluso, qui, une fois aux mains de Don Achille, avait été transformée en épicerie, se remplit de toutes sortes de bonnes choses qui finirent par déborder sur le trottoir. En passant devant on humait des odeurs d'épices, d'olives, de saucissons, de pain frais, de grattons et de saindoux qui donnaient faim. La mort de Don Achille avait progressivement éloigné son ombre menaçante à la fois de cet endroit et de sa famille. Sa veuve, Donna Maria, avait adopté des manières tout à fait cordiales et maintenant elle gérait en personne le magasin avec Pinuccia, sa fille de quinze ans, et Stefano, qui n'était plus le petit enragé qui avait essayé d'arracher la langue de Lila mais était devenu un garçon pondéré, sourire doux et regard enjôleur. La clientèle avait beaucoup augmenté. Même ma mère m'y envoyait faire les courses et mon père ne s'y opposait pas, d'autant moins que, quand nous n'avions pas d'argent, Stefano notait tout dans un carnet et nous payions à la fin du mois.

Assunta, qui vendait des fruits et légumes dans la rue avec son mari Nicola, avait dû arrêter à cause d'un sévère mal de dos et, quelques mois plus tard, une pneumonie avait failli tuer son mari. Toutefois, ces deux malheurs avaient fini par apparaître comme une bonne chose. À présent, celui qui arpentait les rues du quartier tous les matins avec la charrette tirée par un cheval, été comme hiver, sous la pluie et le soleil, c'était leur fils aîné, Enzo, qui n'avait pratiquement plus rien du garçonnet qui nous lançait des pierres et était devenu un jeune homme trapu, respirant la force et la santé, les cheveux blonds ébouriffés, les yeux bleus et une voix sonore avec laquelle il vantait la marchandise. Ses produits étaient excellents et, ne serait-ce que par ses gestes, il respirait l'honnêteté et inspirait confiance aux clientes. Il manipulait la balance avec virtuosité. J'aimais beaucoup la rapidité avec laquelle il faisait courir le poids le long du fléau jusqu'à trouver le bon équilibre et puis oust!, un bruit de fer qui glisse rapidement contre le fer, il emballait les pommes de terre ou les fruits et courait les mettre dans le panier de Mme Spagnuolo, de Melina ou de ma mère.

Dans tout le quartier les initiatives fleurissaient. Un beau jour une jeune couturière s'était associée à la mercière et leur boutique, où Carmela Peluso avait commencé depuis peu à travailler, s'était agrandie et ambitionnait de devenir une maison de couture pour dames. Grâce au fils du vieux propriétaire, Gentile Gorresio, le garage où travaillait le fils de Melina, Antonio, cherchait à se transformer en une petite fabrique de cyclomoteurs. Bref, tout était agité de soubresauts comme s'il s'agissait de changer d'apparence, de ne pas être reconnu sous les haines accumulées, les tensions et les laideurs et de montrer, au contraire, un visage nouveau. Pendant que Lila et moi révisions le latin dans le jardin public, même l'espace tout simple qui nous entourait – la petite fontaine, le buisson et le nid-de-poule sur la route – changea. Il y avait une constante odeur de goudron, une machine fumante dotée d'un rouleau compresseur pétaradait en avançant lentement sur le revêtement de sol et des ouvriers, torse nu ou en débardeur, asphaltaient les rues et le boulevard. Les couleurs changèrent aussi. Le grand frère de Carmela, Pasquale, fut embauché pour aller couper les arbres sur les talus de la voie ferrée. Combien put-il en abattre ? On entendit un fracas de destruction pendant des jours : les arbres frissonnaient, dégageaient une odeur de bois frais et de verdure, fendaient l'air et heurtaient le sol après un long frémissement qui semblait un soupir ; Pasquale et les autres sciaient, coupaient et enlevaient les racines d'où s'échappait une odeur de terre profonde. Le maquis vert disparut et fit place à une étendue jaunâtre. Pasquale avait trouvé ce travail par un coup de chance. Quelque temps plus tôt un ami lui avait dit que des gens étaient venus au bar Solara à la recherche d'hommes qui aillent abattre, de nuit, les arbres d'une place dans le centre de Naples. Même s'il n'aimait pas Silvio Solara et ses fils – c'était dans ce bar que son père s'était ruiné –, comme il avait une famille à nourrir il y était allé. Il était rentré à l'aube, épuisé, les narines pleines de l'odeur du bois frais, des feuilles martyrisées et de la mer. Puis, une chose en entraînant une autre, on l'avait rappelé pour d'autres travaux de ce genre. Maintenant il était sur le chantier le long de la voie ferrée et on le voyait parfois, perché sur les échafaudages des nouveaux bâtiments dont les piliers s'élevaient lentement, étage après étage, ou bien en train de manger pain, saucisses et *friarielli* pour sa pause-déjeuner, sous le soleil, un chapeau en papier journal sur la tête.

Lila se mettait en colère si je regardais Pasquale et me déconcentrais. Il apparut très vite, à ma plus grande stupéfaction, qu'elle connaissait déjà bien le latin. Elle connaissait par exemple toutes les déclinaisons, ainsi que les verbes. Prudemment, je lui demandai comment elle avait fait et, avec son ton de méchante gamine qui n'a pas de temps à perdre, elle reconnut que, déjà au moment où j'étais rentrée au collège, elle avait emprunté une grammaire à la bibliothèque itinérante gérée par M. Ferraro et l'avait étudiée par curiosité. Pour elle, cette bibliothèque était une grande ressource. Conversation après conversation, elle en vint à me montrer fièrement toutes les cartes qu'elle possé-dait, quatre : une à elle, une au nom de Rino, une pour son père et une pour sa mère. Elle emprun-tait un livre avec chacune d'elles afin d'en avoir quatre d'un coup. Elle les dévorait, les ramenait le dimanche suivant et en prenait quatre autres.

Je ne lui demandai jamais quels livres elle avait lus ou était en train de lire : on n'en eut jamais le temps car on devait travailler. Elle m'interrogeait et piquait des colères si je ne savais pas répondre. Une fois elle me donna une claque sur le bras, vrai-ment fort, avec ses mains longues et maigres, et loin de s'excuser elle me dit que si je me trompais encore elle me frapperait de nouveau, plus fort encore. Elle était fascinée par le dictionnaire de latin, si gros, si lourd et avec tellement de pages – elle n'en avait jamais vu avant. Elle y cherchait sans arrêt des mots, pas seulement ceux des exercices mais tous ceux qui lui venaient à l'esprit. Elle me donnait des devoirs avec un ton qu'elle avait appris de notre maîtresse, Mme Oliviero. Elle m'imposait trente phrases à traduire par jour, vingt du latin à l'italien et dix de l'italien au latin. Elle aussi les traduisait, beaucoup plus vite que moi. À la fin de l'été, alors que l'examen approchait, après avoir observé avec scepticisme la manière dont je cherchais les mots que je ne connaissais pas dans le dictionnaire – à savoir dans l'ordre où je les trouvais dans la phrase à traduire, en m'appuyant sur les sens principaux et en m'efforçant, à partir de là, de comprendre le sens de la phrase – elle me demanda avec prudence :

« C'est ta prof qui t'a dit de faire comme ça ? »

Ma prof ne disait jamais rien, elle donnait juste les exercices à faire. C'était moi qui me débrouillais ainsi.

Elle se tut un moment, puis me conseilla :

« D'abord tu lis la phrase en latin, puis tu cherches où est le verbe. Selon la personne du verbe tu comprends quel est le sujet. Quand tu as le sujet tu cherches les compléments : le complément d'objet si le verbe est transitif, sinon les autres compléments. Essaie comme ça. »

J'essayai. Soudain j'eus l'impression que c'était facile, de traduire. En septembre je me présentai à l'examen : je ne fis pas la moindre faute à l'écrit et sus répondre à toutes les questions à l'oral.

« Avec qui as-tu pris des cours ? me demanda ma professeure, un peu contrariée.

— Avec une amie.

— Elle fait l'université ? »

Je ne savais pas ce que cela voulait dire. Je répondis que oui.

Lila m'attendait dehors, à l'ombre. Quand je sortis je la pris dans mes bras, lui dis que ça s'était très bien passé et lui demandai si elle voulait travailler avec moi tout au long de cette nouvelle année scolaire. Puisque c'était elle qui m'avait proposé en premier de nous voir seulement pour étudier, l'inviter à continuer me sembla une bonne manière de lui exprimer ma joie et ma gratitude. Elle s'esquiva avec un geste qui était presque de l'agacement. Elle répondit qu'elle voulait seulement comprendre ce que c'était, ce latin qu'apprenaient les bons élèves.

« Et alors ?

— J'ai compris, ça me suffit.

— Ça ne te plaît pas ?

— Si. Je prendrai quelques livres à la bibliothèque.

— En latin ?

— Oui.

— Mais il y a encore beaucoup à apprendre !

— Tu apprendras pour moi, comme ça si j'ai des problèmes tu pourras m'aider. Mais pour le moment j'ai quelque chose à faire avec mon frère.

— Quoi ?

— Je te montrerai après. »

8

Les cours reprirent et cela marcha tout de suite pour moi, dans toutes les matières. J'étais impatiente que Lila me demande de l'aider en latin ou en autre chose, et du coup je crois que je ne travaillais pas tant pour le collège que pour elle. Je devins la première de la classe, même en primaire je n'avais pas été aussi forte.

Cette année-là j'eus l'impression de me dilater comme de la pâte à pizza. Je devins de plus en plus ronde – ma poitrine, mes cuisses, mes fesses. Un dimanche sur le chemin du jardin, où j'avais rendez-vous avec Gigliola Spagnuolo, les frères Solara m'accostèrent en Millecento. Marcello, le plus vieux, était au volant, et Michele, le plus jeune, se tenait à ses côtés. Ils étaient beaux tous les deux, avec leurs cheveux noirs et brillants et leur sourire tout blanc. Mais celui qui me plaisait le plus c'était Marcello, parce qu'il ressemblait à Hector tel qu'il était représenté dans l'édition scolaire de l'*Iliade*. Ils firent tout le chemin avec moi, j'étais sur le trottoir et ils étaient à côté de moi, en Millecento.

« Tu es déjà montée dans une voiture ?

— Non.

— Monte, on te fait faire un tour.

— Mon père ne veut pas.

— On lui dira rien. Quand est-ce que tu auras une autre occasion de monter dans une voiture comme ça ? »

Jamais, pensai-je. Mais je dis non quand même et continuai de dire non jusqu'au jardin, là la voiture accéléra et disparut en un éclair derrière les immeubles en construction. Je dis non parce que si mon père avait appris que j'étais montée dans cette voiture, il avait beau être doux, bienveillant et beaucoup m'aimer, il m'aurait aussitôt massacrée, tandis que parallèlement mes deux petits frères Peppe et Gianni, même s'ils étaient encore tout jeunes, se seraient sentis obligés d'essayer de tuer les frères Solara, maintenant et dans les années à venir. Il n'y avait pas de règles écrites, on savait que c'était comme ça et c'était tout. D'ailleurs les frères Solara le savaient aussi, c'était pour cela qu'ils avaient été gentils et s'étaient bornés à m'inviter à monter.

Mais ils ne furent pas aussi gentils, quelque temps plus tard, avec Ada, l'aînée des enfants de Melina Cappuccio, la veuve folle qui avait fait scandale quand les Sarratore avaient déménagé. Ada avait quatorze ans. Le dimanche, à l'insu de sa mère, elle se mettait du rouge à lèvres et avec ses jambes longues et droites et ses seins plus gros que les miens, elle était belle et faisait plus que son âge. Les frères Solara lui lancèrent des mots vulgaires, Michele parvint à l'attraper par un bras, ouvrir la portière de la voiture et la tirer à l'intérieur. Ils la reconduisirent une heure après au même endroit : Ada était un peu en colère mais riait un peu aussi.

Parmi les gens qui la virent entraînée de force dans la voiture, quelqu'un alla le raconter à Antonio, son grand frère qui était mécanicien dans le garage de Gorresio. Antonio était un grand travailleur, il était discipliné, très timide et visiblement fort affecté par la mort précoce de son père et par les problèmes d'instabilité de sa mère. Sans mot dire à ses amis ou à sa famille il alla attendre Marcello et Michele devant le bar Solara, et quand les deux frères apparurent il les attaqua à coups de poing et de pied sans faire le moindre préambule. Pendant quelques minutes, il s'en sortit bien, mais ensuite le père Solara et un des serveurs sortirent. Tous quatre tabassèrent Antonio jusqu'au sang et il n'y eut ni un passant ni un client pour venir l'aider.

Nous les gamines étions divisées sur cet épisode. Gigliola Spagnuolo et Carmela Peluso prirent le parti des deux Solara, mais seulement parce qu'ils étaient beaux et avaient une Millecento. Moi j'hésitai. En présence de mes deux amies je tenais pour les Solara, et ensemble nous rivalisions, c'était à qui les adorerait le plus, vu qu'en effet ils étaient magnifiques et que nous ne pouvions nous empêcher d'imaginer l'allure que nous aurions, assises en voiture à côté de l'un d'eux. Mais je sentais aussi que ces deux-là s'étaient très mal comportés avec Ada et qu'Antonio, même si ce n'était pas une beauté et s'il n'était pas musclé comme eux qui allaient tous les jours au gymnase soulever des poids, avait eu bien du courage d'aller les affronter. Du coup en présence de Lila, qui exprimait justement et sans demi-teinte cette opinion, j'avançais moi aussi quelques réserves.

Une fois la discussion s'enflamma à tel point que Lila, peut-être parce qu'elle n'était pas aussi formée que nous et ne connaissait pas le plaisir-épouvante d'avoir le regard des Solara sur elle, devint encore plus pâle qu'à l'ordinaire et déclara que s'il lui arrivait ce qui était arrivé à Ada, pour éviter des ennuis à son père et à son frère Rino elle se chargerait elle-même de ces deux gars.

« De toute façon, toi, Marcello et Michele ils te regardent même pas », rétorqua Gigliola Spagnuolo. On crut que Lila allait se mettre en colère mais elle répondit, sérieuse : « Eh bien tant mieux. »

Elle était toujours aussi menue, mais chacune de ses fibres semblait être tendue. Je regardais ses mains avec émerveillement : en peu de temps elles étaient devenues comme celles de Rino et de son père, avec le bout des doigts jaune et dur. Même si personne ne l'y obligeait – ce n'était pas là sa tâche, à la boutique –, elle s'était mise à faire toutes sortes de petits travaux : elle préparait le fil, décousait, collait et même montait, et à présent elle manipulait les instruments de Fernando presque comme son frère. C'est pourquoi, cette année-là, elle ne me demanda jamais rien sur le latin. En revanche, un jour elle me raconta le projet qu'elle avait en tête, et qui n'avait rien à voir avec les livres : elle essayait de convaincre son père de se mettre à fabriquer des chaussures neuves. Mais Fernando ne voulait pas en entendre parler : « Faire les chaussures à la main, lui expliquait-il, c'est un art qui n'a aucun avenir : aujourd'hui il y a des machines, ces machines coûtent cher et l'argent il est soit à la banque soit chez les usuriers, mais pas dans les poches de la famille Cerullo. » Alors elle insistait et le couvrait de louanges sincères : « Mais papa, personne ne sait faire des chaussures comme toi tu sais les faire ! » Et il lui répondait que, même si c'était vrai, désormais on faisait tout dans les usines, en série et à bas coût, et comme il y avait travaillé il savait bien quelles cochonneries arrivaient sur le marché ; mais il n'y avait rien à faire, quand les gens avaient besoin de chaussures neuves ils n'allaient plus chez le cordonnier du quartier mais dans les magasins du Rettifilo, de sorte que même si tu faisais un produit artisanal dans les règles de l'art tu ne réussissais pas à le vendre, tu gaspillais ton argent et tes efforts et tu te ruinais.

Lila ne s'était pas laissé convaincre et, comme d'habitude, elle avait entraîné Rino de son côté. Au début son frère avait pris le parti de leur père, agacé qu'elle mette le nez dans des affaires de boutique, là où il n'était plus question de livres et où l'expert, c'était lui. Puis peu à peu il s'était laissé séduire, et maintenant il se disputait avec Fernando un jour sur deux, répétant ce que sa sœur lui avait mis dans la tête.

« On peut quand même essayer, au moins une fois !

— Non.

— Tu as vu la voiture que se sont achetée les Solara, tu as vu comme l'épicerie des Carracci marche bien ?

— J'ai vu que la mercière qui a voulu faire la couturière y a renoncé, et j'ai vu que Gorresio, à cause de la stupidité de son fils, a eu les yeux plus gros que le ventre avec son garage.

— Mais les Solara n'arrêtent pas de s'agrandir !

— Occupe-toi de tes affaires et laisse tomber les Solara.

— À côté de la voie ferrée ils construisent tout un nouveau quartier.

— Qu'est-ce que ça peut foutre ?

— Papa, les gens gagnent des sous et veulent les dépenser.

— Les gens dépensent pour la nourriture parce qu'il faut bien manger tous les jours. Mais les chaussures un, ça se mange pas, et deux, quand elles s'abîment tu vas les faire réparer et elles peuvent te durer vingt ans. Notre travail,

144

aujourd'hui, c'est de réparer les chaussures, un point c'est tout. »

J'aimais la façon dont ce garçon, toujours gentil avec moi mais capable d'être très dur jusqu'à faire un peu peur, y compris à son père, soutenait toujours et en toute circonstance sa sœur. J'enviais Lila d'avoir un frère aussi solide, et parfois je me disais que la différence entre elle et moi c'était que je n'avais que des petits frères, et donc personne qui ait la force de m'encourager et de me soutenir contre ma mère en me permettant d'avoir l'esprit libre, tandis que Lila pouvait compter sur Rino, qui était capable de la défendre contre quiconque et quoi qu'il lui passe par l'esprit. Cela dit, je pensais que Fernando avait raison et j'étais de son côté. Et en discutant avec Lila, je découvris qu'elle était de cet avis elle aussi.

Un jour elle me montra les dessins des chaussures qu'elle voulait réaliser avec son frère, pour hommes et pour femmes. C'étaient des dessins magnifiques, faits sur des feuilles à petits carreaux, riches de détails coloriés avec précision, comme si elle avait eu l'occasion d'examiner des chaussures de ce genre de tout près dans quelque monde parallèle au nôtre, et puis les avait fixées sur le papier. En réalité c'était elle qui les avait inventées dans leur ensemble et dans tous leurs détails, comme elle le faisait à l'école quand elle dessinait des princesses, de sorte que, même si c'étaient des chaussures tout à fait normales, elles ne ressemblaient pas à celles que l'on voyait dans le quartier, ni même à celles des actrices des romans-photos.

« Elles te plaisent ?

— Elles sont très élégantes.

— Rino dit qu'elles sont difficiles.

« — Mais il sait les faire ?

— Il jure que oui.

— Et ton père ?

— Il en est sûrement capable.

— Alors vous n'avez qu'à les faire !

— Papa ne veut pas.

— Pourquoi ?

— Il dit que tant que c'est moi qui joue ça va, mais que Rino et lui n'ont pas de temps à perdre avec moi.

— Qu'est-ce que ça veut dire ?

— Ça veut dire que pour faire les choses vraiment il faut du temps et de l'argent. »

Elle fut sur le point de me montrer aussi les comptes qu'elle avait ébauchés, en cachette de Rino, pour comprendre combien il fallait vraiment pour les réaliser. Mais elle s'arrêta, replia les feuilles qu'elle m'avait montrées et me dit qu'il était inutile de perdre son temps : son père avait raison.

« Mais alors ?

— On doit essayer quand même.

— Ça va énerver Fernando.

— Si on n'essaie pas, rien ne change jamais. »

Ce qui devait changer, selon elle, c'était toujours la même chose : de pauvres nous devions devenir riches, et alors que nous n'avions rien nous devions arriver à tout avoir. Je tentai de lui rappeler notre vieux projet d'écrire des romans comme l'avait fait l'auteure des *Quatre Filles du docteur March*. C'était une idée fixe et j'y tenais. J'apprenais le latin exprès et, en mon for intérieur, j'étais persuadée que si elle prenait tant de livres à la bibliothèque itinérante de M. Ferraro c'était uniquement parce que, même si elle n'allait plus à l'école et si elle était désormais obsédée par les chaussures, elle voulait quand même écrire un roman avec moi et gagner beaucoup d'argent. Mais elle haussa les épaules avec son air dédaigneux – elle avait ramené les *Quatre Filles* à leur juste valeur : « De nos jours, m'expliqua-t-elle, pour s'enrichir vraiment il faut une activité économique. » De sorte qu'elle voulait commencer avec une seule paire de chaussures, histoire de démontrer à son père qu'elles étaient belles et confortables ; puis, une fois Fernando convaincu, il faudrait se mettre à produire : deux paires de chaussures aujourd'hui, quatre demain, trente dans un mois, quatre cents dans un an, afin d'arriver sans trop attendre à fonder – elle, son père, Rino, sa mère et ses autres frères et sœurs – une usine de chaussures avec des machines et au moins cinquante ouvriers : les chaussures Cerullo.

« Une usine de chaussures ?

— Ouais. »

Elle m'en parla avec beaucoup de conviction, comme elle savait le faire ; ses phrases en italien peignaient devant mes yeux l'enseigne de l'usine : Cerullo ; la marque imprimée sur les tiges : Cerullo ; et puis les chaussures Cerullo elles-mêmes, toutes merveilleuses et extrêmement élégantes, comme dans ses dessins – des chaussures comme ça, dit-elle, elles sont tellement belles et confortables que quand tu les as aux pieds, le soir tu vas te coucher sans les enlever.

Nous commençâmes à rire et à plaisanter.

Puis Lila sembla se bloquer. Elle dut se rendre compte que nous étions en train de jouer comme nous le faisions avec nos poupées des années auparavant, quand nous mettions Tina et Nu devant le soupirail de la cave ; alors elle me dit, comme s'il était urgent de revenir au concret, accentuant son air de petite fille-petite vieille qui me semblait devenir son trait caractéristique :

« Tu sais pourquoi les Solara se prennent pour les patrons du quartier ?

— Parce qu'ils se croient tout permis ?

— Non, parce qu'ils ont de l'argent.

— Tu crois ?

— Bien sûr. Tu as vu que Pinuccia Carracci, ils l'ont jamais embêtée ?

— C'est vrai.

— Et tu sais, par contre, pourquoi ils se sont comportés comme ça avec Ada ?

— Non.

— Parce que Ada n'a pas de père, son frère Antonio compte pour du beurre, et elle, elle aide Melina à nettoyer les escaliers d'immeubles. »

Par conséquent, ou bien nous gagnions de l'argent nous aussi, et plus que les Solara, ou bien, pour nous défendre des deux frères, il fallait que l'on se mette à leur faire très mal. Elle me montra un tranchet extrêmement coupant qu'elle avait pris dans la boutique de son père.

« Moi ils ne me touchent pas parce que je suis moche et j'ai pas mes ragnagnas, me dit-elle, mais toi ils pourraient le faire. Si ça t'arrive, dis-le-moi. »

Je la regardai, interloquée. Nous ne savions rien, à presque treize ans, des institutions, des lois ou de la justice. Nous répétions, et à l'occasion nous faisions avec conviction, ce que nous avions entendu et vu faire autour de nous depuis notre prime enfance. La justice ne se faisait-elle pas à coups de raclée ? Peluso n'avait-il pas tué Don Achille ? Je rentrai chez moi. Je me rendis compte qu'avec

ces dernières déclarations elle avait admis qu'elle
tenait beaucoup à moi et je me sentis heureuse.

9

Je réussis mon brevet avec des huit partout,
un neuf en italien et un neuf en latin. Il apparut
que j'étais la meilleure élève du collège : meilleure
qu'Alfonso qui eut une moyenne de huit, et de très
loin meilleure que Gino. Pendant des jours et des
jours je savourai cette suprématie absolue. Mon
père me félicita avec effusion, et à partir de ce jour
il se vanta auprès de tout le monde de ce que son
aînée avait eu neuf en italien et neuf – oui, rien de
moins que neuf ! – en latin. Ma mère, alors qu'elle
était dans la cuisine, debout près de l'évier en train
d'éplucher les légumes, m'annonça soudain sans se
retourner : « Tu peux mettre mon bracelet d'argent
le dimanche, mais ne le perds pas. »

J'eus moins de succès dans notre cour. Là, tout
ce qui comptait c'étaient les amours et les petits
amis. Quand je dis à Carmela Peluso que j'étais
la meilleure élève du collège, elle se mit aussitôt
à me parler de la manière dont Alfonso la regardait quand il passait. Gigliola Spagnuolo était très
amère parce qu'elle avait été recalée en latin et en
mathématiques, et elle tenta de récupérer un peu
de prestige en racontant que Gino s'intéressait à
elle mais qu'elle gardait ses distances parce qu'elle
était amoureuse de Marcello Solara – et peut-être
que Marcello l'aimait. Même Lila n'eut pas l'air
d'être particulièrement contente. Quand je lui fis

la liste de mes notes matière par matière elle me répondit en riant de son ton méchant : « Et tu n'as eu dix nulle part ? »

J'en fus vexée. Les professeurs ne mettaient dix qu'en conduite, jamais dans les matières importantes. Mais cette phrase suffit pour qu'une idée latente m'apparaisse tout à coup évidente : si Lila avait été au collège avec moi, dans la même classe que moi, si elle avait eu le droit de venir, maintenant elle aurait des dix partout : je le savais depuis toujours, elle le savait aussi, et aujourd'hui elle me le faisait sentir.

Je rentrai chez moi en courant, remâchant la douleur d'être la première sans être vraiment la première. Qui plus est, mes parents commencèrent à discuter entre eux pour savoir où ils pouvaient me placer, maintenant que j'avais rien de moins que le brevet. Ma mère voulait demander à la papetière de me prendre comme assistante : d'après elle, douée comme je l'étais, je serais très bien pour vendre stylos, crayons, cahiers et manuels scolaires. Mon père rêvait qu'ensuite il pourrait s'arranger avec ses relations à la mairie pour me trouver quelque poste prestigieux. Je ressentis une grande tristesse en moi qui, même sans cause précise, ne cessait de croître encore et encore, au point que je n'avais plus envie de sortir, y compris le dimanche.

Je n'étais plus contente de moi, tout me semblait brouillé. Je me regardais dans le miroir et ne voyais pas ce que j'aurais voulu voir. De blonds mes cheveux étaient devenus châtains. J'avais un nez long et épaté. Mon corps tout entier continuait à se dilater, mais sans gagner en hauteur. Même ma peau était en train de s'abîmer : sur le front, le menton et autour de la bouche des archipels de boursouflures rougeâtres se multipliaient, tournant ensuite au violet avant de se doter de pointes jaunâtres. De ma propre initiative, je commençai à aider ma mère à nettoyer la maison, cuisiner, remédier au désordre que mes petits frères laissaient derrière eux et à m'occuper d'Elisa, la petite dernière. Dans les laps de temps qui restaient je ne sortais pas, je m'installais dans un coin et lisais les romans que je prenais à la bibliothèque : Grazia Deledda, Pirandello, Tchekhov, Gogol, Tolstoï ou Dostoïevski. Parfois je ressentais fortement le besoin d'aller chercher Lila à la boutique et de lui parler des personnages qui m'avaient particulièrement plu ou des phrases que j'avais apprises par cœur. Mais je laissais vite tomber : elle aurait dit quelque chose de méchant, se serait mise à parler des projets qu'elle avait avec Rino – chaussures, usine et argent – et peu à peu j'aurais senti que les romans que je lisais étaient inutiles, que ma vie était sordide et que mon futur le serait tout autant : j'allais devenir une grosse vendeuse pleine de boutons dans la papeterie en face de l'église, une employée de mairie vieille fille qui, tôt ou tard, loucherait et claudiquerait.

Un dimanche, poussée par une invitation qui était arrivée à mon nom par la poste et dans laquelle M. Ferraro me demandait de venir à la bibliothèque dans la matinée, je me décidai enfin à réagir. J'essayai de me faire belle comme je croyais l'avoir été quand j'étais petite, comme je voulais croire que je l'étais encore, et je sortis. Je passai du temps à écraser mes boutons avec pour seul résultat d'irriter ma peau plus encore, je mis le bracelet en argent de ma mère et dénouai mes cheveux.

Mais je continuai à ne pas me plaire. Déprimée, dans la chaleur qui, en cette saison, se posait sur le quartier dès le matin comme une main gonflée de fièvre, je m'acheminai jusqu'à la bibliothèque.

Je compris aussitôt, à la petite foule de parents et d'enfants du primaire et du collège qui affluait vers l'entrée principale, qu'il se passait quelque chose d'inhabituel. J'entrai. Il y avait des rangées de chaises déjà toutes occupées, des festons colorés, le curé, Ferraro et même le directeur de l'école ainsi que Mme Oliviero. Je découvris que le maître avait imaginé de récompenser, en leur donnant un livre chacun, les lecteurs qui, d'après ses registres, se révélaient les plus assidus. Comme la cérémonie était sur le point de commencer et le service de prêt momentanément suspendu, je m'assis au fond de la petite salle. Je cherchai Lila mais vis seulement Gigliola Spagnuolo en compagnie de Gino et d'Alfonso. Je m'agitai sur ma chaise, mal à l'aise. Peu après Carmela Peluso et son frère Pasquale prirent place à côté de moi. « Salut, salut. » Je couvris davantage mes joues irritées sous mes cheveux.

La petite cérémonie débuta. Les primés furent : première Raffaella Cerullo, deuxième Fernando Cerullo, troisième Nunzia Cerullo, quatrième Rino Cerullo et cinquième Elena Greco, c'est-à-dire moi.

Cela me fit rire et Pasquale aussi. Nous nous regardâmes en étouffant nos rires tandis que Carmela murmurait avec insistance : « Mais pourquoi vous rigolez ? » On ne lui répondit rien : on se regarda à nouveau avant de s'esclaffer, une main plaquée sur la bouche. C'est ainsi que je fus appelée à mon tour, la cinquième au palmarès – mes yeux encore pleins de fou rire, j'éprouvais un sentiment de bien-être inattendu –, après que le maître eut demandé inutilement à plusieurs reprises si un membre de la famille Cerullo se trouvait dans la salle, et j'allai retirer mon prix. Après m'avoir abondamment félicitée, Ferraro me remit *Trois hommes dans un bateau* de Jerome K. Jerome. Je remerciai et demandai dans un souffle : « Est-ce que je pourrais prendre aussi les prix de la famille Cerullo ? Je les leur apporterai. »

Le maître me donna les livres-prix de tous les Cerullo. Pendant que nous sortions et tandis que Carmela, furibonde, rejoignait Gigliola qui bavardait gaiement avec Alfonso et Gino, Pasquale me dit en dialecte des trucs qui me firent rire de plus en plus fort : Rino s'abîmait les yeux sur les livres, Fernando le cordonnier ne dormait pas de la nuit tant il lisait et Mme Nunzia bouquinait debout près de ses fourneaux pendant qu'elle faisait cuire les pâtes aux pommes de terre, un roman dans une main et la louche dans l'autre. Les larmes aux yeux tant il riait, Pasquale me raconta qu'en primaire il était dans la même classe que Rino, au même rang, et après six ou sept ans d'école en comptant les redoublements, même en s'aidant mutuellement, tous les deux, son ami et lui, arrivaient péniblement à lire Bar-Tabac, Charcuterie ou Poste et Télécommunications. Alors il me demanda quel prix avait reçu son ancien camarade de classe :

« *Bruges-la-Morte*.

— Il y a des fantômes ?

— Je ne sais pas.

— Je peux venir quand tu le lui donneras ? Ou, mieux, est-ce que je peux le lui donner moi-même, en mains propres ? »

On éclata de rire à nouveau.

« Bien sûr.

— Il a reçu un prix, mon p'tit Rino ! Un truc de fous. Et c'est Lina qui lit tout ça, *mamma mia*, qu'est-ce qu'elle est forte, cette fille ! »

Les attentions de Pasquale Peluso me furent d'une grande consolation, j'aimai qu'il me fasse rire. Peut-être que je ne suis pas si moche que ça, me dis-je, peut-être que c'est moi qui ne sais pas me regarder.

À ce moment-là j'entendis qu'on m'appelait : c'était Mme Oliviero.

Je la rejoignis, elle me fixa de son regard toujours approbateur et me dit, presque comme si elle confirmait la légitimité d'un jugement plus généreux sur mon aspect :

« Comme tu es belle ! Tu es devenue une grande fille.

— Ce n'est pas vrai, madame.

— Mais si, tu es belle comme un astre, tu as la santé, tu es splendide et bien en chair ! Et tu es bonne en classe. J'ai su que tu avais été la meilleure élève du collège.

— Oui.

— Et maintenant qu'est-ce que tu vas faire ?

— Je vais travailler. »

Elle s'assombrit.

« Il n'en est pas question, il faut que tu continues tes études. »

Je la regardai, surprise. Que restait-il encore à apprendre ? J'ignorais tout du système scolaire et je ne savais pas précisément ce qu'il y avait après le brevet. Des mots comme lycée et université étaient vides de sens pour moi, comme tant de mots que je rencontrais dans les romans.

« Je ne peux pas, mes parents ne veulent pas.

— Combien il t'a mis en latin, ton professeur de lettres ?

— Neuf.

— Tu es sûre ?

— Oui.

— Alors je vais parler à tes parents. »

Je m'apprêtai à la quitter, je dois dire un peu épouvantée. Si Mme Oliviero allait vraiment voir mon père et ma mère pour leur dire qu'ils devaient me faire poursuivre mes études, elle déchaînerait de nouvelles disputes que je n'avais pas envie d'affronter. Je préférais la situation telle qu'elle était : aider ma mère, travailler à la papeterie, accepter la laideur et les boutons, avoir la santé, être bien en chair, comme disait Mme Oliviero, et trimer dans la misère. Est-ce que Lila ne le faisait pas déjà, au moins depuis trois ans – ses rêves fous de fille et sœur de cordonnier mis à part ?

« Merci madame, dis-je, au revoir. »

Mais Mme Oliviero me retint par le bras :

« Ne perds pas ton temps avec celui-là, dit-elle en faisant allusion à Pasquale qui m'attendait, il est maçon et il ne fera jamais rien d'autre. Et puis il vient d'une mauvaise famille, son père est communiste et il a tué Don Achille. Je ne veux plus te voir avec lui, c'est certainement un communiste comme son père. »

Je fis un signe d'assentiment et m'éloignai sans dire au revoir à Pasquale, qui resta un moment interloqué ; mais ensuite je sentis avec plaisir qu'il me suivait à dix pas de distance. Il n'était pas beau garçon, mais moi non plus je n'étais plus belle. Il avait des cheveux noirs tout bouclés, sa peau mate était brûlée par le soleil, il avait une grande bouche, c'était le fils d'un assassin et peut-être même un communiste.

Je tournai et retournai dans ma tête ce mot de *communiste* qui n'avait aucun sens pour moi, mais auquel l'enseignante avait immédiatement attribué une marque inquiétante. Communiste, communiste, communiste. Cela me sembla fascinant. Communiste et fils d'assassin.

C'est alors que Pasquale me rejoignit, une fois passé le coin de la rue. On fit le chemin ensemble jusqu'à quelques mètres de chez moi et, reprenant nos plaisanteries, on se donna rendez-vous le lendemain pour aller à la boutique du cordonnier remettre les livres à Lila et Rino. Avant que l'on se sépare Pasquale me dit aussi que le dimanche suivant sa sœur, lui-même et tous ceux qui en avaient envie se retrouvaient chez Gigliola pour apprendre à danser. Il me demanda si je voulais venir moi aussi, et je pouvais également amener Lila. Je demeurai bouche bée ; je savais déjà que ma mère ne me laisserait jamais y aller. Je répondis néanmoins : d'accord, j'y réfléchirai. Alors il me tendit la main, et comme je n'étais pas habituée à ce genre de geste j'hésitai avant d'effleurer sa main dure et calleuse et retirai vite la mienne.

« Tu es toujours maçon ? lui demandai-je, même si je savais déjà ce qu'il faisait.

— Oui.

— Et tu es communiste ? »

Il me regarda un moment, perplexe.

« Oui.

— Et c'est vrai que tu vas voir ton père à Poggioreale ? »

Il se fit sérieux :

« Quand je peux.

— Salut.
— Salut. »

10

Mme Oliviero, l'après-midi même, se présenta chez moi sans prévenir, jetant mon père dans une grande angoisse et mettant ma mère de mauvaise humeur. Elle les fit jurer tous les deux qu'ils m'inscriraient dans le bon lycée le plus proche. Elle offrit de me procurer elle-même les livres dont j'aurais besoin. Elle rapporta à mon père, mais en me regardant avec sévérité, qu'elle m'avait vue seule avec Pasquale Peluso, une compagnie tout à fait inadéquate pour une jeune personne prometteuse comme moi.

Mes parents n'osèrent pas la contredire. Ils lui jurèrent même solennellement qu'ils m'enverraient au lycée et mon père me dit, sombre : « Lenù, tu as intérêt à ne plus jamais parler à Pasquale Peluso ! » Avant de prendre congé, et toujours en présence de mes parents, l'enseignante me demanda des nouvelles de Lila. Je lui répondis qu'elle aidait son père et son frère en mettant de l'ordre dans les comptes et dans la boutique. Elle fit une moue de contrariété et s'enquit :

« Elle sait que tu as eu neuf en latin ? »

J'acquiesçai.

« Dis-lui que maintenant tu vas apprendre le grec. Dis-le-lui. »

Elle prit congé de mes parents en bombant le torse :

« Cette jeune fille, s'exclama-t-elle, nous donnera d'immenses satisfactions ! »

Le soir même, tandis que ma mère, furieuse, râlait qu'à présent ils n'avaient plus qu'à m'envoyer à l'école des bourgeois, autrement Oliviero la harcèlerait jusqu'à ce qu'elle en crève et ferait redoubler sans fin la petite Elisa par représailles, et tandis que mon père, comme si c'était le problème principal, menaçait de me briser les deux jambes s'il apprenait que j'avais encore eu un tête-à-tête avec Pasquale Peluso, on entendit un cri strident qui nous interrompit net. C'était Ada, la fille de Melina, qui demandait de l'aide.

On se précipita à la fenêtre : il y avait un grand remue-ménage dans la cour. On apprit que Melina, qui depuis le déménagement des Sarratore s'était plutôt bien comportée – elle était un peu mélancolique et distraite, certes, mais dans l'ensemble ses bizarreries étaient devenues rares et inoffensives, du genre chanter à gorge déployée quand elle lavait les cages d'escalier ou jeter des seaux d'eau sale dans la rue sans faire attention aux gens qui passaient –, était en train de faire une nouvelle crise de folie, cette fois une folie du bonheur. Elle riait, sautait sur son lit et remontait sa jupe, montrant ses cuisses décharnées et sa culotte à ses enfants effrayés. C'est ce que ma mère comprit en interrogeant, de la fenêtre, les femmes penchées aux autres fenêtres. Je vis que Nunzia Cerullo et Lila accouraient aussi pour voir ce qui se passait et j'essayai de me glisser dehors pour les rejoindre, mais ma mère m'en empêcha. Elle rattacha ses cheveux et, de son pas claudicant, alla évaluer la situation par elle-même.

À son retour elle était indignée. Quelqu'un avait

fait parvenir un livre à Melina. Un livre, oui, un livre ! À cette femme qui avait fait tout au plus deux années d'école primaire et n'avait jamais rien lu de sa vie. En couverture, le livre portait le nom de Donato Sarratore. À l'intérieur, sur la première page, il y avait une dédicace pour Melina écrite au stylo, et Sarratore avait même indiqué à l'encre rouge les poésies qu'il avait écrites pour elle.

Mon père, entendant cette étrange histoire, insulta le cheminot-poète de manière particulièrement obscène. Ma mère s'exclama que quelqu'un aurait dû se charger d'éclater la tête de merde de ce type de merde. Pendant toute la nuit on entendit Melina qui chantait son bonheur ainsi que les voix de ses enfants, surtout celles d'Antonio et Ada, qui tentaient de la calmer mais sans y parvenir.

Moi, au contraire, j'étais émerveillée et bouleversée. Dans une même journée, j'avais attiré l'attention d'un jeune homme ténébreux comme Pasquale, une nouvelle école m'avait ouvert ses portes, et j'avais découvert qu'une personne qui, il y avait peu de temps encore, résidait dans notre quartier, dans le même immeuble que nous, avait publié un livre. Ce dernier événement démontrait que Lila avait eu raison de penser que cela pouvait nous arriver aussi. Certes, maintenant elle avait renoncé au livre, mais peut-être que moi, à force d'aller dans cette école difficile appelée lycée, et encouragée par l'amour de Pasquale, j'arriverais à en écrire un toute seule, comme l'avait fait Sarratore. Qui sait ! Si tout se passait pour le mieux, je pourrais bien devenir riche avant Lila, avec ses dessins de chaussures et son usine.

11

Le lendemain je me rendis en secret à mon rendez-vous avec Pasquale Peluso. Il arriva essoufflé, en vêtements de travail, tout en sueur et avec des éclaboussures de chaux blanche partout. Chemin faisant, je lui racontai l'histoire de Donato et Melina. J'ajoutai que ces derniers événements fournissaient la preuve que Melina n'était pas folle et que Donato était vraiment tombé amoureux d'elle, et l'aimait encore. Mais très vite, tandis que je parlais et que Pasquale me donnait raison, manifestant ainsi sa sensibilité en matière d'amour, je me rendis compte que, dans ces derniers développements, ce qui me ravissait plus que tout c'était que Donato Sarratore ait réussi à publier un livre. Cet employé des chemins de fer était devenu l'auteur d'un volume que M. Ferraro aurait très bien pu mettre dans sa bibliothèque et proposer au prêt. Donc, dis-je à Pasquale, cet homme que nous avions tous connu n'était pas un individu quelconque et un peu fragile qui se laissait marcher dessus par sa femme, mais un poète. Sous nos yeux était né son amour tragique, qui avait été inspiré par une personne que nous connaissions très bien, à savoir Melina. Je m'emballai et mon cœur battait fort. Mais je me rendis compte que, sur ce thème, Pasquale n'arrivait pas à me suivre et disait juste oui pour ne pas me contredire. De fait, peu après il commença à changer de sujet et se mit à me poser des questions sur Lila : comment elle était à l'école, qu'est-ce que je pensais d'elle et est-ce que nous étions très amies. Je répondis bien volontiers : c'était la première fois que quelqu'un m'interrogeait sur mon amitié avec elle et j'en parlai tout au long du trajet avec grand plaisir. Je réalisai aussi pour la première fois que, devant chercher mes mots sur un sujet pour lequel je n'avais pas d'expressions toutes prêtes, j'avais tendance à réduire la relation entre elle et moi à des affirmations enthousiastes pleines d'exclamations et d'exagérations.

Nous en discutions encore en arrivant à la boutique du cordonnier. Fernando était rentré chez lui faire la sieste mais Lila et Rino se tenaient l'un près de l'autre, le visage sombre, penchés sur quelque chose qu'ils regardaient avec hostilité, et dès qu'ils nous virent de l'autre côté de la porte en verre ils rangèrent tout. Je remis à mon amie les cadeaux de M. Ferraro, pendant que Pasquale se moquait de son copain en ouvrant son prix sous son nez et en lui disant : « Quand tu as fini l'histoire de cette Bruges la morte tu me dis si c'est bien, comme ça je la lirai peut-être moi aussi ! » Ils rirent beaucoup entre eux et de temps en temps se susurraient à l'oreille des phrases sur Bruges, sûrement des trucs obscènes. Je remarquai toutefois, à un moment donné, que même s'il était occupé à plaisanter avec Rino, Pasquale lançait des regards furtifs à Lila. Pourquoi la regardait-il ainsi, que cherchait-il, que voyait-il ? C'étaient des regards longs et intenses dont elle ne semblait même pas se rendre compte, alors que – me semblat-il – plus encore que moi c'était Rino qui y prêtait attention, et bientôt il entraîna Pasquale dehors dans la rue, comme pour éviter que nous n'entendions ce qui les amusait tellement sur Bruges, mais en réalité parce qu'il était agacé par la manière dont son ami regardait sa sœur.

J'accompagnai Lila dans l'arrière-boutique en m'efforçant de voir ce qui, en elle, avait pu attirer l'attention de Pasquale. Elle me sembla être toujours la même petite fille menue et exsangue avec rien que la peau sur les os, à part peut-être des yeux plus larges et une petite ondulation de la poitrine. Elle plaça les livres parmi les autres volumes qu'elle conservait là au milieu des vieilles chaussures, avec un certain nombre de cahiers aux couvertures très mal en point. Je mentionnai les folies de Melina, mais surtout j'essayai de lui transmettre tout mon enthousiasme parce que nous pouvions enfin dire que nous connaissions quelqu'un qui venait de publier un livre : Donato Sarratore. Je lui murmurai en italien : « Tu imagines, son fils Nino était à l'école avec nous ! Si ça se trouve, toute sa famille va devenir riche. » Elle esquissa un demi-sourire sceptique :

« Avec ça ? » dit-elle. Elle tendit la main et me montra le livre de Sarratore.

Antonio, le fils aîné de Melina, le lui avait donné afin de l'ôter pour toujours de la vue et des mains de sa mère. Je pris le petit volume et l'examinai. Il s'intitulait *Essais de sérénité*. Il avait une couverture dans les rouges avec le dessin d'un soleil qui resplendissait au-dessus d'une montagne. Je fus impressionnée de lire, juste au-dessus du titre : Donato Sarratore. Je l'ouvris et lus à haute voix la dédicace écrite au stylo : *À Melina, qui a nourri mon chant. Donato. Naples, 12 juin 1958*. J'en fus tout émue et en eus un frisson derrière la nuque, à la racine des cheveux. Je m'exclamai : « Nino aura une voiture plus belle que celle des Solara ! »

Mais Lila eut un de ses regards intenses et je

vis qu'elle était absorbée par le livre que je tenais dans les mains :

« On verra si ça se réalise, bougonna-t-elle, mais pour le moment ces poèmes n'ont causé que des problèmes.

— Pourquoi ?

— Sarratore n'a pas eu le courage d'aller voir Melina en personne et il a envoyé le livre à sa place.

— Et tu ne trouves pas ça beau ?

— Va savoir ! Maintenant Melina l'attend et si Sarratore ne vient pas, elle souffrira encore plus qu'elle n'a souffert jusqu'à présent. »

Quelle belle phrase ! Je regardai sa peau très blanche et toute lisse, sans une impureté. Je regardai ses lèvres et la forme délicate de ses oreilles. Si, me dis-je, peut-être est-elle en train de changer et pas seulement physiquement, mais aussi dans sa manière de s'exprimer. J'eus l'impression – pour le formuler avec des mots d'aujourd'hui – que non seulement elle parlait très bien mais qu'elle développait un don que je lui connaissais déjà : encore mieux que lorsqu'elle était enfant, elle savait s'emparer des faits et, avec naturel, les restituer chargés de tension ; quand elle réduisait la réalité à des mots, elle lui donnait de la force et lui injectait de l'énergie. Mais je m'aperçus en même temps, avec plaisir, que dès qu'elle commençait à le faire, moi aussi je me sentais la capacité de faire pareil : je m'y mettais et ça marchait. Et cela – pensai-je avec satisfaction – me distingue de Carmela et de toutes les autres : moi je m'enflamme avec elle, ici, au moment même où elle me parle. Comme ses mains étaient belles et fortes, comme elle faisait de beaux gestes – et quels regards !

Mais tandis que Lila parlait d'amour, et moi

aussi, mon plaisir se fissura et une vilaine idée me vint à l'esprit. Je compris tout à coup que je m'étais trompée : Pasquale le maçon, le communiste et le fils d'assassin, avait voulu m'accompagner jusqu'ici non pas pour moi mais pour elle, pour avoir l'occasion de la voir.

12

L'espace d'un instant, cette pensée me coupa le souffle. Quand les deux garçons rentrèrent, interrompant notre conversation, Pasquale avoua en riant qu'il s'était échappé du chantier sans rien dire au contremaître, mais il devait retourner travailler au plus vite. Je remarquai qu'il regardait de nouveau Lila, longuement, intensément et presque contre sa volonté, peut-être pour lui signifier : je cours le risque d'être viré uniquement pour toi. Et en même temps il annonça, s'adressant à Rino :

« Dimanche on va tous danser chez Gigliola, Lenuccia vient aussi, vous vous joignez à nous ?

— Dimanche c'est loin, on verra », répondit Rino.

Pasquale lança un dernier regard à Lila qui ne lui prêta aucune attention, puis il fila sans me demander si je voulais faire le chemin avec lui.

Je ressentis un agacement qui me rendit nerveuse. Je me mis à tripoter mes joues avec mes doigts précisément là où elles étaient le plus irritées, je m'en rendis compte et m'obligeai à ne plus le faire. Tandis que Rino récupérait sous son banc ce à quoi il travaillait avant notre arrivée et qu'il l'étudiait avec perplexité, je relançai Lila et parlai à nouveau avec elle de livres et d'histoires d'amour. On embellit jusqu'à la démesure Sarratore, la folie d'amour de Melina et le rôle de ce livre. Qu'allait-il se passer ? Quelles réactions allaient découler non de la lecture des vers mais de l'objet en soi, et du fait que sa couverture, son titre, ce prénom et ce nom avaient à nouveau enflammé le cœur de cette femme ? Nous parlâmes avec tellement de passion que Rino perdit brusquement patience et s'écria :

« Mais c'est pas fini ? Lila, il faut qu'on bosse, autrement papa va revenir et on ne pourra plus rien faire. »

Nous arrêtâmes. Je jetai un œil sur ce qu'ils étaient en train de faire, une forme en bois envahie de tout un embrouillamini de semelles, languettes de peau et morceaux de cuir épais entre des couteaux, des alênes et des instruments de toutes sortes. Lila m'expliqua que Rino et elle tentaient de réaliser une chaussure de voyage pour homme et aussitôt après, tout anxieux, son frère me fit jurer sur ma sœur Elisa que je ne parlerais jamais de ce projet à personne. Ils travaillaient en cachette de Fernando, Rino s'était procuré le cuir et la peau grâce à un ami qui gagnait sa vie dans une teinturerie à Ponte di Casanova. Ils consacraient à la réalisation de ce soulier cinq minutes par-ci, dix minutes par-là, parce qu'ils n'avaient rien pu faire pour convaincre leur père de les aider ; au contraire, chaque fois qu'ils abordaient le sujet Fernando renvoyait Lila à la maison en hurlant qu'il ne voulait plus la voir à la boutique, tout en menaçant de tuer Rino qui s'était mis en tête à dix-neuf ans de faire mieux que lui, lui manquant ainsi de respect.

Je fis semblant de m'intéresser à leur entreprise secrète, mais en fait je m'en repentis. Bien que tous deux m'aient impliquée en me choisissant pour confidente, il s'agissait toujours d'une expérience dont je ne pouvais faire partie autrement que comme témoin : en suivant ce chemin, Lila ferait de grandes choses toute seule, et moi j'en serais exclue. Mais surtout, quand elle m'accompagna à la porte, je compris que le climat de tension qui entourait cette chaussure était beaucoup plus intéressant pour elle que toutes nos intenses conversations sur l'amour et la poésie : comment était-ce possible ? Nos discours sur Sarratore et Melina étaient tellement beaux ! Je n'arrivais pas à croire que, même si elle me parlait de cet amas de cuirs, peaux et outils, au fond d'elle-même il ne lui restait pas, comme moi, une angoisse pour cette femme qui souffrait d'amour. Qu'est-ce que ça pouvait bien me faire, les chaussures ? J'avais encore devant les yeux les mouvements les plus secrets de cette histoire de fidélité trahie, de passion, de chant qui devenait livre, et c'était comme si elle et moi avions lu ensemble un roman ou comme si nous avions vu, là dans l'arrière-boutique et non un dimanche dans la salle de la paroisse, un film plein de drames. J'eus de la peine devant tant de gâchis : j'étais obligée de partir ; elle préférait l'aventure des chaussures à nos discussions ; elle savait être autonome alors que moi j'avais besoin d'elle ; elle avait un monde à elle où je ne pouvais pas pénétrer ; Pasquale, qui n'était pas un petit garçon mais un jeune homme, allait certainement chercher d'autres occasions de la regarder, la solliciter et essayer de la convaincre de devenir secrètement sa petite amie et de se laisser embrasser et toucher

– puisqu'on racontait que c'était ce qui se faisait quand on se mettait ensemble ; bref, elle sentirait que je lui étais de moins en moins nécessaire.

Alors, presque pour chasser ces pensées qui me révulsaient, et comme pour souligner ma valeur et mon côté indispensable, je lui annonçai tout à coup que j'allais fréquenter le lycée. Je le lui dis devant la porte de la boutique, tandis que j'étais déjà dans la rue. Je lui racontai que c'était Mme Oliviero qui avait obligé mes parents en me promettant de me procurer elle-même et gratuitement les livres d'occasion. Je le fis car je voulais qu'elle se rende compte qu'il n'y avait pas beaucoup de filles comme moi et que même, j'étais unique : même si elle devenait riche en fabriquant des chaussures avec Rino, elle ne pourrait pas se passer de moi, comme moi je ne pouvais pas me passer d'elle.

Elle me regarda, perplexe :

« C'est quoi, le lycée ?

— Une école importante où on va après le collège.

— Et qu'est-ce que tu vas y faire ?

— Apprendre.

— Apprendre quoi ?

— Le latin.

— C'est tout ?

— Et aussi le grec.

— Le grec ?

— Oui. »

Elle eut l'expression d'une personne qui est complètement perdue et ne trouve rien à répondre. Enfin elle murmura, sans qu'il y ait aucun lien :

« La semaine dernière j'ai eu mes ragnagnas. »

Et bien que Rino ne l'ait pas appelée, elle rentra.

13

Alors maintenant elle saignait elle aussi. Les mouvements secrets du corps, qui m'avaient atteinte la première, étaient arrivés jusqu'à elle aussi comme l'onde d'un tremblement de terre, et ils la changeraient – en réalité, ils la changeaient déjà. Pasquale, me dis-je, s'en était rendu compte avant moi. Lui mais probablement d'autres garçons également. Le fait que j'aille au lycée perdit rapidement de son aura. Pendant des jours, je ne pus penser à autre chose qu'à ces mutations inconnues qui allaient submerger Lila. Deviendrait-elle belle comme Pinuccia Carracci, Gigliola ou Carmela ? Ou enlaidirait-elle comme moi ? Je rentrai à la maison et m'observai dans le miroir. Comment étais-je, en réalité ? Et elle, comment deviendrait-elle, tôt ou tard ?

Je commençai à soigner davantage mon apparence. Un dimanche après-midi, à l'occasion de la traditionnelle promenade du boulevard au jardin, je mis mon habit de fête, une robe bleu ciel avec un décolleté carré, et enfilai le bracelet d'argent de ma mère. Quand je rencontrai Lila j'éprouvai un secret plaisir à la voir comme elle était tous les jours, avec ses cheveux très noirs en désordre et une petite robe élimée et décolorée. Rien ne la différenciait de la Lila habituelle, la petite fille nerveuse et décharnée. Elle me sembla seulement plus élancée, alors qu'avant elle était toute petite, et elle était devenue presque aussi grande que moi, peut-être juste un centimètre de moins. Mais c'était quoi, ce changement ? Moi j'avais une poitrine généreuse, des formes de femme.

Nous arrivâmes au parc, repartîmes en sens inverse et puis refîmes le chemin jusqu'au jardin. Il était tôt, il n'y avait pas encore le brouhaha du dimanche ni les vendeurs de noisettes, amandes grillées et lupins. Avec prudence, Lila m'interrogea à nouveau sur le lycée. Je lui dis le peu que je savais mais en l'exagérant le plus possible. Je voulais qu'elle soit intriguée, qu'elle désire participer au moins un peu, de l'extérieur, à ma nouvelle aventure et qu'elle sente qu'elle perdait quelque chose de moi, comme moi je craignais toujours de perdre une part – et une grande part – d'elle. Je marchais du côté de la rue et elle à l'intérieur. Je parlais et elle écoutait avec grande attention.

Puis la Millecento des Solara s'approcha de nous, Michele au volant et Marcello à ses côtés. Ce dernier commença à nous lancer des plaisanteries. Ils nous les adressaient à toutes les deux, pas seulement à moi. Il chantonnait en dialecte des phrases du genre : « Qu'elles sont jolies, ces demoiselles ! Mais ne vous fatiguez pas avec tous ces allers et retours ! Vous savez, Naples est une grande ville, et la plus belle du monde, belle comme vous ! Montez donc, rien qu'une demi-heure, après on vous ramène. »

Je n'aurais pas dû le faire mais je le fis quand même. J'aurais dû poursuivre tout droit comme s'ils n'existaient pas, ni sa voiture, ni son frère, ni lui, et continuer à bavarder avec Lila en les ignorant ; mais au lieu de cela, poussée par le besoin de me sentir attirante, chanceuse et sur le point d'aller à l'école des bourgeois où je trouverais selon toute vraisemblance des garçons avec des voitures plus belles que celle des Solara, je me retournai et dis en italien :

« Merci, mais nous ne pouvons pas. »

Alors Marcello tendit la main. Je vis qu'elle était petite et grosse, tandis que lui-même était un jeune homme grand et bien fait. Ses cinq doigts passèrent la fenêtre et vinrent saisir mon poignet, tandis que sa voix disait :

« Michè, vise un peu le beau bracelet qu'elle a, la fille du portier ! »

La voiture s'arrêta. Les doigts de Marcello autour de mon poignet me plissèrent la peau et je retirai mon bras avec horreur. Le bracelet se brisa et tomba entre le trottoir et la voiture.

« C'est pas vrai, regarde ce que t'as fait ! m'écriai-je en pensant à ma mère.

— Du calme, répliqua-t-il, ouvrant la portière et sortant de la voiture, je vais te le réparer. »

Il était joyeux et cordial, il essaya à nouveau de me prendre le poignet comme pour établir une familiarité susceptible de me calmer. Alors tout se passa en un éclair : Lila, la moitié de sa taille, le poussa contre la voiture et lui colla le tranchet sous la gorge. Elle lui dit calmement, en dialecte :

« Tu la touches encore une fois et tu vas voir ce qui t'arrive. »

Marcello s'immobilisa, incrédule. Michele sortit aussitôt de la voiture en disant d'un ton rassurant :

« Elle te fera rien, Marcè, cette salope n'en a pas le courage. »

Michele contourna la voiture tandis que je me mettais à pleurer. D'où j'étais, je voyais bien que la pointe du tranchet avait déjà coupé la peau de Marcello et qu'un mince filet de sang sortait de cette égratignure. J'ai toujours la scène clairement à l'esprit : il faisait encore très chaud, il y avait peu de passants, et Lila était sur Marcello comme si

elle avait vu un vilain insecte sur son visage et voulait le chasser. Et j'ai aussi conservé l'absolue certitude qui me saisit alors : elle n'aurait pas hésité
à lui couper la gorge. Michele s'en rendit compte
lui aussi :

« Ça va, sois gentille », dit-il et, toujours avec le
même calme, presque amusé, il rentra dans sa voiture : « Monte, Marcè, dis pardon aux demoiselles
et on y va. »

Lila éloigna lentement la pointe de la lame de la
gorge de Marcello. Il esquissa un sourire timide, il
avait l'air perdu :

« Un instant », fit-il.

Il s'agenouilla sur le trottoir, devant moi, comme
s'il voulait s'excuser en se soumettant à la forme
ultime de l'humiliation. Il fouilla sous la voiture,
récupéra le bracelet, l'examina et le répara en res-
serrant avec ses ongles le petit anneau d'argent qui
avait cédé. Cependant, quand il me le donna ce
n'est pas moi qu'il regardait, mais Lila. Et c'est à
elle qu'il dit : « Pardon. » Puis il monta dans la voiture qui redémarra.

« J'ai pleuré à cause du bracelet, pas parce que
j'avais peur », précisai-je.

14

Cet été-là les frontières du quartier commencèrent à s'estomper. Un matin, mon père m'emmena avec lui. À l'occasion de mon inscription au
lycée, il voulut que je connaisse bien les moyens de
transport que je devrais utiliser et les rues que je

devrais emprunter pour aller à ma nouvelle école en octobre.

C'était une belle journée, venteuse et très claire. Je me sentis aimée, chouchoutée, et à l'affection que j'avais pour lui vint s'ajouter une admiration croissante. Il connaissait très bien l'espace immense de la ville, il savait où aller prendre le métro, le train et le bus. Dans la rue il avait des manières sociables, courtoises et patientes qu'il n'avait presque jamais à la maison. Il sympathisait avec tout le monde, dans les transports et les bureaux, et il réussissait toujours à faire savoir à son interlocuteur qu'il travaillait à la mairie et que, si besoin était, il pourrait accélérer un dossier et ouvrir des portes.

Nous passâmes toute la journée ensemble, la seule de notre vie – je ne me souviens d'aucune autre. Il s'occupa beaucoup de moi, comme s'il voulait me transmettre en quelques heures tout ce qu'il avait appris d'utile au cours de son existence. Il me montra la Piazza Garibaldi et la gare en construction : d'après lui, elle était tellement moderne que les Japonais venaient exprès du Japon pour l'étudier et la refaire à l'identique chez eux, surtout les piliers. Mais il avoua qu'il préférait la gare précédente, il y était plus attaché. Tant pis. Naples, selon lui, était ainsi depuis toujours : on enlève, on démolit et puis on refait, ça fait circuler l'argent et ça crée du travail.

Il m'emmena Corso Garibaldi, jusqu'au bâtiment qui serait bientôt mon école. Il fit les démarches au secrétariat avec une grande bonhomie, il avait le don d'être avenant, un don qu'il gardait caché dans le quartier et à la maison. Il se vanta de mon extraordinaire bulletin auprès d'un appariteur dont, découvrit-il alors, il connaissait bien le témoin de mariage. J'entendis qu'il répétait souvent des phrases comme : « Tout va bien ? » ou « On fait c'qu'on peut ». Il me montra la Piazza Carlo III, l'Hospice des Pauvres, le jardin botanique, la Via Foria et le musée. Il me fit passer par la Via Costantinopoli, la Port'Alba, la Piazza Dante et le Toledo. Je fus submergée par les noms, le bruit de la circulation, les voix, les couleurs, l'atmosphère de fête qui régnait partout, l'effort de tout conserver en mémoire afin de pouvoir en parler à Lila, l'aisance avec laquelle mon père bavardait avec le pizzaiolo chez qui il m'acheta une pizza à la ricotta toute chaude ou le marchand des quatre saisons chez qui il me prit une pêche bien jaune. Était-il donc possible que seul notre quartier soit saturé de tensions et de violences, alors que le reste de la ville était radieux et bienveillant ?

Il m'emmena voir l'endroit où il travaillait, qui se trouvait sur la Piazza Municipio. Là aussi, m'expliqua-t-il, tout avait changé, on avait coupé les arbres et tout détruit : « Tu vois tout l'espace qu'il y a maintenant ? Tout ce qui reste d'ancien c'est le Maschio Angioino, mais qu'est-ce qu'il est beau ! Pitchoune, il n'y a que deux vrais hommes à Naples : ton papa et ce château. » Nous entrâmes dans la mairie, il salua untel et untel, il était très connu. Avec certains il fut jovial, me présentant et répétant une énième fois qu'à l'école j'avais eu neuf en italien et neuf en latin, avec d'autres il fut presque muet, seulement : « Ça va merci, à votre service, vous n'avez qu'à demander. » Enfin il m'annonça qu'il allait me montrer le Vésuve de près et la mer.

Ce fut un moment inoubliable. Nous prîmes

par la Via Caracciolo, il y avait toujours plus de vent et toujours plus de soleil. Le Vésuve était une forme délicate couleur pastel au pied de laquelle s'agglutinaient les pierres blanches de la ville, la silhouette couleur de terre du Castel dell'Ovo et la mer. Et quelle mer ! Très agitée elle rugissait et le vent coupait le souffle, plaquait les vêtements contre le corps et soulevait les cheveux du front. Nous restâmes de l'autre côté de la route, au milieu d'une petite foule qui admirait le spectacle. Les vagues roulaient comme des tubes de métal bleu, portant à leur sommet le blanc d'œuf de l'écume, puis elles se brisaient en mille éclats scintillants et arrivaient jusqu'à la route au milieu des « oh » d'émerveillement et de crainte de tous ceux qui regardaient. Quel dommage que Lila ne soit pas là ! Je me sentis étourdie par les rafales puissantes et par le bruit. J'avais l'impression que, même si je retenais une grande partie de ce spectacle, un tas de choses – trop – s'éparpillaient autour de moi sans que je puisse les saisir.

Mon père me serra la main comme s'il avait peur que je ne m'échappe. En effet j'avais envie de le laisser pour aller courir, changer de place, traverser la route et me laisser renverser par les écailles brillantes de la mer. En cet instant tellement fantastique, plein de lumière et de clameur, je m'imaginai seule dans la nouveauté de la ville, neuve moi-même avec toute la vie devant moi et exposée à la furie mouvante du monde dont, sans nul doute, je sortirais gagnante : et je pensai à Lila et moi, à cette capacité que nous avions toutes deux quand nous étions ensemble – seulement ensemble – de nous approprier la totalité des couleurs, des bruits, des choses et des personnes, de nous les raconter et de leur donner de la force.

Je rentrai dans notre quartier comme si je revenais d'une terre lointaine. Voilà de nouveau ces rues bien connues, l'épicerie de Stefano et de sa sœur Pinuccia, Enzo qui vendait ses fruits et la Millecento des Solara garée devant le bar – celle-là, je ne sais combien j'aurais donné pour qu'elle disparaisse de la surface de la terre. Heureusement ma mère n'avait rien su de l'épisode du bracelet. Et heureusement personne n'avait raconté à Rino ce qui s'était passé.

Je parlai à Lila des rues, de leur nom, du vacarme et de cette lumière extraordinaire. Mais je me sentis tout de suite mal à l'aise. Si c'était elle qui avait fait le récit de cette journée, j'aurais ajouté à sa narration un indispensable contre-chant et, même si je n'y étais pas allée avec elle, je me serais sentie vivante et active, je l'aurais interrogée, lui aurais posé toutes sortes de questions et aurais tenté de lui démontrer que nous devions absolument refaire ce parcours ensemble, expliquant que je l'aurais rendu plus intéressant pour elle et que ma compagnie aurait été bien meilleure que celle de son père. Mais elle m'écouta sans curiosité et, sur le coup, je crus qu'elle le faisait par méchanceté, pour saper mon enthousiasme. Mais je finis par me dire que ce n'était pas ça, c'était juste qu'elle avait son propre imaginaire, qui se nourrissait de choses concrètes, que ce soit un livre ou une fontaine. Ses oreilles m'écoutaient certainement mais ses yeux et son esprit restaient solidement ancrés dans ce qui l'entourait : la route, les quelques arbres du jardin, Gigliola qui se promenait avec Alfonso et Carmela, Pasquale qui disait bonjour depuis l'échafaudage du chantier, Melina qui parlait à haute voix de Donato Sarratore tandis qu'Ada essayait de la traîner vers la maison, Stefano, le fils de Don Achille, qui venait d'acheter une Fiat Giardinetta – sa mère était assise à côté de lui et sa sœur Pinuccia sur le siège arrière –, Marcello et Michele Solara qui passaient dans leur Millecento, Michele qui faisait semblant de ne pas nous voir tandis que Marcello ne manquait pas de nous adresser un regard cordial, et surtout cette activité secrète, en cachette de son père, à laquelle elle se consacrait pour faire avancer son projet de chaussures. Pour elle, mon histoire n'était en ce moment qu'un ensemble de signes inutiles venant d'espaces inutiles. Elle ne s'occuperait de ces espaces que si elle avait l'occasion d'y aller. De fait, après tout mon récit, elle dit simplement :

« Il faut que je dise à Rino que dimanche on doit accepter l'invitation de Pasquale Peluso. »

Voilà, je lui racontais le centre de Naples et elle, c'était l'appartement de Gigliola qu'elle mettait au centre – elle habitait un des immeubles du quartier et c'était là que Pasquale voulait nous emmener danser. J'étais déçue. Nous avions toujours accepté les invitations de Peluso sans jamais y aller, moi pour éviter les discussions avec mes parents et elle parce que Rino s'y opposait. Mais souvent nous l'espionnions, les jours de fête, quand il était là tout beau à attendre ses amis, les grands comme les plus jeunes. C'était un garçon généreux, il ne faisait pas de distinction d'âge et invitait tout le monde. En général il attendait devant la station d'essence et les autres arrivaient petit à petit : Enzo, Gigliola, Carmela qui maintenant se faisait appeler Carmen, parfois Rino lui-même s'il n'avait rien d'autre à faire, Antonio qui avait toujours la charge de sa mère Melina, et quand Melina était calme sa sœur Ada venait aussi – Ada que les Solara avaient forcée à monter en voiture pour l'emmener Dieu sait où pendant plus d'une heure. Quand la journée était belle ils allaient à la mer, d'où ils revenaient le visage rougi par le soleil. Ou bien, le plus souvent, ils se réunissaient tous chez Gigliola, dont les parents étaient plus accommodants que les nôtres, et là ceux qui savaient danser dansaient, les autres apprenaient.

Lila commença à m'entraîner dans ces petites fêtes : elle s'était mise à s'intéresser, je ne sais trop comment, à la danse. Nous découvrîmes avec surprise que Pasquale et Rino étaient d'excellents danseurs et ils nous enseignèrent le tango, la valse, la polka et la mazurka. Rino, il faut le dire, était un professeur qui s'énervait vite, surtout avec sa sœur, alors que Pasquale était très patient. Au début il nous fit danser en nous tenant sur ses pieds de façon que nous apprenions bien les pas puis, dès que nous eûmes un peu d'expérience, il nous fit tournoyer à travers la maison.

Je découvris que j'adorais danser, j'aurais dansé toute la journée. Lila, elle, avait son air de celle qui veut comprendre comment ça marche, et son plaisir semblait consister entièrement dans l'apprentissage, au point que souvent elle restait assise à nous regarder et nous étudier, applaudissant les meilleurs couples. Un jour j'allai chez elle et elle me montra un petit livre qu'elle avait pris à la bibliothèque : tout y était consigné sur les différentes danses, et chaque mouvement était expliqué au moyen de silhouettes noires d'hommes et de femmes en train de virevolter. Elle était très joyeuse pendant cette période et d'une exubérance inhabituelle. De but en blanc elle m'attrapa par la taille et, jouant le rôle de l'homme, m'obligea à danser le tango en faisant la musique avec sa bouche. Rino apparut, il nous vit et éclata de rire. Il voulut danser lui aussi, d'abord avec moi et ensuite avec sa sœur, même s'il n'y avait pas de musique. Pendant que nous dansions il me raconta que Lila avait été prise d'une telle manie perfectionniste qu'elle l'obligeait sans arrêt à pratiquer, bien qu'ils n'aient pas de gramophone. Mais dès qu'il prononça ce mot – gramophone, gramophone, gramophone – Lila me cria d'un coin de la pièce, en plissant les yeux :

« Tu sais ce que c'est, comme mot ?

— Non.

— C'est du grec. »

Je la regardai, perplexe. Sur ce Rino m'abandonna pour faire danser sa sœur – elle jeta un petit cri, me confia son manuel de danse et partit voltiger avec lui à travers la pièce. Je posai le manuel parmi ses autres livres. Qu'est-ce qu'elle avait dit ? Gramophone c'était de l'italien, pas du grec ! Je vis alors que sous *Guerre et Paix* apparaissait, recouvert d'étiquettes de la bibliothèque de M. Ferraro, un volume tout abîmé qui s'intitulait *Grammaire grecque*. Grammaire. Grecque. J'entendis qu'elle me promettait, tout essoufflée :

« Après je t'écris gramophone avec les lettres grecques ! »

Je répliquai que j'avais à faire et m'en allai.

15

S'était-elle mise à apprendre le grec avant même que je ne commence le lycée ? L'avait-elle fait toute seule, alors que moi je n'y pensais même pas, et l'été, quand c'étaient les vacances ? Faisait-elle toujours ce que je devais faire, avant moi et mieux que moi ? Me fuyait-elle quand je la suivais, et en même temps me talonnait-elle, me dépassait-elle ?

Pendant quelque temps je m'efforçai de l'éviter, j'étais en colère. J'allai à la bibliothèque pour emprunter moi aussi une grammaire grecque, mais il n'en existait qu'une et elle était prêtée à tour de rôle à tous les membres de la famille Cerullo. Peut-être que je ferais mieux d'effacer Lila de mon esprit comme un dessin sur un tableau noir, me dis-je – et je crois que c'était la première fois. Je me sentais fragile, exposée à tout, je ne pouvais passer mon temps à la suivre ou à découvrir que c'était elle qui me suivait, et dans un cas comme dans l'autre me sentir diminuée. Mais je n'y parvins pas et me remis bientôt à la chercher. Je la laissai m'enseigner à danser le quadrille. Je la laissai me montrer qu'elle savait écrire tous les mots italiens avec l'alphabet grec. Elle voulut que j'apprenne moi aussi cet alphabet avant de commencer le lycée, elle m'obligea à l'écrire et à le lire. J'eus de plus en plus de boutons. J'allais danser chez Gigliola avec un sentiment permanent d'infériorité et de honte.

J'espérais que ça passerait, mais infériorité et honte ne firent que s'intensifier. Un jour, Lila et son frère nous firent une démonstration de valse. Ils dansaient tellement bien ensemble qu'on leur laissa toute la place. J'en fus émerveillée. Ils étaient beaux et harmonieux. En les regardant je compris définitivement que, dans peu de temps, elle aurait tout perdu de son air de petite fille-petite vieille, comme on perd un motif musical très connu quand il est adapté avec trop d'inventivité. Elle était devenue sinueuse. Son front haut, ses grands yeux qui se plissaient brusquement, son petit nez, ses pommettes, ses lèvres et ses oreilles cherchaient une nouvelle orchestration, et ils semblaient sur le point de la trouver. Quand elle se faisait une queue-de-cheval, son long cou révélait une blancheur attendrissante. Sa poitrine avait de petites pommes gracieuses toujours plus visibles. Son dos faisait une courbe profonde avant d'arriver sur l'arc de plus en plus tendu des fesses. Ses chevilles étaient encore trop maigres, des chevilles d'enfant ; mais combien de temps leur faudrait-il pour s'adapter à sa silhouette, qui était désormais celle d'une jeune fille ? Je me rendis compte que les garçons, pendant qu'ils la contemplaient en train de danser avec Rino, voyaient encore plus de choses que moi. Pasquale surtout, mais aussi Antonio et Enzo. Ils avaient les yeux rivés sur elle comme si nous autres avions toutes disparu. Et pourtant j'avais plus de poitrine. Et pourtant Gigliola était d'une blondeur éblouissante, avec des traits réguliers et des jambes parfaites. Et pourtant Carmela avait des yeux magnifiques et surtout des mouvements de plus en plus provocants. Mais il n'y avait rien à faire : du corps mobile de Lila commençait à émaner quelque chose que les hommes sentaient, une énergie qui les étourdissait, comme le bruit toujours plus proche de la beauté en train d'arriver. C'est seulement quand la musique s'interrompit que les garçons reprirent leurs esprits avec des sourires hésitants et des applaudissements exagérés.

16

Lila était méchante : ça, dans quelque recoin secret tout au fond de moi je continuais à le penser. Elle m'avait prouvé que non seulement elle savait blesser avec les mots mais aussi qu'elle n'aurait pas hésité à tuer, et pourtant maintenant ces capacités ne me semblaient plus grand-chose. Je me disais : elle révélera bientôt un caractère encore plus mauvais, et j'avais même recours au terme « maléfique », un mot excessif qui venait des contes de mon enfance. Même si c'était mon côté enfantin qui déclenchait ces pensées en moi, celles-ci avaient un fond de vérité. D'ailleurs, l'idée que Lila dégageait un fluide non seulement séduisant mais aussi dangereux devint peu à peu une évidence pas simplement pour moi, qui la surveillais depuis notre première année de primaire, mais pour tout le monde.

Vers la fin de l'été, les pressions commencèrent à se multiplier auprès de Rino pour que, dans les sorties de groupe en dehors du quartier pour aller manger une pizza ou faire une promenade, il amène sa sœur avec lui. Mais Rino aimait avoir son espace bien à lui. Il me semblait que lui aussi était en train de changer, Lila avait éveillé son imagination et ses espoirs. Pourtant, à le voir et à l'écouter, l'effet obtenu n'était pas des plus heureux. Il était devenu vantard et ne manquait pas une occasion de mentionner qu'il était doué dans son travail et qu'il allait devenir riche ; il répétait souvent une phrase qu'il aimait beaucoup : « Il suffira d'un rien, un p'tit coup d'bol, et moi les Solara, j'leur pisserai dessus ! » Toutefois, pour qu'il se fasse ainsi mousser il fallait que sa sœur ne soit pas là. En sa présence il perdait confiance, se limitait à quelques allusions et puis laissait tomber. Il se rendait compte que Lila le regardait de travers comme s'il trahissait un pacte secret de discrétion et de détachement, et du coup il préférait ne pas l'avoir toujours avec lui – déjà qu'ils trimaient ensemble toute la journée à la cordonnerie ! Alors il s'esquivait et allait se pavaner seul devant ses amis. Mais parfois il était obligé de céder.

Un dimanche, à l'issue de longues discussions avec nos parents, nous fûmes même autorisées à sortir un soir (Rino venant généreusement se porter garant de ma personne auprès de mes parents). La ville était tout illuminée par les enseignes, les rues étaient bondées, ça sentait le poisson pourri par la chaleur mais il y avait aussi les bonnes odeurs des restaurants, des fritures à emporter et des bars-pâtisseries qui étaient beaucoup plus cossus que celui des Solara. Je ne me rappelle pas si Lila avait déjà eu l'occasion d'aller dans le centre, que ce soit avec son frère ou d'autres. Mais en tout cas, si cela s'était produit elle ne m'en avait pas parlé. En revanche, je me souviens que ce jour-là elle fut totalement muette. Quand on traversa la Piazza Garibaldi elle resta en arrière, s'attardant pour regarder un cireur de chaussures, une grosse femme toute peinturlurée, des hommes sombres et des jeunes. Elle fixait les gens avec grande attention, les regardant droit dans les yeux, au point que certains riaient et d'autres lui faisaient un geste pour dire : « Qu'est-c'que tu m'veux ? » De temps à autre je la secouais et l'entraînais avec moi par peur de perdre Rino, Pasquale, Antonio, Carmela et Ada.

Ce soir-là on alla s'offrir une pizza sur le Rettifilo. On mangea gaiement. J'eus l'impression qu'Antonio, forçant sa timidité, me faisait un peu la cour, ce qui me fit plaisir : cela contrebalançait les attentions de Pasquale envers Lila. Mais voilà que tout à coup le pizzaiolo, un homme d'une trentaine d'années, se mit à faire tournoyer dans les airs avec une virtuosité excessive la pâte à pizza qu'il était en train de pétrir, échangeant des sourires avec Lila qui l'observait, admirative.

« Arrête ça, lui dit Rino.

— Mais je fais rien ! » répondit-elle, s'efforçant de regarder dans une autre direction.

Cependant, les choses ne tardèrent pas à se gâter. Pasquale nous dit en riant que cet homme, le pizzaiolo – pour nous, jeunes filles, c'était un vieux, il portait une alliance et était certainement père de famille –, avait envoyé en cachette un baiser à Lila en soufflant sur le bout de ses doigts. On se retourna aussitôt pour le regarder : il ne faisait rien d'autre que son travail. Mais Pasquale demanda à Lila, toujours en riant :

« C'est vrai, ou je me trompe ? »

Lila, avec un petit rire nerveux qui contrastait avec le sourire généreux de Pasquale, répondit :

« J'ai rien vu du tout.

— Laisse tomber, Pascà », dit Rino, foudroyant sa sœur du regard.

Mais Pasquale se leva, se dirigea vers le comptoir où se trouvait le four, en fit le tour et, sourire candide aux lèvres, gifla le pizzaiolo en plein visage, l'envoyant cogner contre la bouche du four.

Le propriétaire de la pizzeria, un petit homme pâle d'une soixantaine d'années, accourut aussitôt et Pasquale lui expliqua avec calme qu'il n'avait pas à s'inquiéter : il venait simplement d'expliquer à son employé quelque chose qui n'était pas très clair pour lui, mais maintenant il n'y aurait plus de problèmes. On finit de manger notre pizza en silence, les yeux baissés et avec lenteur, comme si elle était empoisonnée. À la sortie Rino passa à Lila un savon magistral qui se conclut par une menace : « Si tu continues comme ça, je t'emmène plus. »

Que s'était-il passé ? Dans la rue, les hommes que nous croisions nous regardaient toutes – belles, mignonnes ou moches – et pas tant les jeunes que les hommes mûrs. C'était ainsi dans le quartier comme en dehors et Ada, Carmela et moi – surtout après l'incident avec les Solara – avions d'instinct appris à garder les yeux baissés, à faire semblant de ne pas entendre les cochonneries qu'ils nous disaient et à continuer notre chemin. Pas Lila. Se promener avec elle le dimanche devint une occasion permanente de tension. Quand quelqu'un la fixait elle soutenait son regard. Quand on lui disait quelque chose elle s'arrêtait, perplexe, comme si elle n'arrivait pas à croire que c'était à elle que l'on parlait, et parfois elle répondait, intriguée. D'autant plus – et ça c'était vraiment extraordinaire – qu'on ne lui adressait presque jamais d'obscénités, celles-ci nous étant généralement réservées.

Un après-midi de la fin août on poussa jusqu'aux jardins de la Villa Comunale : on alla s'asseoir dans un café parce que Pasquale, qui à cette époque faisait le grand seigneur, voulait offrir à tout le monde un *spumone*. À une table en face de nous, une petite famille était en train de manger une glace, comme nous : le père, la mère et trois garçons entre douze et sept ans. Ils semblaient tout à fait respectables : le père, un gros bonhomme d'une cinquantaine d'années, avait des airs de professeur. Et je peux jurer que Lila ne portait rien de voyant : elle ne mettait pas de rouge à lèvres, avait sur elle les habituels chiffons que sa mère lui cousait, et nous étions toutes plus tape-à-l'œil qu'elle, surtout Carmela. Mais cet homme – et cette fois, tout le monde le remarqua – ne parvenait pas à détacher les yeux de Lila et celle-ci, même si elle essayait de se retenir, répondait à son regard comme si elle n'en revenait pas d'être autant admirée. Pour finir, alors qu'à notre table la nervosité – celle de Rino, Pasquale et Antonio – montait, l'homme se leva, de toute évidence sans se rendre compte du risque qu'il courait, se planta devant Lila et, s'adressant poliment aux garçons, déclara :

« Vous avez bien de la chance : vous avez ici même une jeune fille qui deviendra plus belle qu'une Vénus de Botticelli. Veuillez m'excuser, mais je l'ai dit à ma femme et à mes enfants et j'avais besoin de le dire à vous aussi. »

Sous le coup de la tension, Lila éclata de rire. L'homme sourit à son tour et, après s'être légère-ment incliné pour la saluer, s'apprêtait à retour-ner à sa table quand Rino l'attrapa par la peau du cou et lui fit faire le chemin du retour au pas de course : il l'assit de force et, devant sa femme et ses fils, lui déversa un tombereau d'insultes comme on savait les dire au quartier. Alors l'homme se mit en colère, sa femme s'interposa en hurlant et Antonio entraîna Rino plus loin. Encore un dimanche de gâché.

Mais le pire se produisit un jour où Rino n'était pas là. Ce qui me frappa ne fut pas tant l'événement en soi que la cristallisation autour de Lila de tensions d'origines diverses. À l'occasion de sa fête (elle s'appelait Rosa, si je me souviens bien), la mère de Gigliola invita chez elle des gens de tous âges. Son mari étant pâtissier chez les Solara, ils firent les choses vraiment en grand : il y avait une abondance de choux à la crème, de petits gâteaux à la cassate, de *sfogliatelle*, de pâte d'amandes, de liqueurs, de boissons pour les enfants et de disques pour danser, qui allaient des airs les plus connus à ceux à la dernière mode. Vinrent des personnes qui ne seraient jamais venues à nos petites fêtes entre jeunes : le pharmacien, par exemple, avec sa femme et leur fils aîné Gino, qui allait bientôt commencer le lycée comme moi ; ou encore M. Ferraro avec sa famille nombreuse ; ou bien Maria, la veuve de Don Achille, avec son fils Alfonso et sa fille Pinuccia, habillée de couleurs vives, et même Stefano.

Au début, ces derniers convives causèrent un peu de tension : à la fête se trouvaient aussi Pasquale et Carmela Peluso, les enfants de l'assassin de Don Achille. Mais ensuite tout s'arrangea pour le mieux. Alfonso était un garçon sympathique (lui aussi irait bientôt au lycée, dans le même établissement que moi) et il échangea même quelques mots avec Carmela ; Pinuccia était simplement contente d'être à une fête, sacrifiée comme elle l'était tous les jours à l'épicerie ; Stefano avait compris très tôt que le commerce était fondé sur l'absence d'exclusion, et il considérait tous les habitants du quartier comme des clients potentiels susceptibles de dépenser leur argent chez lui : il déployait en général avec tout un chacun son beau et doux sourire, et du coup il se contenta d'éviter de croiser ne serait-ce qu'un instant le regard de Pasquale ; Maria enfin, qui d'ordinaire, quand elle voyait Mme Peluso, tournait les yeux de l'autre côté, ignora totalement les deux jeunes et bavarda longuement avec la mère de Gigliola. Et puis surtout, ce qui vint dissoudre toutes les tensions c'est que l'on commença bientôt à danser : alors ce fut un tohu-bohu général et personne ne se soucia plus de rien.

On commença avec des danses traditionnelles avant de passer à une nouveauté, le rock'n'roll, qui intriguait beaucoup tout le monde, les vieux comme les enfants. J'avais chaud et me retirai dans un coin. Bien sûr je savais le danser, le rock'n'roll, je l'avais souvent pratiqué chez moi avec mon frère Peppe et chez Lila le dimanche avec elle, mais je me sentais trop gauche pour ces mouvements rythmés et agiles et, bien que ce soit à contrecœur, je me contentai de regarder. D'ailleurs, Lila non plus ne m'avait pas semblé particulièrement douée, elle bougeait de manière un peu ridicule et je le lui avais même dit : elle avait pris cette critique comme un défi et s'était acharnée à s'entraîner seule, vu que Rino refusait de pratiquer cette danse. Mais, perfectionniste comme elle l'était en tout, ce soir-là elle décida aussi de rester sur le côté – ce qui me fit plaisir – et elle s'installa près de moi pour regarder Pasquale et Carmela Peluso qui dansaient si bien.

Or, à un moment donné, Enzo s'approcha d'elle. Le petit garçon qui nous avait jeté des pierres, qui à la surprise générale avait rivalisé avec Lila en arithmétique et qui, un jour, lui avait offert une couronne de sorbes, s'était retrouvé au fil des années comme aspiré dans un corps de petite taille mais puissant et habitué aux gros travaux. Il faisait plus âgé qu'en réalité et semblait même plus vieux que Rino, qui était l'aîné d'entre nous. On voyait bien, à ses traits, qu'il se levait avant l'aube, qu'il était en contact avec la camorra du marché aux fruits et légumes et qu'en toute saison, qu'il fasse froid ou qu'il pleuve, il parcourait les rues du quartier avec sa charrette pour vendre ses produits. Toutefois, dans son visage de blond, tout clair avec les sourcils et les cils blonds et les yeux bleus, il restait encore quelque chose du gamin rebelle que nous avions connu. Sinon Enzo était un garçon paisible qui parlait très peu et toujours en dialecte, et aucune d'entre nous n'aurait eu l'idée d'aller bavarder et plaisanter avec lui. Ce fut lui qui prit l'initiative : il demanda à Lila pourquoi elle ne dansait pas. Elle répondit : parce que je ne connais pas encore bien cette danse. Il se tut un instant puis dit : moi non plus. Mais quand un autre rock'n'roll commença il la prit par le bras avec naturel et l'entraîna au milieu de la salle. D'habitude, si quelqu'un ne faisait qu'effleurer Lila sans sa permission, elle bondissait comme si elle avait été piquée par une guêpe, mais là elle ne réagit pas, tant à l'évidence son envie de danser était grande. Au contraire, elle regarda Enzo avec gratitude et se laissa emporter par la musique.

On vit tout de suite qu'Enzo ne savait pas vraiment y faire. Il bougeait peu et de manière sérieuse et compassée, mais il était très attentif à Lila, il voulait visiblement lui faire plaisir et lui permettre de se mettre en valeur. Et bien qu'elle ne soit pas aussi bonne que Carmen, elle réussit comme toujours à attirer l'attention de tout le monde. Elle plaît aussi à Enzo, me dis-je avec désolation. Et même à Stefano l'épicier, remarquai-je aussitôt : il la regarda tout le temps comme on regarde une star de cinéma.

Mais au moment même où Lila dansait, les frères Solara arrivèrent.

Rien qu'à les voir je commençai à m'agiter. Ils allèrent dire bonjour au pâtissier et à sa femme, donnèrent une tape amicale à Stefano et puis se mirent eux aussi à regarder les danseurs. D'abord, avec leurs manières de patrons du quartier, puisque c'est ce qu'ils croyaient être, ils fixèrent avec insistance Ada, qui détourna les yeux ; puis ils chuchotèrent entre eux en montrant Antonio et le saluèrent d'une manière exagérée, ce qu'il fit semblant de ne pas voir ; enfin ils remarquèrent Lila, l'observèrent longuement et se dirent quelque chose à l'oreille : Michele eut un geste d'approbation ostentatoire.

Je ne les perdis pas de vue et n'eus aucun mal à comprendre que surtout Marcello – Marcello qui plaisait à toutes les filles – n'en voulait pas du tout à Lila pour l'histoire du tranchet. Au contraire. En quelques secondes il fut totalement subjugué par son corps souple et élégant et par son visage qui était unique dans notre quartier, et peut-être aussi dans tout Naples. Il la regarda sans jamais la quitter des yeux, comme s'il avait perdu le peu de cervelle qu'il possédait. Il continua à la fixer même quand la musique s'arrêta.

Tout se passa en un clin d'œil. Enzo voulut pousser Lila dans le coin où je me trouvais, Stefano et

Marcello s'avancèrent en même temps pour l'inviter à danser, mais Pasquale les devança tous. Lila accepta son invitation en sautillant gracieusement et en battant des mains, heureuse. Sur sa frêle silhouette de quatorze ans se penchèrent donc quatre hommes en même temps, d'âges différents, chacun d'entre eux à sa manière étant convaincu d'avoir le pouvoir absolu. La pointe racla le disque et la musique reprit. Stefano, Marcello et Enzo reculèrent en hésitant. Pasquale se mit à danser avec Lila et, avec un excellent danseur comme lui, elle laissa aussitôt éclater son talent.

C'est alors que Michele Solara, que ce soit par amour pour son frère ou purement par goût de semer le désordre, décida de compliquer la situation à sa manière. Il donna un coup de coude à Stefano et lui dit bien fort :

« Mais t'as de l'eau dans les veines ou quoi ? C'est le fils du mec qui a buté ton père, c'est un communiste de merde, et toi tu restes là à le regarder se trémousser avec la poupée que tu voulais faire danser ? »

Pasquale n'entendit certainement pas parce que la musique était forte et il était occupé à faire des acrobaties avec Lila. Mais moi j'entendis, ainsi qu'Enzo qui était à côté de moi, et naturellement Stefano entendit lui aussi. On crut qu'il allait se passer quelque chose mais il ne se passa rien. Stefano était un jeune homme qui savait ce qu'il voulait. L'épicerie marchait plus que bien, il projetait d'acheter le local adjacent pour pouvoir l'agrandir, bref il estimait qu'il avait de la chance, et il était même tout à fait convaincu que la vie lui donnerait tout ce qu'il désirait. Il dit à Michele avec son sourire charmeur :

« Laissons-le danser, il se débrouille bien », et il continua à regarder Lila comme si, en ce moment, c'était tout ce qui lui importait. Michele fit une moue dégoûtée et partit chercher le pâtissier et sa femme.

Qu'allait-il faire, maintenant ? Je le vis parler de manière animée avec les hôtes, indiquant Maria dans un coin, Stefano, Alfonso et Pinuccia, puis Pasquale qui dansait et Carmela qui multipliait les prouesses avec Antonio. Dès que la musique s'arrêta la mère de Gigliola prit cordialement Pasquale par le bras, l'emmena dans un coin et lui dit quelque chose à l'oreille.

« Vas-y, lança Michele à son frère en riant, la voie est libre. » Et Marcello Solara repartit à la charge auprès de Lila.

J'étais sûre qu'elle lui dirait non, je savais combien elle le détestait. Mais cela ne se passa pas comme ça. La musique reprit et Lila, l'envie de danser tendant tous ses muscles, chercha Pasquale du regard ; mais ne le voyant pas, elle attrapa la main de Marcello comme si ce n'était qu'une main, comme si au bout il n'y avait ni bras ni corps et, tout en sueur, elle recommença à faire ce qui en ce moment comptait le plus pour elle : danser.

Je regardai Stefano, puis Enzo. La tension saturait l'atmosphère. Alors que mon cœur battait fort sous le coup de l'anxiété, Pasquale, l'air menaçant, alla trouver Carmela et lui dit quelque chose avec brusquerie. Carmela protesta à mi-voix, il la fit taire sur le même ton. Antonio s'approcha d'eux et s'entretint avec Pasquale. Tous deux regardèrent en chiens hargneux Michele Solara qui complotait à nouveau avec Stefano, et Marcello qui dansait avec Lila en la saisissant, la soulevant et la jetant dans les airs. Puis Antonio alla voir Ada pour qu'elle arrête de danser. La musique s'interrompit et Lila me rejoignit. Je lui dis :

« Il y a quelque chose qui cloche, il vaut mieux qu'on parte. »

Elle rit et s'exclama :

« Même s'il y a un tremblement de terre, moi je danse encore une fois ! » et elle regarda Enzo qui était appuyé contre le mur. Mais c'est Marcello qui revint l'inviter et elle se laissa à nouveau entraîner dans la danse.

Pasquale vint me voir et, sombre, me dit que nous devions partir.

« Attendons que Lila ait fini de danser !

— Non, tout de suite », répliqua-t-il avec un ton qui n'admettait aucune réplique – dur et désagréable. Alors il fonça droit vers Michele Solara et lui donna un grand coup d'épaule. Michele rit et dit quelque chose d'obscène entre ses dents. Pasquale continua son chemin vers la porte suivi de Carmela, réticente, et d'Antonio qui traînait Ada avec lui.

Je me retournai pour voir ce que faisait Enzo, mais il resta appuyé contre le mur à regarder Lila qui dansait. La musique s'arrêta. Lila se dirigea vers moi, aussitôt suivie par Marcello dont les yeux brillaient de plaisir.

« On doit y aller ! » lançai-je presque en criant, extrêmement nerveuse.

Ma voix devait être tellement chargée d'angoisse qu'elle finit par regarder autour d'elle, comme si elle se réveillait :

« D'accord, on s'en va », fit-elle, perplexe.

Je me dirigeai vers la porte sans plus attendre,

la musique recommença. Marcello Solara attrapa Lila par le bras et lui dit, entre rire et supplication :

« Reste, je te ramènerai après. »

Lila le regarda, incrédule, comme si elle venait tout juste de le reconnaître, et il lui sembla soudain impossible qu'il se permette de la toucher avec une telle familiarité. Elle tenta de libérer son bras mais Marcello la serra plus fort en insistant :

« Allez, rien qu'une danse. »

Enzo se détacha du mur et, sans mot dire, saisit le poignet de Marcello. Je le vois encore : il était calme et, bien qu'il soit plus petit et plus jeune, il n'avait pas l'air de faire le moindre effort. La puissance de sa poigne se vit uniquement sur le visage de Marcello Solara qui lâcha Lila avec une grimace de douleur et se prit immédiatement le poignet avec l'autre main. Nous partîmes et j'entendis Lila indignée qui disait à Enzo, tout en dialecte :

« T'as vu, y m'a touchée, moi ! Mais quel connard ! Heureusement qu'y avait pas Rino. S'il refait ça, il est mort. »

Était-ce possible qu'elle ne se soit pas rendu compte qu'elle avait dansé avec Marcello, et même à deux reprises ? Oui, c'était possible, elle était comme ça.

Dehors nous retrouvâmes Pasquale, Antonio, Carmela et Ada. Pasquale était hors de lui, on ne l'avait jamais vu comme ça. Il braillait des insultes, hurlait à gorge déployée avec des yeux de fou, et il n'y avait pas moyen de le calmer. Il en voulait à Michele, bien sûr, mais surtout à Marcello et Stefano. Il disait des choses que nous n'étions pas en mesure de comprendre. Il disait que le bar Solara avait toujours été un repaire d'usuriers et de camorristes, qu'il servait pour la contrebande et pour recueillir des voix pour *Stella e Corona*, le parti des monarchistes. Il disait que Don Achille avait collaboré avec les nazis-fascistes, il disait que l'argent qui avait permis à Stefano de développer son épicerie, son père l'avait gagné au marché noir. Il hurlait : « Papa a bien fait de le crever ! » Et puis : « Les Solara père et fils, c'est moi qui vais les étendre, et je débarrasserai aussi la planète de Stefano et de toute sa famille ! » Enfin il gueulait à l'adresse de Lila, comme si c'était le plus grave : « Et toi t'as même dansé avec lui, c't enculé ! »

À partir de là, comme si Pasquale lui avait insufflé sa furie, Antonio commença à crier à tue-tête, et il semblait presque en vouloir à Pasquale parce que celui-ci voulait le priver de son plaisir, tuer les Solara pour ce qu'ils avaient fait à Ada. Du coup Ada se mit à pleurer et Carmela, ne pouvant plus se retenir, éclata en sanglots aussi. Alors Enzo tenta de nous convaincre tous de ne pas rester dans la rue. « Allez, on va dormir », dit-il. Mais Pasquale et Antonio le firent taire : ils voulaient rester pour affronter les Solara. Menaçants, ils répétèrent plusieurs fois à Enzo, faisant semblant de s'être calmés : « Rentre, rentre, on se voit demain. » Ce à quoi Enzo rétorqua tranquillement : « Si vous restez, je reste aussi. » À ce moment-là j'éclatai en sanglots moi aussi et peu après – ce qui m'émut plus encore – Lila commença à pleurer, elle que je n'avais jamais vue en larmes.

Nous étions maintenant quatre jeunes filles en pleurs, et c'étaient des pleurs désespérés. Mais Pasquale s'adoucit seulement quand il vit Lila pleurer. Il dit alors d'un ton résigné : « D'accord, pas ce soir, je réglerai leur compte aux Solara une autre fois. Allons-nous-en. » Aussitôt, et sans cesser de sangloter, nous le prîmes par le bras Lila et moi et l'entraînâmes au loin. Au début nous le consolâmes en disant des horreurs sur les Solara, mais aussi en affirmant qu'il valait mieux faire comme s'ils n'existaient pas. Puis Lila demanda, tout en essuyant ses larmes avec le dos de sa main :

« Pascà, mais c'est qui, les nazis-fascistes ? Et les monarchistes ? Et c'est quoi, le marché noir ? »

17

J'ai du mal à dire quel effet les réponses de Pasquale purent avoir sur Lila, je risque de me tromper, aussi parce qu'à l'époque elles n'eurent aucun effet concret sur moi. En revanche, et comme toujours, Lila en fut imprégnée et bouleversée au point qu'à la fin de l'été elle devint obsédée par une unique pensée, qui m'était assez insupportable. Avec mes mots d'aujourd'hui, je tenterai de la résumer ainsi : il n'existe aucun geste, aucune parole ni soupir qui ne contienne la somme de tous les crimes qu'ont commis et que continuent à commettre les êtres humains.

Naturellement elle le disait d'une autre manière. Mais ce qui compte, c'est qu'elle fut saisie par une frénésie de dévoilement absolu. Elle m'indiquait des gens dans la rue, des objets et des endroits, et elle me disait :

« Celui-ci a fait la guerre et tué des hommes, celui-là a bastonné et fait boire de l'huile de ricin, celui-ci a dénoncé un tas de gens, celui-là a même affamé sa mère ; dans cette maison on a torturé et tué, sur ces pavés on a défilé en faisant le salut romain, au coin de cette rue des gens en ont tabassé d'autres ; l'argent de ceux-ci vient de la faim de ceux-là, cette voiture a été achetée en vendant du pain coupé avec de la poussière de marbre et de la viande avariée au marché noir, cette boucherie est née grâce au cuivre volé et aux trains de marchandises dévalisés, derrière ce bar il y a la camorra, la contrebande et l'usure. »

Bientôt Pasquale ne lui suffit plus. C'était comme s'il avait enclenché un mécanisme dans sa tête et que désormais son devoir était de mettre de l'ordre dans une masse chaotique de possibilités. De plus en plus tendue et obsédée, sans doute pressée par le besoin de se sentir enfermée dans un cadre clos et sans fissures, elle enrichit les maigres informations de Pasquale avec quelques livres dénichés à la bibliothèque. Ainsi donna-t-elle des motivations concrètes et des visages familiers au climat de tension abstraite que, depuis notre enfance, nous avions respiré dans notre quartier. Le fascisme, le nazisme, la guerre, les Alliés, la monarchie et la république, elle transforma tout en rues, immeubles et visages : Don Achille et le marché noir, Peluso le communiste, le grand-père Solara qui était camorriste, le père Silvio qui était un fasciste pire encore que Marcello et Michele, son père Fernando le cordonnier, mon père – tous, tous, tous, à ses yeux, étaient rongés jusqu'à la moelle par des fautes ténébreuses, c'étaient tous des criminels endurcis ou des complices consentants, c'étaient tous des vendus. Pasquale et elle m'enfermèrent dans un monde terrible qui ne laissait aucune issue.

Puis même Pasquale finit par se taire, vaincu

lui aussi par la capacité qu'avait Lila de relier une chose à une autre dans une chaîne qui nous entourait de tous côtés. Je les voyais souvent se promener ensemble, et si au début c'était elle qui était suspendue à ses lèvres, maintenant c'était l'inverse. Il est amoureux, me disais-je. Et alors je pensais : Lila tombera amoureuse aussi, ils sortiront ensemble, se marieront, ne cesseront de parler de trucs politiques, et ils auront des enfants qui à leur tour parleront de politique. Quand la rentrée arriva, d'un côté ce fut très dur parce que je savais que je n'aurais plus de temps pour Lila, mais de l'autre cela me donna l'espoir d'échapper à cette constante énumération des méfaits, complicités et lâchetés des personnes que nous connaissions, que nous aimions et qui étaient de notre sang – que ce soit elle, moi, Pasquale, Rino ou tous les autres.

18

Mes deux premières années au petit lycée furent beaucoup plus difficiles que le collège. J'atterris dans une classe de quarante-deux élèves qui était une des rares classes mixtes de cet établissement. Il y avait très peu de filles et je n'en connaissais aucune. Gigliola, après avoir beaucoup crâné (« Oui oui, moi aussi je vais au lycée, bien sûr, on pourra se mettre à côté »), finit par aller aider son père dans la pâtisserie Solara. Parmi les garçons, en revanche, je connaissais Alfonso et Gino, mais ils s'assirent ensemble à une des tables du premier rang, coude à coude, la mine effrayée, et ils firent pratiquement semblant de ne pas me connaître. La salle puait, c'était un mélange acide de sueur, de pieds sales et de peur.

Je vécus les premiers mois de ma nouvelle vie scolaire en silence, les doigts constamment sur mon front et sur mes joues dévorés par l'acné. Assise à l'un des derniers rangs de la classe, d'où je ne voyais guère ni les professeurs ni ce qu'ils écrivaient au tableau, même ma voisine ne me connaissait pas, et moi je ne savais pas qui elle était. Grâce à Mme Oliviero j'eus rapidement les livres dont j'avais besoin, sales et usés jusqu'à la corde. Je m'imposai une discipline apprise au collège : je travaillais tout l'après-midi et jusqu'à vingt-trois heures, et puis de cinq à sept heures du matin, quand c'était l'heure de partir. Quand je sortais de chez moi, chargée de livres, il m'arrivait souvent de rencontrer Lila qui courait à la cordonnerie pour ouvrir le magasin, balayer, laver et ranger avant que son père et son frère n'arrivent. Elle m'interrogeait sur les matières que j'avais dans la journée et sur ce que j'avais étudié, et elle voulait des réponses précises. Si je ne les lui donnais pas elle me bombardait de questions qui m'angoissaient : je me disais que je n'avais pas assez travaillé et que, n'étant pas capable de lui répondre, je ne serais pas capable non plus de répondre aux professeurs. Dans le froid de certaines aubes, quand je me levais pour réviser mes cours dans la cuisine, j'avais l'impression que comme toujours je sacrifiais le sommeil chaud et profond du matin pour me faire valoir encore plus aux yeux de la fille du cordonnier qu'à ceux des profs de l'école des bourgeois. Même mon petit déjeuner était expédié à cause d'elle. J'avalais mon café au lait et me précipitais dehors afin de ne pas rater un mètre du trajet que nous faisions ensemble.

J'attendais en bas de chez moi. Je la voyais arriver de l'immeuble où elle habitait et je remarquais qu'elle continuait de changer. Maintenant elle était plus grande que moi. Elle ne marchait plus comme la petite fille anguleuse qu'elle était encore il y avait quelques mois mais comme si, son corps s'arrondissant, sa démarche aussi devenait plus douce. Salut, salut, nous nous mettions tout de suite à discuter. Puis nous nous arrêtions au carrefour pour nous dire au revoir, elle partait vers la cordonnerie et moi vers la station de métro, et je me retournais à de nombreuses reprises pour la regarder une dernière fois. Une ou deux fois je vis arriver Pasquale tout essoufflé, il l'abordait et l'accompagnait.

Le métro était plein de gamins et gamines embrumés par le sommeil et la fumée des premières cigarettes. Moi je ne fumais pas et ne parlais à personne. Pendant mes quelques minutes de trajet je révisais les cours avec angoisse, me fourrant frénétiquement dans la tête des façons de parler qui n'étaient pas celles du quartier et qui étaient pour moi comme une langue étrangère. J'avais la terreur de l'échec scolaire, de l'ombre tordue de ma mère mécontente et des gros yeux de Mme Oliviero. Et pourtant je n'avais désormais qu'une idée véritablement en tête : me trouver un petit ami au plus vite, avant que Lila ne m'annonce qu'elle sortait avec Pasquale.

Jour après jour, l'anxiété de ne pas y parvenir à temps croissait. Quand je rentrais du lycée je craignais de la rencontrer et d'apprendre de sa voix captivante qu'elle faisait l'amour avec Peluso. Et si ce n'était pas avec lui, alors c'était avec Enzo. Et si ce n'était pas Enzo, c'était Antonio. Ou bien encore Stefano Carracci l'épicier, qui sait, voire Marcello Solara – Lila était tellement imprévisible. Tous ceux qui lui tournaient autour étaient presque des hommes et ils étaient pleins d'exigences. Du coup, entre son projet de chaussures, ses lectures sur le monde horrible dans lequel nous étions tombées à la naissance et les petits copains, elle n'aurait plus de temps pour moi. Parfois, en rentrant de l'école, je faisais un détour pour ne pas passer devant la cordonnerie. D'autres fois, apercevant Lila de loin, j'étais saisie d'angoisse et changeais de route. Mais je ne résistais pas et allais bientôt à sa rencontre, comme si c'était une fatalité.

À l'entrée et à la sortie du lycée, un énorme édifice gris et sombre dans un piètre état, je regardais les garçons. Je les fixais avec insistance pour qu'ils sentent mon regard sur eux et me remarquent. Je regardais mes camarades du petit lycée : certains étaient encore en culottes courtes, d'autres portaient des pantalons droits ou à la zouave. Je regardais les plus vieux, ceux du grand lycée, qui pour la plupart venaient en veste et cravate et ne mettaient jamais de manteau, comme s'ils voulaient prouver avant tout à eux-mêmes qu'ils n'avaient jamais froid ; ils avaient les cheveux en brosse et des nuques pâles à cause de leur coupe très dégagée. Je préférais ces garçons-là mais je me serais aussi contentée de n'importe qui de la classe supérieure à la mienne, l'essentiel était qu'il porte un véritable pantalon.

Un jour je fus frappée par un élève à la démarche dégingandée, très maigre, les cheveux bruns en bataille et un visage que je trouvai très beau et vaguement familier. Quel âge pouvait-il avoir ?

Seize, dix-sept ans ? Je l'observai avec attention, retournai sur mes pas pour mieux le voir, et tout à coup mon cœur s'arrêta : c'était Nino Sarratore, le fils de Donato Sarratore, le poète-cheminot. Il croisa mon regard mais distraitement, il ne me reconnut pas. Sa veste était usée aux coudes et étroite aux épaules, son pantalon était élimé et ses chaussures informes. Il n'avait aucun des signes d'aisance que Stefano et surtout les Solara exhibaient. Son père, bien qu'il ait écrit un livre de poésies, à l'évidence n'était pas encore devenu riche.

Je fus très troublée par cette apparition inattendue. À la sortie des classes ma première impulsion fut de courir le raconter tout de suite à Lila, j'en avais grande envie, mais je changeai bientôt d'avis. Si je le lui avais dit, elle aurait certainement voulu m'accompagner au lycée pour le voir. Et alors je savais déjà ce qui se produirait. Aussi sûrement que Nino ne m'avait pas remarquée, ne reconnaissant pas la fillette blonde et délicate de l'école primaire dans l'adolescente grosse et boutonneuse que j'étais devenue, il reconnaîtrait aussitôt Lila et succomberait à son charme. Je décidai de cultiver en secret l'image de Nino Sarratore sortant du lycée tête baissée, marchant avec un léger balancement et filant par le Corso Garibaldi. Et à partir de ce jour j'allai en classe comme si le voir, ou même seulement l'apercevoir, était la seule véritable raison de m'y rendre.

L'automne passa à toute allure. Un matin je fus interrogée sur l'*Énéide*, c'était la première fois que j'étais appelée au tableau. Le professeur, M. Gerace, un homme apathique d'une soixantaine d'années qui n'arrêtait pas de bâiller bruyamment, éclata de rire dès que je prononçai « oralque » à la place d'«oracle». Il ne lui vint pas à l'esprit que, même si je connaissais le sens de ce mot, je vivais dans un monde où personne n'avait jamais aucune raison de l'utiliser. Toute la classe se mit à rire, surtout Gino, là au premier rang à côté d'Alfonso. Je me sentis humiliée. Puis les jours passèrent et ce fut notre premier devoir de latin. Quand M. Gerace nous rendit les copies corrigées il demanda :

«Qui c'est, Greco?»

Je levai la main.

«Viens au tableau.»

Il me posa une série de questions sur les déclinaisons, les verbes et la syntaxe. Je répondis terrorisée, surtout parce qu'il me regardait avec une attention que, jusqu'à ce jour, il n'avait jamais accordée à personne. Puis il me rendit ma copie sans faire le moindre commentaire. J'avais eu neuf.

À partir de là ce ne fut qu'un crescendo. Au contrôle d'italien il me mit huit, en histoire je ne fis pas une faute dans les dates, en géographie je sus à la perfection les superficies, les populations, les richesses du sous-sol et les produits agricoles. Mais il resta surtout bouche bée en grec. Grâce à ce que j'avais appris avec Lila, je manifestai une familiarité avec l'alphabet, une habileté dans la lecture et une désinvolture dans la prononciation qui finirent par arracher des louanges publiques à mon professeur. Dès lors, mon talent s'imposa comme un dogme à tous mes autres enseignants. Même mon prof de religion me prit à part un matin pour me demander si je voulais m'inscrire à un cours de théologie gratuit par correspondance. Je dis oui. Quand Noël arriva tout le monde m'appelait Greco, quand ce n'était pas Elena. Gino se mit à s'attarder à la sortie, il m'attendait pour qu'on rentre ensemble au

202

quartier. Un jour, soudainement, il me redemanda si je voulais être sa petite amie : bien que ce ne soit qu'un gros bêta, je poussai un soupir de soulagement – c'était toujours mieux que rien, j'acceptai.

Toute cette exaltante tension connut une pause pendant les vacances de Noël. Je fus à nouveau absorbée par le quartier, j'eus plus de temps et pus voir Lila davantage. Elle avait découvert que j'apprenais l'anglais et, naturellement, s'était procuré une grammaire. Désormais elle connaissait tout un tas de mots qu'elle prononçait de manière très approximative – évidemment ma prononciation ne valait pas mieux. Mais elle me harcelait en disant : quand tu retournes à l'école, demande à ton prof comment on prononce ceci, comment on prononce cela. Un jour elle m'amena à la boutique et me montra une boîte en métal pleine de petits morceaux de papier : sur chacun d'entre eux elle avait écrit d'un côté un mot en italien, de l'autre sa traduction en anglais – crayon/*pencil*, comprendre/ *to understand*, chaussure/*shoe*. C'est M. Ferraro qui lui avait conseillé de faire comme ça, une excellente méthode pour apprendre le vocabulaire. Elle me lisait le côté en italien et voulait que je lui dise l'équivalent en anglais. Mais je ne savais pratiquement rien. Je me rendis compte qu'elle semblait en avance sur moi dans tous les domaines, comme si elle allait dans une école secrète. Je sentis aussi en elle une certaine tension, un désir de me prouver qu'elle était à la hauteur de ce que j'étudiais. Moi j'aurais préféré parler d'autre chose tandis qu'elle m'interrogeait sur les déclinaisons grecques – ce qui lui permit vite de déduire que j'en étais toujours à la première alors qu'elle avait déjà appris la troisième. Elle me posa aussi des questions sur l'*Énéide*, pour laquelle elle s'était prise de passion. Elle l'avait lue en entier en quelques jours tandis que moi, en classe, j'en étais à la moitié du deuxième livre. Elle me parla avec grande précision de Didon, personnage dont je ne savais rien : j'entendis ce nom pour la première fois non pas à l'école mais de sa bouche. Et un après-midi elle me fit une observation qui me frappa beaucoup. Elle lança : « Sans amour, non seulement la vie des personnes est plus pauvre, mais aussi celle des villes. » Je ne me rappelle pas exactement comment elle s'exprima mais c'était l'idée, et je l'appliquai aussitôt à nos rues sales, nos petits jardins poussiéreux, notre campagne défigurée par les nouveaux immeubles et la violence présente dans chaque maison, dans chaque famille. Mais je craignis qu'elle ne se remette à me parler fascisme, nazisme et communisme. Alors, je ne pus résister, je voulus lui faire comprendre qu'il m'arrivait de belles choses et lui annonçai dans un seul souffle : un, que j'étais la petite amie de Gino et deux, que dans mon lycée il y avait Nino Sarratore, qui était encore plus beau qu'en primaire.

Elle plissa les yeux et j'eus peur qu'elle ne soit sur le point de me dire : moi aussi j'ai un copain. Mais non, elle se mit à se moquer de moi : « T'es avec le fils du pharmacien, dit-elle, bravo, tu as craqué, tu es tombée amoureuse comme la fiancée d'Énée. » Puis de Didon elle passa brusquement à Melina dont elle me parla longuement, puisque je ne savais pas grand-chose de ce qui se passait dans nos immeubles – j'avais cours le matin et étudiais jusque tard le soir. Elle me parla de sa parente comme si elle ne la quittait jamais des yeux. La misère les rongeait ses enfants et elle, alors elle était toujours obligée de laver les escaliers d'immeubles avec Ada (l'argent qu'Antonio ramenait à la maison ne suffisait pas). Mais on ne l'entendait plus chanter, son euphorie était passée et maintenant elle trimait avec des gestes de machine. Elle me la décrivit avec minutie : pliée en deux, elle commençait par le dernier étage et passait la serpillière humide avec les mains, étage après étage, marche après marche, avec une énergie et une fébrilité qui auraient épuisé des personnes bien plus robustes qu'elle. Si quelqu'un s'avisait de descendre ou monter, elle se mettait à hurler des insultes et lui lançait la serpillière. Ada lui avait raconté qu'un jour sa mère avait fait une crise parce qu'une personne avait ruiné son travail avec des traces de pas : Ada l'avait vue boire l'eau sale de son seau et avait dû le lui arracher des mains. Vous voyez ? De fil en aiguille elle était passée de Gino à Didon, puis à Énée qui l'avait abandonnée et à la veuve folle. Et c'est seulement à ce moment-là qu'elle prononça le nom de Nino Sarratore, signe qu'elle m'avait écoutée avec attention : « Parle-lui de Melina, m'exhorta-t-elle, et dis-lui qu'il faut qu'il raconte tout à son père. » Puis elle ajouta méchamment : « Autrement c'est trop facile d'écrire des poésies. » Enfin, elle se mit à rire avant de promettre avec une certaine solennité :

« Moi je ne tomberai jamais amoureuse de personne et je n'écrirai jamais, mais alors jamais, de poésie.

— Je te crois pas.

— C'est pourtant vrai.

— Mais des hommes tomberont amoureux de toi.

— Tant pis pour eux.

— Alors ils souffriront comme cette Didon.

— Non, ils iront voir ailleurs, exactement comme Énée qui à la fin s'est mis avec la fille d'un roi. »

Je m'avouai peu convaincue. Je m'en allai, mais ensuite je revins ; ces conversations sur les petits copains, maintenant que j'en avais un, me plaisaient. Je lui demandai un jour, avec précaution :

« Et qu'est-ce qu'il devient, Marcello Solara, il s'intéresse à toi ?

— Ouais.

— Et toi ? »

Elle esquissa un demi-sourire de mépris qui voulait dire : Marcello Solara, il me dégoûte.

« Et Enzo ?

— On est amis.

— Et Stefano ?

— Tu penses donc qu'ils s'intéressent tous à moi ?

— Ben oui.

— Stefano me sert toujours en premier, même quand il y a du monde.

— Tu vois !

— Y a rien à voir.

— Et Pasquale, il s'est déclaré ?

— Tu es folle !

— J'ai vu que le matin il t'accompagne à la boutique.

— Parce qu'il m'explique ce qui s'est passé avant nous. »

Elle retourna ainsi à son thème de l'« avant », mais pas de la même façon qu'en primaire. Elle m'expliqua que nous ne savions rien, ni quand nous étions petites ni maintenant, et que par conséquent nous n'étions pas en mesure de comprendre quoi que ce soit : tout dans notre quartier, chaque pierre, chaque morceau de bois, tout était là avant nous, mais nous avions grandi sans nous en rendre compte, et même sans jamais y penser. Et nous n'étions pas les seules. Son père faisait comme si, avant lui, il n'y avait rien. Tout le monde faisait pareil : sa mère, la mienne, mon père, et même Rino. Et pourtant, *avant*, l'épicerie de Stefano c'était la menuiserie de Peluso, le père de Pasquale. Et pourtant Don Achille avait fait fortune *avant*. Et pareil pour l'argent des Solara. Elle avait fait le test avec son père et sa mère. Ils ne savaient rien et ne voulaient parler de rien. Rien sur le fascisme, rien sur le roi. Rien sur les injustices, les abus de pouvoir ni l'exploitation. Ils détestaient Don Achille et craignaient les Solara. Et pourtant, ils passaient outre et allaient dépenser leur argent chez le fils de Don Achille comme chez les Solara, et ils nous y envoyaient aussi. Ils votaient pour les fascistes ou les monarchistes, comme les Solara voulaient qu'ils fassent. Ils pensaient que ce qui s'était produit avant c'était du passé et, pour avoir la paix, fermaient les yeux : or ils en faisaient partie, de ces choses d'avant, et ils nous y maintenaient nous aussi et du coup, sans le savoir, ils les perpétuaient.

Ce discours sur l'« avant » me frappa davantage que les discussions ténébreuses dans lesquelles elle m'avait entraînée pendant l'été. Nous passâmes les vacances de Noël à discuter intensément, dans la cordonnerie, la rue ou la cour. Nous nous confiâmes tout, même les petites choses, et nous étions bien.

19

Pendant cette période je me sentis forte. En classe tout s'était passé à la perfection et je racontai mes succès à Mme Oliviero qui me félicita. Je voyais Gino, nous nous promenions tous les jours jusqu'au bar Solara : il m'achetait une pâtisserie, nous la partagions et puis repartions en sens inverse. Quelquefois j'avais même l'impression que c'était Lila qui dépendait de moi, et non l'inverse. J'avais franchi les frontières du quartier, je fréquentais le lycée et connaissais des garçons qui étudiaient le latin et le grec, pas des maçons, des mécanos, des savetiers, des marchands de fruits, des épiciers ou des cordonniers, contrairement à elle. Quand elle me parlait de Didon, de sa méthode pour apprendre le vocabulaire anglais, de la troisième déclinaison ou de ce sur quoi elle dissertait avec Pasquale, je sentais de plus en plus clairement qu'elle le faisait avec une certaine appréhension, comme si c'était finalement elle qui avait besoin de toujours me prouver qu'elle était capable de discuter à mon niveau. Même quand, un après-midi, elle décida après quelques tergiversations de me montrer où en était la chaussure secrète qu'elle fabriquait avec Rino, je ne trouvai plus qu'elle habitait un territoire merveilleux dont j'étais exclue. J'eus l'impression, au contraire, que son frère et elle hésitaient à me parler d'un sujet qui avait aussi peu de dignité.

Ou peut-être que c'était simplement moi qui commençais à me considérer meilleure qu'eux. Quand ils fouillèrent dans un cagibi d'où ils sortirent un carton, je les encourageai sans sincérité.

Mais la paire de chaussures pour homme qu'ils me montrèrent me sembla réellement hors du commun : c'était du 43, la pointure de Rino et de Fernando, marron, exactement comme je me rappelais les avoir vues dans un des dessins de Lila, et elles avaient l'air d'être à la fois légères et robustes. Je n'avais jamais rien vu de tel aux pieds de quiconque. Quand ils me laissèrent les toucher et m'en vantèrent toutes les qualités, je me mis à les féliciter avec enthousiasme. « Touche voir ici, disait Rino motivé par mes louanges, et dis-moi si on sent la couture.

— Non, répondis-je, on ne sent rien. » Alors il me prenait les chaussures des mains, les pliait, les élargissait et me montrait comme elles étaient résistantes. J'approuvais en disant « Bravo » comme le faisait Mme Oliviero quand elle voulait nous encourager. Mais Lila n'avait pas l'air satisfaite. Plus son frère trouvait de qualités à la chaussure plus elle en soulignait les défauts, et elle disait à Rino : « Et il faudra combien de temps à papa pour voir toutes ces erreurs ? » À un moment elle dit, sérieuse : « Essayons encore avec l'eau. » Son frère sembla contrarié. Elle remplit néanmoins une bassine, mit la main dans une des chaussures comme si c'était un pied et la fit marcher un instant dans l'eau. « Elle veut toujours jouer », me fit Rino comme un grand frère agacé par les gamineries de sa petite sœur. Mais dès qu'il vit Lila retirer la chaussure de l'eau il prit un air inquiet et demanda :

« Alors ? »

Lila enleva sa main, frotta ses doigts et lui tendit la chaussure :

« Vas-y, touche. »

Rino glissa la main à l'intérieur et dit :

« Elle est sèche.

— Elle est humide.

— Il n'y a que toi qui la sens, l'humidité ! Touche, Lenù. »

Je touchai :

« Elle est un peu humide », dis-je.

Lila fit une grimace, mécontente :

« T'as vu ? Tu la mets une minute dans l'eau et elle est déjà humide, ça va pas. Il faut tout décoller et tout découdre encore une fois.

— Mais putain, qu'est-ce que ça peut foutre, un peu d'humidité ? »

Rino piqua une colère. Mais pas seulement : sous mes yeux je le vis pour ainsi dire se transformer. Son visage devint tout rouge, se gonflant autour des yeux et des joues, le jeune homme ne put se retenir et explosa dans une série d'imprécations et de gros mots contre sa sœur. Il se plaignit que s'ils continuaient comme ça ils ne finiraient jamais. Il reprocha à Lila de l'encourager et puis de le décourager. Il cria qu'il ne voulait pas passer sa vie dans ce trou pourri à faire la boniche pour son père tout en regardant les autres s'enrichir. Il saisit le pied en fer et fit mine de le lancer – s'il l'avait fait pour de vrai il l'aurait tuée.

Je m'en allai, à la fois désorientée par la fureur de ce jeune homme d'habitude si gentil mais aussi fière de voir que mon opinion avait fait autorité et avait été décisive.

Dans les jours qui suivirent, je découvris que mon acné était en train de sécher.

« C'est que tu vas vraiment bien, tu as les satisfactions de l'école et tu as l'amour », me dit Lila, et je sentis qu'elle était un peu triste.

20

Les fêtes de fin d'année approchant, Rino fut pris par l'obsession de tirer un feu d'artifice plus gros que celui de tout le monde, et surtout plus gros que celui des Solara. Lila se moquait de son frère, et elle était parfois assez dure avec lui. D'après elle, si au début il avait eu des doutes sur leur possibilité de gagner beaucoup d'argent avec les chaussures, maintenant il s'était mis à trop compter dessus : il se voyait déjà patron de l'usine Cerullo et ne voulait plus redevenir savetier. Cela inquiétait Lila, c'était un aspect de Rino qu'elle ne connaissait pas. Il lui avait toujours paru impétueux et généreux, parfois agressif, mais jamais frimeur. Maintenant en revanche il prétendait être ce qu'il n'était pas. Il sentait que la richesse était proche. Il se prenait pour un patron. Et il se croyait en position de donner au quartier un premier signe de la fortune que la nouvelle année allait lui apporter en tirant un énorme feu d'artifice, beaucoup plus gros que celui des frères Solara, qui étaient devenus à ses yeux le modèle à imiter et même à dépasser. Il enviait ces jeunes hommes et les percevait comme des ennemis qu'il devait défaire afin de pouvoir prendre leur place.

Lila n'ajouta jamais, comme elle l'avait fait pour Carmela et les autres filles de notre cour : peut-être que je lui ai mis dans la tête des rêves qu'il ne sait pas maîtriser. Elle-même croyait en ces rêves et pensait pouvoir les réaliser, et son frère tenait un rôle important dans leur réalisation. Et puis elle l'aimait, il avait six ans de plus qu'elle et elle ne voulait pas le traiter comme un enfant qui ne saurait pas contrôler son imagination. Toutefois, elle admit souvent que Rino manquait d'esprit concret, qu'il ne savait pas affronter les difficultés en gardant les pieds sur terre et qu'il tendait toujours à l'excès. Comme dans cette compétition avec les Solara, par exemple.

« Peut-être qu'il est jaloux de Marcello, avançai-je un jour.

— Qu'est-ce que tu veux dire ? »

Elle rit en feignant l'ignorance, mais c'était elle-même qui me l'avait raconté. Marcello Solara passait et repassait devant la cordonnerie tous les jours, à pied ou en Millecento, et Rino devait s'en être rendu compte parce qu'il avait dit plusieurs fois à sa sœur : « T'as pas intérêt à copiner avec c'connard ! » Ne pouvant casser la figure aux Solara parce qu'ils s'intéressaient à sa sœur, peut-être voulait-il leur montrer sa force avec son feu d'artifice – qui sait ?

« Si c'est le cas, alors tu vois que j'ai raison.

— Raison sur quoi ?

— C'est devenu un gros frimeur : où est-ce qu'il va les trouver, les sous, pour son feu d'artifice ? »

C'était vrai. La dernière nuit de l'année était une nuit de batailles, dans le quartier et dans tout Naples. Lumières éblouissantes et explosions. La fumée très dense de la poudre noyait tout dans un brouillard, pénétrait dans les maisons, brûlait les yeux et faisait tousser. Mais le crépitement des pétards, le sifflement des fusées et la canonnade des bombes avaient un coût, et comme toujours celui qui tirait le plus gros feu était celui qui avait le plus d'argent. Nous, les Greco, nous n'avions pas le sou, du coup notre contribution aux feux d'artifice de fin d'année était maigre. Mon père achetait une boîte de pétards, une de roues lumineuses et une autre de petites fusées. À minuit il me mettait en main, comme j'étais la plus grande, la tige des étoiles ou des girandoles, il les allumait et je restais immobile, excitée et effrayée, à fixer les étincelles qui fusaient et les rapides tourbillons de feu tout près de mes doigts. Pendant ce temps, il courait mettre le bâton des fusées dans une bouteille de verre placée sur le marbre de la fenêtre, il allumait la mèche avec la braise de sa cigarette et, enthousiaste, faisait partir vers le ciel le sifflement lumineux. Pour finir il lançait aussi la bouteille dans la rue.

Chez Lila non plus on ne faisait pas grand-chose, au point que Rino s'était vite rebellé. Depuis ses douze ans il avait pris l'habitude de s'en aller pour fêter minuit avec des gens plus audacieux que son père, et ses initiatives pour récupérer les bombes n'ayant pas explosé étaient célèbres : il partait à leur recherche dès que le chaos de la fête finissait. Il les rassemblait toutes dans la zone des étangs, là il y mettait le feu et jouissait de la grande flambée, des boum boum boum et de la déflagration finale. Il avait encore une cicatrice sombre sur la main, une grosse tache, due à la fois où il ne s'était pas reculé à temps.

Parmi les nombreuses raisons évidentes et secrètes à l'origine de ce défi de la fin 1958, il faut peut-être comprendre aussi que Rino voulait prendre une revanche sur la pauvreté de son enfance. En effet il s'acharna à glaner de l'argent ici et là pour s'acheter des feux d'artifice. Mais on savait bien – et il le savait lui aussi, malgré la folie des grandeurs qui l'avait saisi – qu'il n'y avait pas de compétition possible avec les Solara.

Comme tous les ans, les deux frères faisaient des va-et-vient depuis des jours dans leur Millecento, le coffre bourré d'explosifs qui, la veille du Nouvel An, tueraient les oiseaux, feraient peur aux chiens, aux chats et aux rats, et feraient trembler les immeubles des caves aux toits. Rino, hargneux, les observait depuis sa boutique tout en trafiquant avec Pasquale, Antonio et surtout Enzo, qui avait un peu plus d'argent, pour constituer un arsenal qui leur permette au moins de faire bonne figure.

Mais la situation prit un tour inattendu et un peu différent le jour où nos mères nous envoyèrent, Lila et moi, faire les courses du réveillon dans l'épicerie de Stefano Carracci. Le magasin était bondé. Derrière le comptoir, en plus de Stefano et Pinuccia, Alfonso servait aussi et il nous fit un sourire gêné. Nous nous préparâmes à attendre longtemps. Mais Stefano m'adressa un signe – oui, indubitablement à moi – et dit quelque chose à l'oreille de son frère. Mon camarade de classe fit le tour du comptoir et me demanda si nous avions la liste des commissions. Nous la lui donnâmes et il repartit aussitôt. Cinq minutes plus tard nos courses étaient prêtes.

On mit le tout dans nos sacs, on alla payer ce que nous devions à Mme Maria et on partit. Mais nous n'avions fait que quelques mètres quand, non pas Alfonso mais Stefano, oui Stefano en personne, m'appela de sa belle voix d'homme fait :

« Lenù ! »

Il nous rejoignit. Il avait une expression paisible et un sourire cordial. Il était juste un peu gâté par les taches de gras sur son tablier blanc. Il nous parla à toutes les deux, en dialecte, mais en me regardant :

« Vous voulez venir fêter le Nouvel An chez moi ?
Alfonso y tient beaucoup. »

Depuis l'assassinat du père, la femme et les
enfants de Don Achille menaient une vie très
retirée : église, épicerie, maison et tout au plus
quelque petite fête qu'ils ne pouvaient pas refuser.
Cette invitation était une nouveauté. Je répondis
en faisant allusion à Lila :

« Nous sommes déjà prises, on fait la fête avec
son frère et des amis.

— Alors faites passer l'invitation à Rino et à vos
parents : la maison est grande et on tirera les feux
d'artifice sur le toit. »

Lila s'entremit d'un ton sans appel :

« Avec nous il y a aussi Pasquale et Carmen
Peluso avec leur mère. »

Cette phrase aurait dû couper court à tout bavar-
dage ultérieur : Alfredo Peluso était à Poggioreale
parce qu'il avait tué Don Achille, et le fils de Don
Achille ne pouvait inviter les enfants d'Alfredo à
trinquer chez lui pour la nouvelle année. Or, Stefano regarda Lila comme si jusqu'à cet instant il ne
l'avait pas remarquée, avec un regard très intense,
et il lâcha sur le ton de l'évidence :

« Très bien, alors venez tous, on boira le mousseux et on dansera : nouvelle année, nouvelle vie. »

Ces paroles m'émurent. Je regardai Lila, qui elle
aussi était désorientée. Elle murmura :

« Il faut qu'on en parle à mon frère.

— Tenez-moi au courant.

— Et les feux d'artifice ?

— Qu'est-ce que tu veux dire ?

— On apportera les nôtres. Et toi ? »

Stefano sourit :

« Tu en veux combien, de feux d'artifice ?

215

— Plein ! »

Le jeune homme s'adressa de nouveau à moi :

« Venez tous chez moi et je vous promets qu'à l'aube on sera encore en train de les tirer, nos feux d'artifice ! »

21

Nous ne fîmes que rire à gorge déployée pendant tout le chemin du retour en échangeant des phrases du genre :

« C'est pour toi qu'il le fait !

— Mais non, c'est pour toi !

— Il est amoureux et pour que tu viennes chez lui il est prêt à inviter des communistes, et même les assassins de son père !

— Mais qu'est-ce que tu racontes ? Il m'a même pas regardée. »

Rino écouta la proposition de Stefano et répondit non tout de suite. Mais ensuite l'envie de battre les Solara le fit hésiter et il en parla à Pasquale, qui piqua une grosse colère. Enzo en revanche bougonna : « D'accord, si je peux je viens. » Nos parents furent ravis de cette invitation parce que pour eux Don Achille n'existait plus, quant à ses enfants et sa femme c'étaient de braves gens, ils étaient aisés et les avoir pour amis était un honneur.

Au début Lila en resta étourdie, comme si elle avait oublié où elle se trouvait – les rues, le quartier, la cordonnerie. Puis, un jour en fin d'après-midi, elle apparut chez moi avec l'air de celle qui a tout compris et m'annonça :

« Nous nous sommes trompées : Stefano ne s'intéresse ni à toi ni à moi. »

Nous en discutâmes comme nous le faisions toujours, en mélangeant des faits réels et imaginaires. S'il ne s'intéressait pas à nous, alors que voulait-il ? On se dit que Stefano avait peut-être lui aussi en tête l'idée de donner une leçon aux Solara. On se rappela quand Michele avait fait chasser Pasquale de la fête de la mère de Gigliola, se mêlant ainsi des affaires des Carracci et faisant passer Stefano pour quelqu'un d'incapable de défendre la mémoire de son père. À cette occasion les deux frères, à bien y réfléchir, n'avaient pas seulement humilié Pasquale mais aussi Stefano. Et voilà que maintenant ce dernier en remettait une couche, comme pour les embêter : il faisait définitivement la paix avec les Peluso et allait jusqu'à les inviter chez lui pour le Nouvel An !

« Et qu'est-ce qu'il y gagne ? demandai-je à Lila.

— Je sais pas. Il veut peut-être faire un geste que, dans le quartier, personne d'autre ne ferait.

— Pardonner ? »

Lila secoua la tête, sceptique. Elle essayait de comprendre, toutes les deux nous essayions de comprendre – et comprendre, c'était quelque chose qui nous plaisait beaucoup. Stefano n'avait pas l'air du genre à pardonner. D'après Lila, il avait quelque chose d'autre en tête. Et petit à petit, puisant dans une des idées fixes qui la travaillaient ces derniers temps, depuis qu'elle s'était mise à discuter avec Pasquale, elle crut être arrivée à la solution :

« Tu te rappelles quand j'ai raconté à Carmela qu'elle pourrait être la petite amie d'Alfonso ?

— Oui.

— Stefano a une idée du même genre.

217

— Il veut se marier avec Carmela ?

— Mieux. »

D'après Lila, Stefano voulait remettre tous les compteurs à zéro. Essayer de mettre fin à l'*avant*. Il ne voulait pas faire semblant de rien comme le faisaient nos parents, mais au contraire faire passer dans les actes une phrase du genre : je sais, mon père était ce qu'il était, mais maintenant c'est moi qui suis là, c'est nous, alors ça suffit. Bref, il voulait faire comprendre à tout le quartier qu'il n'était pas Don Achille et que les Peluso non plus n'étaient pas l'ancien menuisier qui l'avait tué. Cette hypothèse nous plut et devint bientôt une certitude, et nous fûmes prises d'un grand élan de sympathie pour le jeune Carracci. Nous décidâmes d'être de son côté.

Nous nous mîmes à expliquer à Rino, Pasquale et Antonio que l'invitation de Stefano était plus qu'une invitation, que derrière elle il y avait des enjeux très importants, puisque c'était comme s'il disait : avant nous de mauvaises choses se sont produites, nos pères, d'une façon ou d'une autre, se sont mal conduits, mais à partir d'aujourd'hui prenons-en acte et prouvons que nous, leurs enfants, nous sommes meilleurs qu'eux.

« Meilleurs ? interrogea Rino, intéressé.

— Meilleurs, répondis-je, et à l'opposé des Solara, qui sont encore pires que leur grand-père et leur père. »

Je parlai avec beaucoup d'émotion, en italien, comme si j'étais à l'école. Lila elle-même me lança un regard émerveillé et Rino, Pasquale et Antonio bredouillèrent quelque chose, gênés. Pasquale tenta même de me répondre en italien mais y renonça aussitôt. Il répliqua, sombre :

« L'argent qui permet à Stefano de gagner encore

plus d'argent, c'est celui que son père a gagné avec le marché noir. Son épicerie c'est le local où avant il y avait la menuiserie de mon père.»

Les yeux de Lila se firent tout petits, on ne les voyait presque plus :

«C'est vrai. Mais vous voulez être du côté de quelqu'un qui veut changer les choses, ou du côté des Solara?»

Pasquale dit avec fierté, à la fois par conviction et parce qu'il était visiblement jaloux de la place centrale imprévue qu'avait prise Stefano dans les paroles de Lila :

«Moi je suis de mon côté un point c'est tout.»

Mais c'était un brave garçon, il y réfléchit encore et encore. Il alla en parler à sa mère, il en discuta avec toute la famille. Giuseppina, autrefois travailleuse infatigable et toujours de bonne humeur, légère et exubérante, était devenue après l'incarcération de son mari une femme mélancolique et défaite par le mauvais sort. Elle s'adressa au curé qui passa à la boutique de Stefano, discuta longuement avec Maria, puis retourna parler avec Giuseppina Peluso. À la fin tout le monde fut convaincu que la vie était déjà assez difficile comme ça et que si l'on réussissait, à l'occasion de la nouvelle année, à diminuer les tensions habituelles, ce serait mieux pour tout le monde. C'est ainsi que le 31 décembre après le réveillon, à vingt-trois heures trente, plusieurs familles – celles de l'ancien menuisier, du portier, du cordonnier, du marchand de fruits et de Melina (qui pour l'occasion soigna beaucoup son apparence) – grimpèrent en file indienne jusqu'au quatrième étage, jusqu'à ce vieil appartement de Don Achille que nous avions tellement détesté, afin de fêter ensemble la nouvelle année.

22

Stefano nous accueillit de façon très cordiale. Je me rappelle qu'il s'était coiffé avec soin, que son visage était un peu rouge à cause de l'agitation et qu'il portait chemise blanche, cravate et gilet bleu. Je me dis qu'il était très beau et qu'il avait des manières de prince. Je calculai qu'il avait presque sept ans de plus que Lila et moi, et pensai alors qu'être la petite amie de Gino qui avait mon âge ne valait vraiment pas un clou : quand je lui avais demandé de me rejoindre chez les Carracci, il m'avait répondu qu'il ne pouvait pas parce que ses parents ne le laissaient pas sortir après minuit, c'était dangereux. Moi je voulais un copain plus âgé, pas un gosse mais un homme, un vrai, comme Stefano, Pasquale, Rino, Antonio ou Enzo. Je les regardai et les frôlai toute la soirée. Je tripotais nerveusement mes boucles d'oreilles et le bracelet d'argent de ma mère. J'avais recommencé à me sentir belle et voulais en lire la preuve dans leurs yeux. Mais ils semblaient tous absorbés par les feux d'artifice de minuit. Ils attendaient leur guerre entre hommes et n'avaient même pas l'air de prêter attention à Lila.

Stefano fut particulièrement affable avec Mme Peluso et Melina, qui ne disait mot – elle avait les yeux exorbités et un long nez mais elle était bien coiffée et, avec ses boucles d'oreilles et sa vieille robe noire de veuve, on aurait dit une grande dame. À minuit, le maître de maison remplit de mousseux d'abord le verre de sa mère, et aussitôt après celui de la mère de Pasquale. On trinqua à toutes les choses merveilleuses que cette nouvelle année allait nous apporter et puis on commença à se diriger vers le toit ; les vieux et les enfants mirent manteaux et écharpes parce qu'il faisait très froid. Je m'aperçus que le seul qui s'attardait à l'intérieur, peu enthousiaste, c'était Alfonso. Pour être polie je l'appelai mais il ne m'entendit pas ou fit semblant de ne pas m'entendre. Je montai en courant. Je me retrouvai avec un ciel incroyable au-dessus de ma tête, plein d'étoiles et de ténèbres, et glacial.

Les garçons étaient en pull-over, Pasquale et Enzo étaient même en manches de chemise. Lila, Ada, Carmela et moi portions de petites robes légères que nous mettions pour aller danser et nous tremblions de froid et d'excitation. On entendait déjà le sifflement des premières fusées, elles sillonnaient le ciel et explosaient en faisant des fleurs de toutes les couleurs. Il y avait déjà le bruit sourd des vieux objets que l'on jetait par la fenêtre, les cris et les éclats de rire. C'était le chahut dans tout le quartier, on lançait des pétards partout. J'allumai les chandelles et les roues lumineuses des enfants, j'aimais voir dans leurs yeux la stupeur apeurée que j'avais éprouvée quand j'étais petite. Lila convainquit Melina d'allumer avec elle la mèche d'un feu de Bengale et la coulée de feu jaillit dans un crépitement coloré. Toutes deux poussèrent des cris de joie et finirent dans les bras l'une de l'autre.

Rino, Stefano, Pasquale, Enzo et Antonio transportèrent des caisses, des boîtes et des cartons d'explosifs, fiers de toutes les munitions qu'ils avaient réussi à accumuler. Alfonso participa aussi mais mollement et il répondit aux pressions de son frère avec des gestes d'agacement. En revanche, j'eus l'impression qu'il était intimidé par Rino : celui-ci avait l'air complètement survolté et il le poussait méchamment, lui arrachant des objets des mains et le traitant comme un petit garçon. Tant et si bien qu'à la fin, au lieu de s'énerver, Alfonso se mit en retrait et se mêla de moins en moins aux autres. Pendant ce temps les allumettes se mirent à flamber et les plus grands s'allumèrent mutuellement les cigarettes en mettant leurs mains en coupe, bavardant avec sérieux et cordialité. Si une guerre civile éclate, me dis-je, comme celle entre Romulus et Remus, Marius et Sylla ou César et Pompée, ils auront exactement les mêmes visages, les mêmes regards et les mêmes attitudes.

À l'exception d'Alfonso, tous les garçons remplirent leurs chemises de pétards et de bombes et installèrent des rangées de fusées dans des bouteilles vides en enfilade. Rino, hurlant et s'agitant toujours davantage, confia à Lila, Ada, Carmela et moi la mission d'approvisionner constamment tout le monde en munitions. Puis tous les hommes, des plus jeunes aux moins jeunes – par exemple mes frères Peppe et Gianni, mais aussi mon père ou le cordonnier, qui était le plus âgé –, commencèrent à circuler dans l'obscurité et le froid pour allumer les mèches et lancer les feux au-dessus du parapet ou vers le ciel, dans un climat de fête, d'excitation croissante et de hurlements du genre « T'as vu ces couleurs ? *Mamma mia*, quel tir ! Allez, allez ! » à peine gâchés par les gémissements à la fois terrorisés et langoureux de Melina et par Rino qui arrachait les pétards des mains de mes frères pour s'en servir lui-même, criant qu'ils les gaspillaient parce qu'ils les lançaient sans attendre que la mèche prenne vraiment feu.

La furie scintillante de la ville s'atténua lentement

et puis s'éteignit, laissant émerger le bruit des voitures et des klaxons. De larges zones de ciel noir réapparurent. Le balcon des Solara, malgré la fumée et entre les éclairs de lumière, devint plus visible.

Ils n'étaient pas loin, on les voyait. Le père, les fils, la famille, les amis : comme nous ils étaient saisis d'une envie de chaos. Tout le monde savait, dans le quartier, que ce qu'on avait vu jusqu'à présent n'était rien et que les Solara ne se déchaîneraient vraiment que lorsque les pouilleux en auraient fini avec leurs misérables divertissements, leurs crépitements miteux et leurs gouttelettes d'argent et d'or : alors ils deviendraient les maîtres absolus de la fête.

Et c'est ce qui se passa. Le feu provenant de leur balcon s'intensifia brusquement, le ciel et la rue recommencèrent à exploser. À chaque lancer, en particulier s'il était accompagné d'un bruit de fin du monde, des obscénités tonitruantes éclataient sur leur balcon. Mais, surprise, voilà que Stefano, Pasquale, Antonio et Rino se mirent à riposter par d'autres lancers et par des obscénités équivalentes. À chaque fusée des Solara ils répondaient par une fusée, à chaque pétard par un pétard ; d'admirables corolles s'étalaient dans le ciel, au-dessous la rue prenait feu et tremblait, et à un moment donné Rino se retrouva debout sur le parapet à brailler des insultes et à lancer des bombes très puissantes, tandis que sa mère hurlait de terreur et criait : «Descends, tu vas tomber!»

Alors la panique gagna Melina qui se mit à pousser des cris longs et aigus. Ada soupira car c'était à elle de l'emmener, mais Alfonso lui fit signe, il s'en chargea et redescendit à l'intérieur avec la femme.

Ma mère les suivit aussitôt en boitant et les autres femmes commencèrent aussi à rentrer en entraînant les enfants. Les explosions causées par les Solara devenaient de plus en plus puissantes et une de leurs fusées, au lieu de finir dans le ciel, éclata contre le parapet de notre terrasse dans un éclair rouge assourdissant et une fumée suffocante.

« Ils ont fait exprès ! » cria Rino à Stefano, hors de lui.

Stefano, une silhouette noire dans la nuit glacée, lui fit signe de se calmer. Il courut dans un coin où il avait déposé en personne une caissette que nous les filles avions ordre de ne pas toucher et, tout en sortant quelque chose, il invita les autres à se servir.

« Enzo, cria-t-il avec une voix qui avait tout perdu de ses tons suaves de commerçant, Pascà, Rino, Antò, venez par là, allez venez, on va leur faire voir de quoi on est faits ! »

Ils accoururent tous en riant. Ils répétaient : « Ouais ouais, on va leur faire voir, prenez ça, connards » en faisant des gestes obscènes vers le balcon des Solara. Nous regardions leurs noires silhouettes prises de frénésie et nous tremblions de plus en plus de froid. Nous étions restées seules et sans plus aucun rôle. Mon père aussi était redescendu avec le cordonnier. Lila je ne sais plus, elle était muette, saisie par le spectacle comme par une énigme.

Elle était en train de vivre ce phénomène auquel j'ai déjà fait allusion et que, plus tard, elle appela la *délimitation*. Ce fut comme si, me raconta-t-elle, par une nuit de pleine lune sur la mer, la masse toute noire d'un orage s'avançait dans le ciel et, supprimant toute clarté, abîmait la circonférence du cercle lunaire et déformait le disque brillant en le réduisant à sa véritable nature de matière brute et privée de sens. Lila imagina, vit, sentit – comme si c'était vrai – se briser son frère. Devant ses yeux, Rino perdit la physionomie qu'il avait toujours eue, d'aussi loin qu'elle se souvienne, celle d'un garçon généreux et honnête, avec ses traits agréables inspirant confiance, le profil aimé de celui qui depuis toujours, depuis qu'elle avait une mémoire, l'avait amusée, aidée et protégée. Là, au milieu de la violence des explosions, dans le froid, la fumée qui brûlait les narines et la forte odeur de soufre, quelque chose attaqua la structure matérielle de son frère, exerçant sur lui une pression tellement intense que ses contours se brisèrent et que sa matière se répandit comme un magma, révélant à Lila de quoi il était réellement fait. Chaque seconde de cette nuit de fête lui fit horreur et elle eut l'impression que, de la même manière qu'avait Rino de bouger et de se répandre alentour, ses limites à elle cédaient aussi, devenant de plus en plus molles et fragiles. Elle eut du mal à se maîtriser mais elle y réussit, et son angoisse ne se manifesta pratiquement pas à l'extérieur. C'est vrai que, dans le tumulte des explosions et des couleurs, je lui prêtai peu d'attention. Ce qui me frappa, je crois, ce fut son expression de plus en plus apeurée. Je m'aperçus qu'elle fixait l'ombre de son frère – le plus actif, le plus crâneur et celui qui hurlait de la manière la plus excessive des insultes sanguinaires en direction de la terrasse des Solara – avec répulsion. Elle qui d'habitude n'avait peur de rien, elle avait l'air épouvanté. Mais ce furent là des impressions auxquelles je ne repensai que plus tard. Sur le moment je n'y fis pas attention, je me sentais plus proche de

225

Carmela et d'Ada que d'elle. Comme toujours, elle semblait n'avoir nullement besoin des attentions des garçons. Nous au contraire, plantées dans le froid, au milieu du chaos, sans leurs attentions nous ne trouvions aucun sens à nous-mêmes. Nous aurions préféré que Stefano, Enzo ou Rino arrêtent la guerre, qu'ils passent un bras autour de nos épaules, pressent leur corps contre le nôtre et nous fassent des compliments. Mais nous restions serrées les unes contre les autres pour nous réchauffer alors qu'eux se précipitaient pour attraper des cylindres munis de grosses mèches, sidérés par l'infinie réserve de feux d'artifice de Stefano, pleins d'admiration pour sa générosité et troublés par tout l'argent qu'il était possible de transformer en jets lumineux, étincelles, explosions et fumée pour la pure et simple satisfaction de gagner.

Ils rivalisèrent avec les Solara pendant Dieu sait combien de temps, il y eut des explosions de part et d'autre comme si terrasse et balcon étaient des tranchées, et tout le quartier trembla, vibra. On ne comprenait plus rien – détonations, verres brisés, ciel défoncé. Même quand Enzo cria : « Ils ont fini, ils n'ont plus rien ! » les nôtres continuèrent, Rino surtout continua, jusqu'à ce qu'il ne reste plus la moindre mèche à brûler. Alors ils entamèrent un chœur victorieux, sautant en l'air et s'embrassant. Enfin ils se calmèrent et le silence tomba.

Mais il ne dura pas longtemps et fut rompu par les pleurs d'un enfant qui montaient, par des cris et des insultes, et par le bruit des voitures qui avançaient dans les rues jonchées de détritus. Et puis on vit des éclairs sur le balcon des Solara et des claquements secs retentirent – pan, pan. Rino déçu s'écria : « Ils remettent ça ! » Mais Enzo, qui comprit tout de suite ce qui se passait, fut le premier à nous pousser vers l'intérieur, avant que Pasquale et Stefano ne nous poussent à leur tour. Seul Rino continua à lancer de lourdes insultes, penché au-dessus du parapet de la terrasse, au point que Lila échappa à Pasquale et courut tirer son frère à l'intérieur en lui hurlant des insultes aussi. Nous les filles nous redescendîmes en courant. Les Solara, pour gagner, étaient prêts à nous tirer dessus.

23

Cette nuit-là, je l'ai déjà dit, beaucoup de choses m'échappèrent. Mais surtout, emportée par l'ambiance de fête, de danger, et par le tourbillon des garçons dont les corps dégageaient une chaleur plus forte que les feux d'artifice dans le ciel, je négligeai Lila. Et pourtant ce fut alors que se produisit son premier changement intérieur.

Comme je l'ai expliqué, je ne me rendis pas compte de ce qui lui était arrivé, c'était un phénomène difficile à percevoir. Mais j'en vis presque aussitôt les conséquences. Elle devint plus paresseuse. Moi, à peine deux jours plus tard, je me levai de bonne heure, bien que je n'aie pas cours, pour l'accompagner faire l'ouverture du magasin et l'aider à faire le ménage, mais elle n'apparut pas. Elle arriva tard, de mauvaise humeur, et nous nous promenâmes dans le quartier en évitant la cordonnerie.

« Tu vas pas au travail ?

« — Non.

— Et pourquoi?

— Il ne me plaît plus.

— Et les nouvelles chaussures?

— Ça donne rien.

— Et alors? »

J'eus l'impression qu'elle ne savait pas elle-même ce qu'elle voulait. Tout ce qui était sûr c'est qu'elle avait l'air de beaucoup s'inquiéter pour son frère, beaucoup plus qu'elle ne le faisait auparavant. Et c'est justement à partir de cette inquiétude qu'elle commença à modifier ses discours sur la richesse. Il y avait toujours urgence à devenir riches – là-dessus pas de discussion – mais l'objectif n'était plus le même que pendant notre enfance, il n'était plus question de coffre ni d'éclat de pièces et de pierres précieuses. Maintenant on aurait dit que l'argent, dans son esprit, était devenu une sorte de ciment : il consolidait, renforçait et réparait ceci ou cela. Il réparait la tête de Rino, surtout. La paire de chaussures qu'ils avaient faite ensemble, il estimait qu'à présent elle était fin prête et voulait la montrer à Fernando. Mais Lila savait bien (et, d'après elle, Rino le savait aussi) que leur travail était plein de failles : dès que leur père examinerait les chaussures il les jetterait. Du coup elle lui disait qu'il fallait essayer et essayer encore, que le chemin à parcourir avant de monter l'usine était difficile, mais il ne voulait plus attendre, pour lui il était urgent de devenir comme les Solara, comme Stefano, et Lila n'arrivait pas à le raisonner. Soudain j'eus même l'impression que la richesse en soi n'était plus ce qui l'intéressait. L'argent dont elle parlait n'avait plus rien de lumineux, c'était juste un moyen d'éviter que son frère ne se mette dans le pétrin. «C'est entièrement ma faute, commença-t-elle à admettre en tout cas avec moi, je lui ai fait croire que la chance était au coin de la rue.» Mais comme au coin de la rue il n'y avait rien, Lila se demandait, le regard mauvais, ce qu'elle pourrait bien inventer pour le calmer.

En effet, Rino perdait les pédales. Par exemple, Fernando ne reprocha jamais à Lila d'avoir cessé d'aller à la boutique, et lui fit comprendre au contraire qu'il était content qu'elle reste à la maison pour aider sa mère. Mais son frère, lui, se mit en colère, et dans les premiers jours de janvier j'assistai à une autre dispute désagréable. Rino arriva, tête baissée, nous arrêta dans la rue et lui dit : «Va tout de suite travailler.» Lila lui répondit qu'elle n'en avait pas la moindre intention. Alors il la tira par un bras, elle se rebella en lui lançant une insulte, Rino la gifla et lui cria : «Alors rentre à la maison et va aider maman!» Elle obéit et s'en alla sans même me saluer.

Le point culminant du conflit fut atteint le jour de l'Épiphanie. Apparemment, elle se réveilla et trouva près de son lit une chaussette remplie de charbon. Elle comprit que Rino avait fait le coup et, au petit déjeuner, mit le couvert pour tout le monde sauf pour lui. Sa mère apparut : son fils lui avait laissé, pendu à une chaise, un bas rempli de bonbons et de chocolats, ce qui l'avait émue – elle adorait ce garçon. Quand elle s'aperçut que le couvert de Rino n'était pas mis elle essaya de le faire mais Lila l'en empêcha. Tandis que mère et fille se disputaient le frère arriva et Lila lui lança aussitôt un morceau de charbon. Rino rit en pensant que c'était un jeu et qu'elle avait apprécié la plaisanterie, mais quand il comprit que sa sœur était tout à fait sérieuse il tenta de l'attraper pour la frapper. C'est alors qu'apparut Fernando, en caleçon et maillot de corps, une boîte en carton à la main.

« Regardez ce que m'a apporté la sorcière », dit-il, et on voyait qu'il était très en colère.

Il sortit de la boîte les chaussures neuves fabriquées en secret par ses enfants. Lila fut tellement surprise qu'elle en resta bouche bée. Elle n'était pas du tout au courant de cette initiative, Rino ayant décidé tout seul de montrer leur travail au père comme si c'était un cadeau de la sorcière de l'Épiphanie.

Quand elle vit sur le visage de son frère un petit sourire à la fois amusé et angoissé, quand elle saisit son regard alarmé qui scrutait le visage de leur père, elle crut recevoir la confirmation de ce qui l'avait déjà effrayée sur la terrasse, au milieu de la fumée et des explosions : Rino avait perdu son aspect habituel et maintenant elle avait un frère qui ne connaissait plus de limites et dont pouvait surgir l'irrémédiable. Dans ce sourire, dans ce regard elle vit quelque chose d'insupportablement mesquin, d'autant plus insupportable qu'elle continuait à aimer son frère et à avoir besoin d'être à ses côtés pour l'aider et pour qu'il l'aide.

« Qu'est-ce qu'elles sont belles ! » s'exclama Nunzia, qui ignorait tout de l'histoire des chaussures.

Fernando, sans mot dire, avec son expression de Randolph Scott en colère, s'assit et enfila d'abord la chaussure droite, puis la gauche.

« La sorcière, dit-il, les a faites exactement à ma pointure. »

Il se leva, les essaya et marcha à travers la cuisine sous les yeux de toute la famille.

« Vraiment confortables, commenta-t-il.

— Ce sont des chaussures de prince ! » fit sa femme en lançant à son fils des regards passionnés.

Fernando alla se rasseoir. Il les enleva et les examina dessus, dessous, à l'intérieur, à l'extérieur.

« Celui qui a fait ces chaussures est vraiment un as, dit-il sans que son visage ne s'éclaircisse le moins du monde : elle est forte, cette sorcière. »

À chacune de ses paroles on sentait qu'il souffrait et que cette souffrance le remplissait d'une envie de tout casser. Mais Rino n'avait pas l'air de saisir. À chaque parole sarcastique de son père il se sentait de plus en plus fier, tout rouge il souriait et balbutiait des bouts de phrases comme : j'ai fait comme ça, papa, j'ai ajouté ceci, j'ai pensé cela. Lila aurait voulu sortir de la cuisine pour échapper à l'imminente explosion de furie de son père, mais elle n'arrivait pas à se décider et ne voulait pas laisser son frère seul.

« Elles sont à la fois légères et solides, poursuivit Fernando, rien n'a été bâclé. Et surtout je n'ai jamais vu personne en porter de pareilles, elles sont très originales, avec cette pointe élargie. »

Il s'assit, les chaussa à nouveau et noua les lacets. Puis il dit à son fils :

« Tourne-toi, Rinù, il faut que je remercie la sorcière. »

Rino crut à une blague qui mettrait définitivement fin à leur longue dispute, alors il obéit, heureux et gêné à la fois. Mais dès qu'il fit mine de se retourner son père lui assena un violent coup de pied aux fesses, se mit à le traiter d'animal, de couillon, et lui lança tout ce qui lui tombait sous la main – à la fin, même les chaussures.

Lila s'interposa seulement lorsqu'elle vit que son

frère, qui au début ne pensait qu'à se protéger des coups de pied et de poing, se mettait à hurler à son tour, renversant des chaises, cassant des assiettes, pleurant et jurant qu'il préférait se tuer plutôt que de continuer à travailler gratis pour son père, ce qui terrorisa sa mère, ses autres frères et sœurs et tout le voisinage. Mais en vain. Père et fils durent d'abord se défouler jusqu'à épuisement des forces. Puis ils retournèrent travailler ensemble, muets, enfermés dans la misérable boutique avec leur désespoir.

Pendant un temps on ne parla plus de chaussures. Lila décida définitivement que son rôle était d'aider sa mère, faire les courses, cuisiner, laver le linge et l'étendre au soleil, et elle ne retourna jamais plus à la cordonnerie. Rino, abattu et rancunier, considéra qu'un tort incompréhensible lui avait été fait et il se mit à exiger de sa sœur qu'elle s'occupe de ranger ses chaussettes et ses slips dans son tiroir et qu'elle le serve et le respecte à son retour du travail. Si quelque chose ne lui convenait pas il se plaignait et lançait des choses désagréables comme : « T'es même pas capable de repasser une chemise, connasse. » Elle haussait les épaules sans protester et se mit à exécuter ses tâches avec soin et attention.

Évidemment, le jeune homme n'aimait pas se comporter ainsi, il se torturait lui-même, essayait de se calmer et faisait de gros efforts pour redevenir celui qu'il était autrefois. Dans les bons jours, par exemple le dimanche matin, il lui tournait autour en plaisantant et prenait un ton tout gentil : « Tu m'en veux parce que j'ai pris tout le mérite des chaussures pour moi ? » et il ajoutait en mentant : « Mais c'était pour éviter que papa se mette en

colère contre toi aussi. » Et puis il lui demandait :
« Aide-moi ! Qu'est-ce qu'on doit faire, maintenant ?
On peut pas rester sans bouger, moi je veux sortir
de cette situation ! » Lila demeurait silencieuse :
elle cuisinait, repassait et parfois l'embrassait sur
la joue pour lui faire comprendre qu'elle n'était
plus en colère. Mais c'est lui qui ne tardait pas
à s'énerver à nouveau et il finissait toujours par
casser quelque chose. Il lui criait que c'était elle
qui l'avait trahi et que d'ailleurs elle ne faisait que
commencer, puisque tôt ou tard elle épouserait
quelque imbécile et s'en irait, le laissant vivre dans
la misère pour toujours.

Parfois, quand il n'y avait personne à la maison, Lila allait dans le cagibi où elle avait caché
les chaussures et elle les touchait, les regardait,
émerveillée qu'elles existent malgré tout, et qu'elles
soient nées grâce à un petit dessin sur une feuille
de cahier. Tellement de travail fichu en l'air !

24

Je retournai au lycée où je fus reprise par le
rythme frénétique que nous imposaient les professeurs. Nombre de mes camarades se mirent à
capituler et la classe commença à s'alléger. Gino
collectionna les mauvaises notes et me demanda
de l'aider. J'essayai de le faire mais en réalité il
voulait seulement copier mes devoirs. Je le laissai
copier, cependant il était paresseux : même quand
il copiait, il n'était pas attentif et ne faisait aucun
effort pour comprendre. Même Alfonso, malgré sa

grande rigueur, était en difficulté. Un jour il éclata en sanglots pendant qu'il était interrogé en grec, ce qui pour un garçon était considéré très humiliant. On voyait bien qu'il aurait préféré mourir plutôt que verser une larme devant toute la classe, mais il craqua. On demeura tous silencieux, très troublés, à part Gino qui, peut-être sous le coup de la tension, ou par satisfaction de voir que même son voisin de table était dans la panade, éclata de rire. À la sortie des classes je lui annonçai qu'à cause de ce rire il n'était plus mon petit ami. Sa réaction fut de me demander avec inquiétude : « Il te plaît, Alfonso ? » Je lui expliquai que c'était simplement lui qui ne me plaisait plus. Il balbutia que nous venions tout juste de nous mettre ensemble et que ce n'était pas juste. Pour des jeunes qui sortaient ensemble, nous n'avions pas fait grand-chose : on s'était embrassés mais sans la langue, il avait essayé de toucher mes seins mais je m'étais mise en colère et l'avais repoussé. Il me pria de continuer encore un peu, néanmoins je demeurai ferme dans ma décision. Je constatai que me passer de sa compagnie quotidienne pour aller au lycée et rentrer chez moi ne me coûtait rien du tout.

Quelques jours à peine après ma rupture avec Gino, Lila me confia qu'elle avait reçu deux déclarations d'amour presque en même temps, les premières de sa vie. Un matin, Pasquale l'avait rejointe alors qu'elle allait faire les courses. Il était marqué par la fatigue et très fébrile. Il lui avait expliqué qu'il s'était inquiété parce qu'il ne la voyait plus à la cordonnerie et s'était demandé si elle était malade. Mais maintenant qu'il voyait qu'elle était en pleine santé il était heureux. Pourtant, tandis qu'il parlait, rien dans son visage n'indiquait qu'il l'était. Il s'interrompit comme s'il était en train de s'étrangler et, comme pour se dégager la gorge, il avait pratiquement crié qu'il était amoureux d'elle. Il était tellement amoureux que, si elle était d'accord, il irait parler à son frère et à ses parents, à qui elle voudrait, tout de suite, pour qu'ils se fiancent en privé. Elle en était restée muette – pendant quelques minutes elle avait cru qu'il plaisantait. Pourtant je lui avais répété mille fois que Pasquale avait jeté son dévolu sur elle, mais elle ne m'avait jamais crue. Et voilà qu'il était là, en cette magnifique journée de printemps, presque les larmes aux yeux, à la supplier, à lui dire que la vie ne valait plus rien si elle le refusait. Comme les sentiments amoureux étaient difficiles à débrouiller ! Avec beaucoup de tact, sans jamais dire non, Lila avait trouvé les mots pour repousser ses avances. Elle avait répondu qu'elle l'aimait aussi, mais pas comme on doit aimer un fiancé. Elle avait ajouté qu'elle lui serait toujours reconnaissante pour tout ce qu'il lui avait expliqué : le fascisme, la Résistance, la monarchie, la république, le marché noir, le commandant Lauro, le MSI, la Démocratie chrétienne, le communisme. Mais se fiancer, ça non, elle ne se fiancerait jamais avec personne. Et elle avait conclu : « Vous tous, Antonio, toi, Enzo, je vous aime comme j'aime Rino. » Pasquale alors avait murmuré : « Mais moi je ne t'aime pas comme j'aime Carmela. » Il s'était enfui et était retourné travailler.

« Et l'autre déclaration ? » lui demandai-je avec curiosité mais aussi un peu d'anxiété.

« Tu ne devineras jamais ! »

L'autre déclaration, elle était venue de Marcello Solara.

Quand j'entendis ce nom je sentis mon ventre se nouer. Si l'amour de Pasquale était signe que Lila pouvait plaire, l'amour de Marcello, un jeune homme beau et riche qui avait une voiture, un camorriste dur et violent qui pouvait avoir toutes les filles qu'il voulait, c'était à mes yeux et aux yeux de toutes celles de mon âge, malgré la terrible réputation qu'il avait – ou peut-être justement à cause d'elle –, une promotion, c'était la preuve de son passage du stade de petite fille maigrichonne à celui de femme capable de plier quiconque à sa volonté.

« Et ça s'est passé comment ? »

Marcello était au volant de la Millecento, tout seul, sans son frère, et il l'avait aperçue alors qu'elle rentrait chez elle en suivant le boulevard. Il ne s'était pas garé, ne lui avait pas parlé en baissant la vitre. Il avait laissé la voiture au beau milieu de la rue, portière ouverte, et l'avait rejointe. Il l'avait suppliée de lui pardonner pour la manière dont il s'était comporté par le passé et il avait reconnu qu'elle aurait très bien fait de le tuer avec le tranchet. Il lui avait rappelé, plein d'émotion, comme ils avaient bien dansé le rock à la fête de la mère de Gigliola, signe qu'ils allaient bien ensemble. Enfin il s'était mis à lui faire toutes sortes de compliments : « Comme tu as grandi, comme tu as de beaux yeux, comme tu es belle. » Et puis il lui avait raconté le rêve qu'il avait fait la nuit précédente : il la demandait en fiançailles, elle acceptait et il lui offrait une bague identique à la bague de fiançailles de sa grand-mère, avec un chaton serti de trois diamants. Lila enfin, sans cesser de marcher, avait parlé. Elle lui avait demandé : « Ah bon, dans ton rêve j'ai accepté ? » Marcello le lui avait confirmé, ce à quoi elle avait répliqué : « Alors c'était vraiment un rêve, parce que t'es qu'un animal, toi et ta famille aussi, ton grand-père, ton père et ton frère, et avec toi je ne me fiancerai jamais, même si tu dis que tu vas me tuer.

— Tu lui as dit ça ?

— Et pire encore.

— Quoi ? »

Marcello, vexé, avait répliqué que ses sentiments étaient tout à fait délicats : c'était de l'amour, nuit et jour il ne pensait qu'à elle, et par conséquent il n'était pas un animal mais bien un homme amoureux ; ce à quoi elle avait répondu que si quelqu'un se comportait comme il l'avait fait avec Ada et si ce quelqu'un, la nuit de la Saint-Sylvestre, se mettait à tirer des coups de pistolet contre des gens, alors le traiter d'animal c'était insulter les animaux. Marcello avait finalement compris qu'elle ne plaisantait pas et qu'elle lui attribuait vraiment beaucoup moins de valeur qu'à une grenouille ou une salamandre, alors tout à coup ça l'avait déprimé. Il avait murmuré faiblement : « C'est mon frère qui a tiré. » Mais il n'avait pas fini de parler qu'il avait déjà compris qu'après cette phrase elle le mépriserait plus encore. Et il avait vu juste. Lila avait accéléré le pas et quand il avait essayé de la suivre elle lui avait crié : « Va-t'en ! » et s'était mise à courir. Marcello s'était alors arrêté comme s'il ne se rappelait plus où il était ni ce qu'il faisait, et puis il était retourné à la Millecento tête basse.

« Tu as fait ça à Marcello Solara ?

— Ouais.

— Tu es folle ! Ne dis à personne que tu l'as traité comme ça. »

Sur le coup, ce conseil me sembla superflu, je

prononçai juste cette phrase pour lui montrer que son histoire me tenait à cœur. Lila était du genre à aimer raisonner et rêver à partir de faits, mais elle ne faisait jamais de ragots, contrairement à nous qui passions notre temps à cancaner. Et en effet elle ne parla qu'à moi de l'amour de Pasquale, je n'ai jamais entendu dire qu'elle en ait parlé à autrui. En revanche, de Marcello Solara elle parla à tout le monde. Tant et si bien que je rencontrai Carmela qui me lança : « Tu sais que ta copine a dit non à Marcello Solara ? » Je vis Ada qui me dit : « Dis donc, ta copine, elle a dit non à Marcello Solara ! » Pinuccia Carracci, à l'épicerie, me murmura à l'oreille : « C'est vrai que ta copine a dit non à Marcello Solara ? » Même Alfonso me demanda un jour au lycée, stupéfait : « Ta copine a dit non à Marcello Solara ? »

Quand je vis Lila je lui dis :

« T'aurais pas dû le raconter à tout le monde, Marcello va se mettre en colère. »

Elle haussa les épaules. Elle avait à faire avec ses frères et sœurs, la maison, sa mère, son père, et elle ne s'arrêta pas longtemps pour bavarder. Désormais, et ce depuis la nuit de la Saint-Sylvestre, elle ne se consacrait qu'à ses tâches domestiques.

25

Exactement comme ça. Pendant tout le reste de l'année scolaire Lila se désintéressa totalement de ce que je faisais à l'école. Et quand je lui demandai quels livres elle avait pris à la bibliothèque et

ce qu'elle lisait, elle me répondit méchamment :
«Je ne prends plus rien, les livres me font mal à
la tête.»

En revanche, pour moi, étudier et lire étaient
maintenant devenus presque une agréable habitude. Mais je dus bientôt constater que, depuis
que Lila avait cessé de me presser de questions
et de me précéder dans les études et les lectures,
ou encore dans la bibliothèque de M. Ferraro, ce
n'était plus une sorte d'aventure, c'était devenu
simplement quelque chose que je savais bien faire
et qui m'apportait un tas de félicitations.

Je m'en rendis clairement compte en deux occasions.

Un jour j'allai prendre des livres à la bibliothèque avec ma carte remplie de livres empruntés
et rendus ; l'instituteur commença par me compli-
menter sur mon assiduité mais ensuite il prit des
nouvelles de Lila, exprimant un profond regret
qu'elle et toute sa famille aient arrêté d'emprunter
des livres. J'ai du mal à expliquer pourquoi, mais
je souffris de ce regret. Il me sembla le signe d'un
intérêt profond et authentique pour Lila, quelque
chose de beaucoup plus fort que ses compliments
pour ma discipline de lectrice assidue. Je me dis
que si Lila avait emprunté ne serait-ce qu'un livre
par an, elle aurait laissé sa marque sur cet ouvrage
et l'enseignant l'aurait perçu quand elle l'aurait
rendu, alors que moi je ne laissais aucune marque,
j'incarnais seulement l'acharnement avec lequel
j'avalais volume après volume, dans le désordre.

L'autre occasion est en rapport avec les rites scolaires. Un jour le professeur de lettres rendit nos
dissertations d'italien corrigées (je me souviens
encore du sujet : «Dégagez les phases du drame

de Didon ») et, alors qu'en général il se contentait de dire deux mots pour justifier mon huit ou mon neuf habituel, cette fois il me félicita de manière appuyée devant toute la classe, avant de révéler enfin qu'il m'avait mis rien de moins qu'un dix. À la fin du cours il me parla dans le couloir, il admirait vraiment la façon dont j'avais traité le sujet, et quand le professeur de religion apparut il l'arrêta et lui fit un résumé enthousiaste de ma dissertation. Quelques jours plus tard je me rendis compte que M. Gerace ne s'était pas limité au prêtre mais avait parlé de mon devoir à d'autres enseignants, et pas seulement de ma section. Maintenant certains professeurs du lycée m'adressaient des sourires dans les couloirs, me faisant même quelques commentaires. Une prof de la première A, par exemple, Mme Galiani, que tout le monde appréciait mais évitait parce qu'elle avait la réputation d'être communiste et parce que en deux répliques elle était capable de démonter une argumentation mal construite, m'arrêta dans le hall et s'enthousiasma surtout pour l'idée, centrale dans mon devoir, que si l'amour est banni des villes alors l'essence bénéfique des villes se transforme en essence maléfique. Elle me demanda :

« C'est quoi, pour toi, "une ville sans amour" ?

— Une population qui ne connaît pas le bonheur.

— Donne-moi un exemple. »

Je songeai aux discussions que j'avais eues avec Lila et Pasquale pendant tout le mois de septembre et sentis tout à coup que cela avait été une véritable école, plus vraie que celle où j'allais tous les jours.

« L'Italie pendant le fascisme, l'Allemagne

pendant le nazisme, nous tous, les êtres humains, dans le monde d'aujourd'hui. »

Elle me dévisagea avec un intérêt accru. Elle dit que j'écrivais très bien, me conseilla quelques lectures et proposa de me prêter des livres. À la fin elle me demanda ce que faisait mon père et je répondis « Portier à la mairie ». Elle s'éloigna tête baissée.

Naturellement cet intérêt de Mme Galiani me remplit d'orgueil mais il n'eut guère de suite, et la routine scolaire reprit son cours. Du coup je finis bientôt par trouver que même avoir acquis une petite célébrité grâce à mes capacités, et ce dès le petit lycée, ça ne valait pas grand-chose. En fin de compte, qu'est-ce que cela prouvait ? Cela prouvait surtout combien étudier et discuter avec Lila avait été fructueux et combien elle m'avait motivée et soutenue quand j'étais sortie dans ce monde qui n'était pas le quartier, parmi les choses, les personnes, les paysages et les idées des livres. Bien sûr, me disais-je, c'est moi qui ai fait cette dissertation sur Didon, et l'aptitude à formuler de belles phrases est la mienne ; bien sûr, ce que j'ai écrit sur Didon m'appartient ; mais est-ce que je ne l'ai pas élaboré avec elle, est-ce que nous ne nous sommes pas inspirées mutuellement, et ma passion n'a-t-elle pas grandi à la chaleur de la sienne ? Et cette idée de ville sans amour, qui avait tellement plu aux profs, est-ce qu'elle ne m'était pas venue de Lila, même si c'était moi qui l'avais développée ensuite, avec mes propres facultés ? Que devais-je donc en déduire ?

Je me mis à attendre de nouvelles louanges qui viendraient prouver l'autonomie de mon talent. Mais quand M. Gerace rendit un autre devoir sur la reine de Carthage (« Énée et Didon : rencontre entre deux réfugiés »), il ne fut guère enthousiaste et se contenta de me mettre huit. J'obtins en revanche de cordiales salutations de la part de Mme Galiani et découvris avec plaisir qu'elle était la prof de latin et grec de Nino Sarratore, élève de première A. J'attendais avec grande impatience des signes d'attention et d'estime qui confirmeraient mes capacités, et espérai au moins en recevoir de lui. Je me dis que si la prof de lettres me tressait des lauriers en public, disons devant sa classe, il se souviendrait de moi et m'adresserait enfin la parole. Mais il ne se passa rien et je l'apercevais toujours au début des cours, à la sortie, avec son même air absorbé et sans qu'il ne daigne jamais m'accorder un regard. Une fois j'en arrivai même à le suivre le long du Corso Garibaldi et de la Via Casanova, espérant qu'il me découvrirait et me dirait : salut, je vois qu'on fait le même chemin, j'ai beaucoup entendu parler de toi. Mais il marchait à vive allure, tête basse, et ne se retourna jamais. Je me sentis lasse et méprisable. Déprimée, je pris le Corso Novara et rentrai à la maison.

Je continuai ainsi jour après jour, occupée à prouver encore et toujours ma constance et mon application à tout le monde – professeurs, camarades et moi-même. Mais en même temps un sentiment de solitude croissait en moi, et je sentais que j'apprenais sans énergie. Je tentai alors de parler à Lila des regrets de M. Ferraro et lui conseillai de retourner à la bibliothèque. J'évoquai mon devoir sur Didon et comme il avait été bien reçu, sans lui dire ce que j'avais écrit mais en lui laissant entendre que je lui devais aussi mon succès. Elle m'écouta distraitement, peut-être ne se rappelait-elle même plus ce que nous avions raconté sur ce personnage : elle avait d'autres problèmes. Dès que je la laissai parler elle m'expliqua que Marcello Solara ne s'était pas résigné comme Pasquale et qu'il continuait à la suivre. Quand elle sortait faire les courses il lui emboîtait le pas sans la déranger jusqu'au magasin de Stefano ou la charrette d'Enzo, juste pour la regarder. Quand elle se mettait à la fenêtre elle le voyait immobile au coin de la rue en train d'attendre qu'elle apparaisse. Cette constance la rendait anxieuse. Elle craignait que son père, et surtout Rino, ne s'en rendent compte. Elle était effrayée à l'idée que cela déclenche une de ces histoires d'hommes dans lesquelles on se bagarre un jour sur deux – il y en avait tant, dans le quartier ! « Mais qu'est-ce que j'ai donc ? » me disait-elle. Elle se voyait maigre et laide : pourquoi Marcello était-il obsédé par elle ? « J'ai quelque chose qui ne va pas ? s'exclamait-elle. Je fais faire des bêtises aux gens. »

Désormais elle répétait souvent cette idée-là. Sa conviction d'avoir fait plus de mal que de bien à son frère s'était renforcée. « Il suffit de le regarder », soupirait-elle. Évanoui le projet de l'usine Cerullo, Rino restait obnubilé par son idée fixe de devenir aussi riche que les Solara et que Stefano, et même plus, et il ne parvenait pas à se résigner au quotidien de son travail à la boutique. Il lui disait, essayant de raviver leur ancien enthousiasme : « Nous, nous sommes intelligents, Lina, ensemble personne ne peut nous arrêter ! Dis-moi ce qu'on doit faire. » Lui aussi voulait s'acheter une voiture, un téléviseur, et il haïssait Fernando qui ne comprenait pas l'importance de ces objets. Mais surtout, quand Lila faisait montre de ne plus vouloir le soutenir, il la traitait encore pire qu'une servante. Peut-être ne se rendait-il même pas compte d'avoir terriblement changé mais elle, qui l'avait sous les yeux tous les jours, elle était vraiment alarmée. Elle me dit un jour :

« Tu sais, quand les gens se réveillent, ils sont tout moches, tout difformes et ils ont le regard vide. »

Eh bien, d'après elle Rino était devenu comme ça.

26

Un dimanche soir de la mi-avril, je me rappelle qu'on sortit à cinq : Lila, Carmela, Pasquale, Rino et moi. Nous les filles nous nous habillâmes le mieux possible et, à peine hors de la maison, nous mîmes du rouge à lèvres et un peu de fard à paupières. On prit le métro, qui était bondé ; pendant tout le trajet, Rino et Pasquale se tinrent sur le qui-vive à nos côtés. Ils craignaient que quelqu'un ne nous touche, mais personne ne s'y hasarda, nos accompagnateurs ayant des visages bien trop patibulaires.

On descendit le Toledo à pied. Lila insistait pour passer par la Via Chiaia, la Via Filangieri et puis par la Via dei Mille jusqu'à la Piazza Amedeo, des zones où nous savions qu'il y avait des gens riches et élégants. Rino et Pasquale n'étaient pas d'accord, mais ils ne pouvaient ou ne voulaient nous expliquer pourquoi, et se limitaient à répondre par des grommellements en dialecte et des insultes adressées à des personnes indéterminées qu'ils appelaient des tapettes. Nous insistâmes toutes les trois de concert. À ce moment, on entendit de grands coups de klaxon. On se retourna, c'était la Millecento des Solara. On ne remarqua même pas les deux frères tant on fut frappé par les deux filles qui agitaient le bras par la vitre : c'étaient Gigliola et Ada. Elles avaient l'air tellement belles ! Elles avaient de beaux vêtements, de belles coiffures, de belles boucles d'oreilles brillantes et nous saluaient joyeusement de la main et de la voix. Rino et Pasquale détournèrent les yeux, Carmela et moi fûmes trop surprises pour répondre quoi que ce soit. Seule Lila cria quelque chose avec enthousiasme et leur dit bonjour avec de grands signes, tandis que leur voiture disparaissait en direction de la Piazza Plebiscito.

Pendant un moment tout le monde se tut, puis Rino dit sombrement à Pasquale qu'on avait toujours su que Gigliola était une traînée, ce à quoi Pasquale acquiesça gravement. Aucun des deux ne fit allusion à Ada : Antonio était leur ami et ils ne voulaient pas l'offenser. Mais c'est Carmela qui se mit à dire beaucoup de mal d'Ada. Moi je me sentis surtout pleine d'amertume. Ce qui était passé devant nos yeux en un éclair, ces quatre jeunes gens en voiture, c'était l'image même de la puissance, et eux savaient comment sortir du quartier pour faire la fête. Pas comme nous, qui avions tout faux : à pied, mal habillés et fauchés. J'eus envie de rentrer tout de suite à la maison. Lila au contraire, comme si cette rencontre n'avait jamais eu lieu, réagit en insistant à nouveau pour aller se promener là où il y avait des gens élégants. Elle s'accrocha au bras de Pasquale, cria, rit et se mit à faire ce qu'elle pensait être la parodie des gens riches, à savoir remuer du popotin en distribuant larges sourires et saluts nonchalants. Après un moment d'hésitation nous nous mîmes à l'unisson, amères à l'idée de Gigliola et Ada qui prenaient du bon temps en Millecento avec les magnifiques Solara, alors que nous nous étions à pied en compagnie de Rino qui ressemelait des chaussures et de Pasquale qui était maçon.

Notre insatisfaction, qui évidemment était inexprimée, dut parvenir par quelque voie secrète aux deux jeunes hommes : ils se regardèrent, soupirèrent et cédèrent. D'accord, firent-ils, et on prit par la Via Chiaia.

Ce fut comme franchir une frontière. Je me souviens d'une foule dense de promeneurs et d'une différence qui était humiliante. Je ne regardais pas les garçons mais les filles et les femmes : elles étaient totalement différentes de nous. Elles avaient l'air d'avoir respiré un autre air, d'avoir mangé des aliments différents, de s'être habillées sur une autre planète et d'avoir appris à marcher sur des souffles de vent. J'étais bouche bée. En plus, moi je me serais bien arrêtée pour contempler à mon aise leurs habits, leurs chaussures et le genre de lunettes qu'elles portaient quand elles en avaient, mais ces femmes-là passaient sans avoir l'air de me voir. Elles ne voyaient aucun de nous cinq. Nous étions invisibles. Ou sans intérêt. Pis, si par hasard leur regard tombait sur nous, elles se tournaient immédiatement dans une autre direction, comme irritées. Elles ne se regardaient qu'entre elles.

Nous nous en rendîmes tous compte. Personne ne parla mais nous comprîmes que Rino et Pasquale, plus âgés, trouvaient simplement dans ces rues la confirmation de quelque chose qu'ils savaient déjà, ce qui les mettait de mauvaise humeur et les rendait agressifs, énervés par la certitude de ne pas être à leur place ; mais nous les filles nous le découvrions seulement maintenant, et avec des sentiments ambivalents. Nous nous sentîmes à la fois mal à l'aise et enchantées, moches mais aussi enclines à nous imaginer comment nous deviendrions si nous avions les moyens de nous rééduquer, nous habiller, nous maquiller et nous pomponner comme il fallait. Et puis, pour ne pas gâcher notre soirée, nous réagissions en ricanant et ironisant :

« Toi tu mettrais une robe comme ça ?

— Même pas si on me payait.

— Eh bien moi si !

— Bravo, comme ça tu aurais l'air d'un gros sac, comme celle-ci !

— Et t'as vu les chaussures ?

— Pétard ! C'est des godasses, ces machins-là ? »

On avança jusqu'à hauteur du Palazzo Cellammare, riant et plaisantant. Pasquale évitait par tous les moyens de se mettre près de Lila et, quand elle l'avait pris par le bras, il s'était aussitôt dégagé avec gentillesse (certes il lui adressait souvent la parole et éprouvait un plaisir évident à entendre sa voix et à la regarder, mais on voyait que le moindre contact le bouleversait et aurait peut-être même pu le faire pleurer), il marchait à mes côtés et me demanda, sarcastique :

« Elles sont comme ça, les filles de ton école ?

— Non.

— Alors ça doit pas être une bonne école.

— C'est un lycée, expliquai-je, vexée.

— Mais il n'est pas bon, insista-t-il, ça se voit : si

y a pas de gens comme ça, alors il craint. C'est pas vrai, Lila, qu'il craint ?

— Il craint ? » reprit Lila, et elle indiqua une fille blonde qui venait dans notre direction accompagnée d'un grand jeune homme brun vêtu d'un pull tout blanc avec un col en V. « Si y en a pas une comme ça, alors ton école elle est vraiment nulle ! » Et elle éclata de rire.

La jeune fille était tout en vert : chaussures vertes, jupe verte, veste verte, et sur la tête – c'était surtout ça qui faisait rire Lila – un chapeau melon comme celui de Charlot, vert lui aussi.

Son hilarité nous gagna tous. Quand le couple passa près de nous Rino fit un commentaire vraiment vulgaire sur ce que la demoiselle en vert pouvait bien faire avec son chapeau melon, et cela fit tellement rire Pasquale qu'il dut faire une pause, appuyant son bras contre un mur. La jeune fille et son compagnon firent quelques pas avant de s'arrêter. Le garçon au pull-over blanc se retourna et la jeune fille le retint aussitôt par le bras. Il se dégagea, fit demi-tour et s'adressa directement à Rino avec une flopée de phrases insultantes. Tout se passa très vite. Rino l'abattit d'un coup de poing en plein visage en criant :

« Tu m'as traité de quoi ? J'ai pas compris, répète un peu, tu m'as traité de quoi ? Pascà, t'as entendu de quoi y m'a traité ? »

Nous les filles nous passâmes brusquement du rire à la frayeur. Lila fut la première à s'élancer sur son frère avant qu'il ne se mette à rouer de coups de pied le jeune à terre, et elle l'entraîna ailleurs. Elle avait une expression incrédule, comme si mille fragments de notre vie, de l'enfance à notre quatorzième année, s'étaient enfin mis en place pour composer une image claire, mais que celle-ci lui paraissait en ce moment totalement invraisemblable.

Nous poussâmes Rino et Pasquale plus loin pendant que la jeune fille au chapeau melon aidait son fiancé à se relever. L'incrédulité de Lila se transformait en fureur désespérée. Tout en l'entraînant elle se mit à couvrir son frère d'insultes très vulgaires et le menaça en le tirant par le bras. Rino se protégea d'une main, un rictus nerveux sur le visage, et s'adressa en même temps à Pasquale :

« Ma sœur croit qu'on est là pour jouer, Pascà, dit-il en dialecte et avec des yeux de fou, ma sœur s'imagine que si je dis qu'il vaut mieux pas aller quelque part, elle comme d'hab' elle peut faire celle qui sait toujours tout, celle qui comprend toujours tout, et y aller quand même ! » Courte pause pour reprendre son souffle et il ajouta : « T'as entendu que c'connard y m'a traité d'plouc ? Plouc, moi ? Moi ? » Avant de continuer, emporté par l'émotion : « Ma sœur m'emmène ici et qu'est-c'qu'elle voit ? Que j'me fais traiter d'plouc ? Elle va voir c'qui leur arrive, à ceux qui m'traitent de plouc ! »

« Calme-toi, Rino », lui enjoignit sombrement Pasquale, qui regardait de temps en temps derrière lui, alarmé.

Rino continua à s'agiter, mais en sourdine. Lila en revanche se calma. On s'arrêta sur la Piazza dei Martiri. Pasquale dit presque froidement, en s'adressant à Carmela :

« Maintenant vous rentrez à la maison.

— Toutes seules ?

— Oui.

— Nan.

— Carmè, j'ai pas envie de discuter : vous rentrez.

— On connaît pas le chemin.

— Raconte pas de bobards.

— Vas-y, dit Rino à Lila en essayant de se maîtriser, prends un peu de sous, comme ça vous vous achèterez une glace en passant.

— On est partis ensemble alors on rentre ensemble. »

Rino perdit à nouveau patience et la poussa :

« Mais c'est pas fini ? Le grand frère c'est moi et tu fais c'que j'te dis. Magne-toi, allez, sinon dans une seconde j'te décolle la tronche. »

Je me rendis compte qu'il allait le faire pour de vrai, alors je tirai Lila par le bras. Elle aussi comprit ce qu'elle risquait :

« Je vais le dire à papa.

— Qu'est-ce que ça peut foutre ! Vas-y, dégage, tu mérites même pas une glace. »

Hésitantes nous nous éloignâmes en prenant par la Via Santa Caterina. Mais peu après Lila changea d'avis, s'arrêta et dit qu'elle retournait auprès de son frère. Nous essayâmes de la convaincre de rester avec nous, mais elle ne voulait rien savoir. Alors même que nous étions en train de discuter nous vîmes arriver une bande de garçons, ils étaient peut-être cinq ou six et ils ressemblaient aux canotiers que nous avions quelquefois admirés sous le Castel dell'Ovo en nous promenant le dimanche. Ils étaient tous grands, bien bâtis et bien habillés. Certains avaient un bâton, d'autres pas. Ils passèrent près de l'église d'un bon pas et se dirigèrent vers la place. Parmi eux il y avait le jeune que Rino avait frappé au visage, son pull en V était taché de sang.

250

Lila se libéra de mon emprise et partit en courant, suivie de Carmela et moi. Nous arrivâmes à temps pour voir Rino et Pasquale côte à côte qui reculaient vers le monument au centre de la place, et la bande de garçons bien habillés qui leur couraient après et les frappaient avec leurs bâtons. On cria à l'aide, on se mit à pleurer et à arrêter des passants, mais les bâtons faisaient peur et personne ne réagissait. Lila attrapa un des agresseurs par le bras et fut jetée à terre. Je vis Pasquale à genoux roué de coups de pied, et Rino qui se protégeait des coups de bâtons avec son bras. Puis une voiture s'arrêta : c'était la Millecento des Solara.

Marcello en descendit aussitôt, commença par aider Lila à se relever et puis, encouragé par la jeune fille qui hurlait de rage et appelait son frère, il se jeta dans la mêlée, distribuant et recevant des gnons. C'est alors seulement que Michele sortit de la voiture : il alla tranquillement ouvrir le coffre, prit quelque chose qui avait l'air d'un morceau de fer brillant, et là il se lança dans la mêlée, frappant avec une férocité froide que j'espère ne jamais revoir de ma vie. Rino et Pasquale se relevèrent furieux et se mirent à taper, serrer, déchirer : ils m'avaient l'air de deux inconnus tant ils étaient transformés par la haine. Les jeunes bien habillés durent battre en retraite. Michele s'approcha de Pasquale qui saignait du nez ; mais Pasquale le repoussa avec brusquerie, puis il passa la manche de sa chemise blanche sur son visage et la regarda, elle était toute rouge. Marcello ramassa un trousseau de clefs par terre et le donna à Rino qui remercia, mal à l'aise. Les gens qui au début s'étaient éloignés se rapprochaient maintenant, intrigués. Moi j'étais paralysée par la peur.

« Ramenez les filles », dit Rino aux deux Solara – et il avait le ton reconnaissant de celui qui sait qu'il demande une chose inéluctable.

Marcello nous obligea à monter en voiture en commençant par Lila, celle qui faisait le plus de résistance. On se casa toutes sur le siège arrière, l'une sur les genoux de l'autre, et on partit. Je me retournai pour regarder Pasquale et Rino qui s'éloignaient vers la Riviera, Pasquale en boitant. J'eus l'impression que notre quartier s'était élargi et avait englobé tout Naples, même les rues des gens respectables. Dans la voiture il y eut tout de suite des tensions. Gigliola et Ada étaient très fâchées et râlèrent d'être aussi mal installées. « Mais c'est pas possible ! » s'exclamaient-elles. « Vous avez qu'à descendre et rentrer à pied ! » cria Lila, et elles étaient sur le point de se taper dessus. Marcello amusé freina. Gigliola descendit et, de sa démarche lente de princesse, alla s'asseoir devant, sur les genoux de Michele. On fit tout le trajet ainsi, avec Gigliola et Michele qui n'arrêtaient pas de s'embrasser sous nos yeux. Je la regardais et, tout en donnant des baisers passionnés, elle me regardait aussi. Je détournais aussitôt les yeux.

Lila ne dit plus rien jusqu'à notre retour au quartier. Marcello lança quelques mots en la cherchant du regard dans le rétroviseur, mais elle ne lui répondit jamais. Nous leur demandâmes de nous déposer loin de chez nous pour éviter d'être vues dans la voiture des Solara. Puis nous fîmes le reste du chemin à pied, nous les cinq filles. À part Lila, qui semblait dévorée par la rage et l'inquiétude, nous étions toutes très admiratives devant le comportement des deux frères. Bravo, disions-nous, ils ont été réglo. Gigliola répétait sans cesse « Bien sûr!», «Qu'est-ce que vous croyez?», «Évidemment!», comme si, travaillant dans leur pâtisserie, elle était bien placée pour savoir que les Solara étaient des gens de qualité. À un moment donné elle me demanda, avec l'air de se payer ma tête :

« Alors c'est comment, l'école ?

— Super.

— Mais tu ne t'amuses pas comme moi !

— C'est un autre genre d'amusement. »

Quand Carmela, Ada et elle nous quittèrent pour retourner dans leurs immeubles, je dis à Lila :

« C'est sûr, les bourgeois ils sont pires que nous. »

Elle ne répondit rien. J'ajoutai, circonspecte :

« Les Solara sont peut-être des gens de merde, mais heureusement qu'ils étaient là : les mecs de la Via dei Mille pouvaient les tuer, Rino et Pasquale. »

Elle secoua vigoureusement la tête. Elle était plus pâle qu'à l'ordinaire et avait de profonds cernes violets sous les yeux. Elle n'était pas d'accord mais ne me dit pas pourquoi.

27

Je passai avec des neuf partout et j'allais même recevoir quelque chose qui s'appelait une bourse d'études. Sur les quarante élèves du début il en restait trente-deux. Gino fut recalé et Alfonso dut passer le rattrapage en septembre dans trois matières. Poussée par mon père j'allai chez Mme Oliviero – ma mère n'était pas d'accord car elle n'aimait pas qu'Oliviero mette le nez dans ses affaires de famille et s'arroge le droit de prendre des décisions sur ses enfants à sa place – en lui amenant comme d'habitude deux paquets, un de sucre et un de café, achetés au bar Solara, afin de la remercier de son intérêt pour moi.

Elle n'allait pas bien, elle avait quelque chose à la gorge qui lui faisait mal, mais elle me félicita chaleureusement, me complimenta pour mes efforts et, me trouvant un peu pâle, ajouta qu'elle avait l'intention de téléphoner à l'une de ses cousines qui habitait Ischia pour voir si elle pouvait m'héberger quelque temps. Je la remerciai et ne dis rien de cette éventualité à ma mère. Je savais déjà qu'elle ne voudrait jamais m'y envoyer. Moi à Ischia ? Moi seule sur le bateau pour faire un voyage en mer ? Et moi seule sur la plage, en train de me baigner en maillot de bain ?

Je n'en parlai même pas à Lila. En quelques mois sa vie avait même perdu l'aura d'aventure que lui avait donnée la fabrique de chaussures, et je n'avais envie de me vanter ni de l'école, ni de la bourse d'études, ni de possibles vacances à Ischia. En apparence sa situation semblait s'être améliorée : Marcello Solara avait cessé de la suivre partout. Mais après les violences de la Via dei Martiri, il s'était passé quelque chose de tout à fait inattendu qui la laissait perplexe. Marcello s'était présenté à la boutique pour s'informer de la santé de Rino, faisant ainsi à Fernando un honneur qui l'avait fortement agité. À part que Rino s'était bien gardé de raconter à son père ce qui s'était passé (pour justifier les bleus qu'il avait sur le visage et le corps il avait raconté qu'il avait fait une chute avec la Lambretta d'un ami) : du coup, craignant que Marcello ne dise un mot de trop, il l'avait tout de suite entraîné dans la rue. Ils avaient fait quelques pas ensemble. À contrecœur Rino avait remercié Marcello d'être intervenu et aussi d'être gentiment venu voir comment il allait. Deux minutes et puis ils s'étaient dit au revoir. De retour dans l'arrière-boutique son père avait commenté :

« Tu fais enfin quelque chose de bien.

— Quoi ?

— Être ami avec Marcello Solara.

— On n'est pas du tout amis, papa.

— Alors décidément, crétin tu es et crétin tu restes. »

Fernando voulait dire que quelque chose était en train de changer et que son fils aurait bien fait d'encourager ce changement, quel que soit le nom qu'on veuille lui donner. Et il avait raison. Marcello était revenu deux jours plus tard avec les chaussures de son grand-père à ressemeler ; puis il avait invité Rino à faire un tour en voiture ; ensuite il avait voulu lui apprendre à conduire ; enfin il l'avait poussé à faire les démarches pour obtenir le permis, prenant la responsabilité de le laisser s'entraîner au volant de sa Millecento. Ce n'était peut-être pas de l'amitié, mais clairement les Solara avaient Rino à la bonne.

Lila était tenue à l'écart de cette fréquentation qui se déroulait entièrement autour de la cordonnerie, où elle ne mettait plus les pieds, mais quand elle en entendait parler elle éprouvait, contrairement à son père, une inquiétude croissante. Au début elle s'était souvenue de la bataille des feux d'artifice et avait pensé : Rino déteste trop les Solara pour se laisser embobiner, c'est impossible. Puis elle avait dû constater que les attentions de Marcello séduisaient son grand frère encore plus que ses parents. Désormais elle savait bien que

Rino était fragile, mais elle s'énervait tout de même quand elle voyait comment les Solara réussissaient à accaparer son esprit, faisant de lui une espèce de petit singe tout content.

« Qu'est-ce qu'il y a de mal ? objectai-je un jour.

— Ils sont dangereux.

— Mais ici tout est dangereux.

— Tu as vu ce que Michele a pris dans sa voiture, Piazza dei Martiri ?

— Non.

— Une barre de fer.

— Les autres avaient bien des bâtons.

— Tu n'y es pas, Lenù : la barre avait une pointe au bout, s'il avait voulu il aurait pu leur transpercer la poitrine, à ces mecs, ou l'estomac.

— Ben, t'as bien menacé Marcello avec un tranchet ! »

Cela l'agaça et elle dit que je ne comprenais pas. Et c'était sans doute vrai. Il s'agissait de son frère et pas du mien ; moi j'aimais raisonner alors qu'elle avait d'autres priorités, elle voulait sortir Rino de cette relation. Mais à peine adressait-elle quelques allusions critiques à Rino qu'il la faisait taire, la menaçait et parfois la battait. Bref, bon gré mal gré les choses évoluèrent, tant et si bien qu'un soir de la fin juin – j'étais chez Lila, je l'aidais à plier des draps ou bien à faire autre chose, je ne sais plus – la porte de leur logement s'ouvrit et Rino entra, suivi de Marcello.

Il avait invité Solara à dîner. Sur le coup cela embêta Fernando qui rentrait tout juste de la boutique, épuisé, mais ensuite il se sentit honoré et se comporta avec cordialité. Ne parlons pas de Nunzia : toute fébrile, elle remercia pour les trois bonnes bouteilles de vin que Marcello avait apportées et entraîna les autres enfants à la cuisine pour qu'ils ne dérangent pas.

Moi-même il fallut que je m'occupe de préparer le dîner avec Lila.

« Je vais lui mettre du poison pour cafards ! » disait Lila furieuse, devant les fourneaux : on riait mais Nunzia nous faisait taire.

« Il est venu t'épouser, la provoquais-je, il va demander ta main à ton père.

— Il se fait des illusions.

— Et pourquoi ? demandait Nunzia anxieuse. S'il veut de toi, tu lui dis non ?

— M'man, je lui ai déjà dit non.

— C'est pas vrai !

— Si.

— Elle dit la vérité ?

— Oui, confirmai-je.

— Ton père ne doit jamais le savoir, sinon il te tue ! »

Pendant le dîner Marcello fut le seul à parler. À l'évidence il s'était invité et Rino, qui n'avait pas su lui dire non, demeura silencieux pendant tout le repas, à part quelques rires sans motif. Solara parla en s'adressant surtout à Fernando, mais sans jamais oublier de verser de l'eau ou du vin à Nunzia, Lila et moi. Il dit au maître de maison qu'il était estimé dans tout le quartier pour ses talents de cordonnier. Il raconta que son propre père était toujours plein d'éloges pour la grande habileté de Fernando. Il ajouta que Rino avait pour ses compétences une admiration sans bornes.

Fernando en fut tout ému – c'était aussi un peu le vin. Il bredouilla quelque chose en l'honneur de Silvio Solara et finit même par dire que Rino était un grand travailleur et qu'il devenait très bon. Alors

Marcello se mit à vanter les nécessités du progrès. Il raconta que son grand-père avait commencé dans un sous-sol, puis son père avait agrandi le magasin, et aujourd'hui le bar-pâtisserie Solara était ce qu'il était, tout le monde le connaissait et les gens venaient de tout Naples pour y prendre un café et déguster un gâteau.

« Quelle exagération ! » s'exclama Lila, et son père la fusilla du regard.

Mais Marcello lui sourit humblement et admit :

« D'accord, peut-être que j'exagère un peu, mais c'est juste pour dire que l'argent doit circuler. On commence dans une cave et, génération après génération, on peut aller très loin. »

Il se mit alors à vanter l'idée de fabriquer des chaussures neuves, mettant surtout Rino visiblement mal à l'aise. Et à partir de là il commença à fixer Lila comme si, quand il exaltait l'énergie des nouvelles générations, c'était surtout elle qu'il exaltait. Il disait : si on en a vraiment envie, si on est bon, si on sait inventer des choses intéressantes et qui plaisent, alors pourquoi ne pas se lancer ? Il s'exprima dans un dialecte beau et captivant et ne cessa jamais de regarder mon amie. Je sentais, je voyais qu'il en était amoureux comme dans les chansons, il aurait voulu l'embrasser et respirer l'air qu'elle respirait, et elle aurait pu faire de lui tout ce qu'elle voulait. À ses yeux elle incarnait toutes les qualités féminines possibles et imaginables.

« Je sais, conclut Marcello, que vos enfants ont fabriqué une très belle paire de chaussures, du 43, exactement ma pointure. »

Un long silence s'installa. Rino fixait son assiette sans oser lever les yeux vers son père. On n'entendait que le remue-ménage du chardonneret près de la fenêtre. Fernando dit lentement :

« Oui, c'est bien du 43.

— J'aimerais beaucoup les voir, si cela ne vous ennuie pas. »

Fernando grommela :

« Je ne sais pas où elles sont. Nunzia, tu as une idée ?

— C'est elle qui les a », intervint Rino en faisant allusion à sa sœur.

Lila regarda Solara droit dans les yeux et dit :

« Oui, je les avais et elles étaient dans le cagibi. Mais avant-hier maman m'a dit de faire le ménage et je les ai jetées. De toute façon elles ne plaisaient à personne. »

Rino s'énerva et s'exclama :

« Tu mens, va tout de suite chercher les chaussures ! »

Fernando renchérit, nerveux :

« Allez, va les chercher, ces chaussures. »

Lila explosa et lança à son père :

« Comment ça se fait que tu veux les voir, maintenant ? Je les ai jetées parce que tu as dit que tu ne les aimais pas ! »

Fernando frappa sur la table avec sa main ouverte et le vin en trembla dans les verres :

« Lève-toi et va chercher ces chaussures, tout de suite. »

Lila écarta sa chaise et se leva :

« Je les ai jetées », répéta-t-elle faiblement avant de quitter la pièce.

Elle ne revint plus.

Le temps passa en silence. Le premier à s'alarmer fut justement Marcello. Il dit avec une réelle anxiété :

259

« J'ai dû me tromper, je n'avais pas compris qu'il y avait des problèmes.

— Il n'y a pas de problèmes, rétorqua Fernando avant de souffler à sa femme : va voir ce que fabrique ta fille. »

Nunzia quitta la pièce. Quand elle revint elle était extrêmement gênée : Lila avait disparu. On la chercha dans toute la maison, elle n'était pas là. On l'appela par la fenêtre : rien. Marcello, navré, prit congé. Dès qu'il fut parti Fernando hurla, s'adressant à sa femme :

« Cette fois j'te jure par tous les saints que j'la tue, ta fille ! »

Rino s'unit aux menaces de son père et Nunzia se mit à pleurer. Je m'en allai presque sur la pointe des pieds, effrayée. Mais j'avais à peine fermé la porte et étais encore sur le palier quand Lila m'appela. Elle était au dernier étage, où je la rejoignis sur la pointe des pieds. Elle était recroquevillée près de la porte menant sur le toit, dans la pénombre. Elle serrait les chaussures contre sa poitrine, je les vis pour la première fois avec toutes les finitions. Elles brillaient dans la faible lueur d'une ampoule qui pendait d'un fil électrique.

« Qu'est-ce que ça te coûtait, de les lui montrer ? » demandai-je perplexe.

Elle secoua vigoureusement la tête :

« Je veux même pas qu'il les touche ! »

Mais elle semblait elle-même dépassée par la violence de sa réaction. Sa lèvre inférieure tremblait, ce qui ne lui arrivait jamais.

Je la convainquis tout doucement de rentrer, elle ne pouvait rester tapie là-haut éternellement. Je l'accompagnai chez elle dans l'espoir que ma présence la protégerait. Mais il y eut quand même des hurlements, des insultes et quelques gifles. Fernando cria que, pour un simple caprice, elle lui avait fait perdre la face devant un invité de marque. Rino lui arracha les chaussures des mains en disant qu'elles étaient à lui, c'était lui qui avait travaillé dur. Elle se mit à pleurer en murmurant : « Moi aussi j'y ai travaillé, mais j'aurais mieux fait de ne jamais commencer : tu es devenu fou, une vraie bête. » Nunzia vint mettre fin à ce supplice. Elle devint toute grise et, avec une voix qui n'était pas celle de d'habitude, ordonna à ses enfants et même à son mari – elle qui était toujours si soumise – d'arrêter immédiatement, de lui donner les chaussures et de ne pas ajouter un mot s'ils ne voulaient pas qu'elle se jette par la fenêtre. Rino lui remit aussitôt les chaussures et cette fois les choses en restèrent là. Moi je m'éclipsai.

28

Mais Rino ne capitula pas, et les jours suivants il continua à agresser sa sœur avec des mots et des gifles. Chaque fois que je rencontrais Lila elle avait un nouveau bleu. Après quelque temps je sentis qu'elle se résignait. Un matin il l'obligea à sortir avec lui et à l'accompagner jusqu'à la cordonnerie. En chemin tous deux cherchèrent un moyen, par des avancées très prudentes, de mettre fin à cette guerre. Rino lui dit qu'il l'aimait beaucoup mais qu'elle ne voulait le bien de personne, ni celui de ses parents ni celui de ses frères et sœurs. Lila marmonna : « Mais c'est quoi, ton bien ? Et le bien de notre famille ? Dis-moi un peu… » Il lui révéla petit à petit l'idée qu'il avait derrière la tête :

« Si Marcello aime nos chaussures, papa changera d'avis.

— Ça m'étonnerait.

— Si, c'est sûr. Et si Marcello va jusqu'à les acheter, papa comprendra que tes modèles sont bons, qu'ils peuvent marcher, et il commencera à nous faire travailler.

— Tous les trois ?

— Lui, moi, et si ça se trouve toi aussi. Papa est capable de faire une paire de chaussures avec toutes les finitions en quatre jours, au maximum cinq. Et moi, si je m'y mets tu vas voir que j'arriverai à faire pareil. On les fabrique, on les vend et on s'autofinance : fabrication, vente, autofinancement !

— Et à qui on les vend ? Toujours à Marcello Solara ?

— Les Solara font toutes sortes de trafics et ils connaissent les gens qui comptent. Ils nous feront de la publicité.

— Et ils la feront gratis ?

— S'ils veulent un petit pourcentage, on le leur donnera.

— Pourquoi ils se contenteraient d'un petit pourcentage ?

— Parce qu'ils me trouvent sympathique.

— Les Solara ?

— Ben ouais. »

Lila soupira :

« On fait une chose : j'en parle à papa et on voit ce qu'il en dit.

— T'as pas intérêt.

— C'est ça ou rien. »

Rino se tut, très nerveux :

« D'accord. En tout cas c'est toi qui parles, tu es meilleure. »

Le soir même, au dîner, devant son frère qui avait le visage en feu, Lila dit à Fernando que Marcello n'avait pas seulement manifesté une grande curiosité envers le projet de chaussures mais qu'il serait peut-être aussi disposé à les acheter et, s'il se passionnait pour le sujet du point de vue commercial, il pourrait même faire beaucoup de publicité pour le produit dans les milieux qu'il fréquentait – en échange, naturellement, d'un petit pourcentage sur les ventes.

« Ça c'est mon idée, précisa Rino les yeux baissés, pas celle de Marcello. »

Fernando regarda sa femme : Lila comprit qu'ils s'étaient parlé et qu'ils étaient déjà arrivés à une conclusion secrète.

« Demain, dit-il, je mets vos chaussures dans la vitrine du magasin. Si quelqu'un veut les voir, les essayer, les acheter ou faire quoi que ce soit avec, alors putain il faut qu'il m'en parle, c'est moi qui décide. »

Quelques jours plus tard je passai devant la boutique. Rino travaillait et Fernando aussi, tous deux tête baissée, penchés sur leur ouvrage. Je vis en vitrine, entre lacets et boîtes de cirage, les belles et harmonieuses chaussures de la marque Cerullo. Un écriteau collé sur le verre, certainement signé Rino, disait exactement cela, de manière pompeuse : « Ici chaussures de la marque Cerullo. » Père et fils attendaient que la chance vienne frapper à leur porte.

Mais Lila était sceptique et maussade. Elle n'accordait aucun crédit aux hypothèses naïves de son frère et craignait l'entente obscure entre son père et sa mère. Bref, elle s'attendait au pire. Une semaine passa et personne ne manifesta le moindre intérêt pour les chaussures en vitrine, pas même Marcello. C'est seulement parce que Rino l'invita expressément, pour ne pas dire qu'il le traîna de force dans le magasin, que Solara leur jeta un coup d'œil, mais comme s'il avait bien autre chose en tête. Il les essaya, certes, mais dit qu'elles étaient un peu étroites et les ôta aussitôt avant de fuir sans un mot de félicitation, comme s'il avait mal au ventre et devait courir à la maison. Déception du père et du fils. Mais deux minutes plus tard Marcello réapparut. Rino bondit aussitôt sur ses pieds, radieux, et lui tendit la main comme si un accord, par le simple fait d'être revenu, avait déjà été conclu. Mais Marcello l'ignora et s'adressa directement à Fernando. Il dit d'un trait :

« Mes intentions sont tout à fait sérieuses, Don Fernà : je voudrais la main de votre fille Lina. »

29

Rino réagit à ce coup de théâtre par une très forte fièvre qui le tint éloigné du travail pendant des jours. Et quand brusquement la fièvre tomba il développa d'autres symptômes inquiétants : il quittait son lit en pleine nuit sans cesser de dormir, se dirigeait vers la porte muet et très agité, essayait de l'ouvrir et se démenait, les yeux grands ouverts. Nunzia et Lila, effrayées, le forçaient à se recoucher.

Fernando en revanche, qui comme sa femme avait tout de suite deviné les véritables intentions de Marcello, parla calmement à sa fille. Il lui expliqua que la proposition de Marcello Solara était importante non seulement pour son avenir mais aussi pour celui de toute la famille. Il lui dit qu'elle n'était encore qu'une petite fille et qu'elle n'était pas tenue à dire oui tout de suite mais ajouta que lui, en tant que père, lui conseillait de consentir. De longues fiançailles à la maison la prépareraient progressivement au mariage.

Lila, tout aussi calmement, lui répondit que plutôt que de se fiancer et ensuite se marier avec Marcello Solara, elle préférerait aller se jeter dans l'étang. Une grosse dispute s'ensuivit, mais cela ne la fit pas changer d'avis.

Je demeurai assommée par cette nouvelle. Je savais bien que Marcello voulait coûte que coûte se fiancer avec Lila, mais il ne me serait jamais venu à l'idée qu'on pût recevoir une demande en mariage à notre âge. Et pourtant c'est ce qui était arrivé à Lila, alors qu'elle n'avait même pas quinze ans, n'avait jamais eu de petit ami en secret, et n'avait jamais échangé de baiser avec personne. Je me mis aussitôt de son côté. Se marier ? Avec Marcello Solara ? Et si ça se trouve avoir des enfants ? Ah ça non, jamais ! Je l'encourageai à mener cette nouvelle guerre contre son père et jurai de la soutenir, même si maintenant il n'était plus calme du tout et s'était mis à la menacer, disant que, pour son bien à elle, il lui briserait tous les os si elle n'acceptait pas un aussi bon parti.

Mais je n'eus pas la possibilité de rester à ses côtés. Mi-juillet il m'arriva quelque chose que j'aurais dû anticiper mais qui me prit pourtant au dépourvu – et me bouleversa. Une fin d'après-midi, après ma promenade habituelle dans le quartier avec Lila pour discuter de ce qui lui arrivait et de la façon de s'en sortir, je rentrai chez moi, et c'est ma sœur Elisa qui vint m'ouvrir. Elle m'annonça tout émue qu'il y avait sa maîtresse, c'est-à-dire Mme Oliviero, dans la salle à manger. Elle discutait avec notre mère.

Je me présentai timidement dans la pièce et ma mère, de mauvaise humeur, bougonna :

« Mme Oliviero dit que tu dois te reposer, tu es très fatiguée. »

Je regardai Mme Oliviero sans comprendre. C'était plutôt elle qui avait l'air d'avoir besoin de repos, elle était pâle et avait le visage gonflé. Elle m'expliqua :

« Ma cousine m'a répondu hier : tu peux aller chez elle à Ischia et y rester jusqu'à fin août. Elle t'accueille volontiers, il faut juste que tu l'aides un peu avec la maison. »

Elle s'adressa à moi comme si elle était ma mère et comme si ma vraie mère, celle avec la jambe vexée et l'œil de traviole, n'était qu'un être à mettre au rebut et qu'on pouvait donc tout à fait ignorer. Qui plus est, elle ne partit pas immédiatement après cette communication mais s'attarda une bonne heure pour me montrer un à un les livres qu'elle m'avait apportés pour me les prêter. Elle m'expliqua lesquels je devais lire en premier et lesquels je devais lire après, me fit jurer qu'avant de commencer je les couvrirais, et il fallait que je les lui rende tous à la fin de l'été sans qu'aucun ne soit corné. Ma mère résista patiemment. Elle resta assise et attentive, même si son œil strabique lui donnait un air halluciné. Elle explosa seulement

266

quand la maîtresse prit enfin congé – ce qu'elle fit avec un geste méprisant envers ma mère et sans même une caresse pour ma sœur, qui y tenait et en aurait été fière. Ma mère s'adressa à moi dévorée par la rancœur à cause de l'humiliation qu'elle estimait avoir subie par ma faute. Elle me lança :

« Mademoiselle doit aller se reposer à Ischia, Mademoiselle a trop travaillé ! Allez, va donc préparer le dîner, sinon je t'en colle une. »

Pourtant deux jours plus tard, après avoir pris mes mesures et m'avoir cousu en toute hâte un maillot de bain copié Dieu sait où, elle m'accompagna elle-même au vaporetto. Pendant le trajet menant au port, et puis en prenant mon billet et en attendant l'embarquement, elle ne cessa de m'abreuver de recommandations. Ce qui l'effrayait le plus c'était la traversée. « Espérons que la mer ne sera pas trop agitée », disait-elle comme se parlant à elle-même. Elle jurait que quand j'étais petite, trois ou quatre ans, elle m'avait emmenée à Coroglio tous les jours pour soigner un catarrhe : la mer était calme et j'avais appris à nager. Mais moi je ne me rappelais ni Coroglio, ni la mer, ni que je savais nager, et je le lui dis. Alors elle prit un ton agressif comme pour me signifier que mon éventuelle noyade ne serait pas à lui imputer à elle, qui avait fait tout ce qu'il fallait pour l'éviter, mais entièrement à mon manque de mémoire. Puis elle me recommanda de ne jamais m'éloigner de la rive, même quand la mer était calme, et de rester à la maison quand elle était agitée ou quand il y avait le drapeau rouge. « Et surtout, ajouta-t-elle, si tu viens de manger ou si tu as tes règles, alors tu ne dois même pas mettre le pied dans l'eau ! » Avant de me quitter elle s'adressa à un vieux marin pour qu'il m'ait à l'œil. Quand le vaporetto se détacha du quai je me sentis à la fois terrorisée et heureuse. Pour la première fois je quittais la maison, je faisais un voyage, je naviguais ! Le corps lourd de ma mère – et avec lui le quartier et les problèmes de Lila – s'éloigna peu à peu et puis disparut.

30

Ce fut une renaissance. La cousine de la maîtresse s'appelait Nella Incardo et habitait à Barano. Je rejoignis le village en car et trouvai facilement la maison. Nella se révéla une grosse femme très joyeuse, gentille, bavarde et célibataire. Elle louait sa maison aux vacanciers, ne conservant pour elle qu'une petite chambre et la cuisine. Je dormirais dans la cuisine. Je devais préparer mon lit le soir et tout démonter (planches, supports et matelas) le matin. Je découvris que j'avais une série d'obligations incontournables : me lever à six heures et demie, préparer le petit déjeuner pour Nella et ses hôtes – quand j'arrivai il y avait un couple d'Anglais avec deux enfants –, débarrasser, laver tasses et bols, ensuite dresser la table pour le dîner et faire la vaisselle avant d'aller dormir. À part ça j'étais libre. Je pouvais passer ma journée à lire sur la terrasse en face de la mer, ou descendre à pied par une route blanche et raide jusqu'à une plage de sable noir, longue et large, qui s'appelait la plage des Maronti.

Au début, avec toutes les peurs que ma mère m'avait inoculées et tous les problèmes que j'avais

268

avec mon corps, je passai mon temps tout habillée sur la terrasse à écrire une lettre par jour à Lila, chacune d'entre elles étant pleine de questions, de bons mots et de descriptions de l'île débordantes d'enthousiasme. Mais un matin Nella se moqua de moi en disant : « Mais qu'est-ce que tu fais comme ça ? Mets ton maillot ! » Quand je le mis elle éclata de rire : c'était un maillot de vieille ! Elle m'en cousit un qui, selon elle, était plus moderne, très échancré devant, moulant davantage les fesses et d'un joli bleu. Je l'essayai et elle fut très satisfaite, ajoutant qu'il était temps que j'aille à la mer : ça suffisait, avec la terrasse !

Le lendemain, sous l'emprise de mille peurs et mille curiosités, je pris une serviette et un livre et me dirigeai vers les Maronti. Le trajet me parut très long et je ne rencontrai personne qui monte ou qui descende. La plage était immense et déserte, les gros grains de sable bruissaient à chaque pas. La mer avait une odeur intense, elle faisait un bruit sec et monotone.

Debout, je regardai longtemps cette grande masse d'eau. Puis je m'assis sur ma serviette, sans trop savoir que faire. Pour finir je me relevai et allai mettre les pieds dans l'eau. Comment avais-je pu vivre dans une ville comme Naples sans avoir jamais eu l'idée, pas même une fois, de prendre un bain de mer ? Et pourtant c'était ainsi. J'avançai prudemment en laissant l'eau me monter des pieds aux chevilles, ensuite aux cuisses. Puis je fis un faux pas et m'enfonçai. Terrorisée, je me débattis et bus la tasse avant de remonter à la surface, à l'air libre. Je me rendis compte que je me mettais naturellement à remuer les pieds et les bras d'une manière qui me permettait de flotter. Je savais donc nager. Alors ma mère m'avait bien amenée à la mer quand j'étais petite et c'était vrai que, pendant qu'elle faisait ses bains de sable, j'avais appris à nager. En un éclair je la revis, plus jeune et moins défaite, assise sur la plage de sable noir sous le soleil de midi, avec une robe blanche à petites fleurs, sa jambe saine couverte jusqu'au genou par ses vêtements et sa jambe vexée entièrement enterrée sous le sable brûlant.

L'eau de mer et le soleil effacèrent rapidement l'acné qui gonflait mon visage. Je bronzai et devins toute noire. J'attendis les lettres de Lila – en nous quittant nous nous étions promis de nous écrire – mais elles n'arrivèrent pas. Je m'exerçai à parler un peu anglais avec la petite famille qui logeait chez Nella. Comprenant que j'avais envie d'apprendre, gentiment ils me parlèrent de plus en plus souvent, et je fis de grands progrès. Nella, qui était toujours joyeuse, m'encouragea, et je commençai à lui servir d'interprète. Elle ne perdait pas une occasion de me couvrir de compliments. Elle cuisinait très bien et me servait d'énormes assiettes. Elle disait qu'en arrivant j'étais une épave et que maintenant, par ses soins, j'étais devenue une beauté.

Bref, les dix derniers jours de juillet m'apportèrent un sentiment de bien-être que je n'avais jamais connu auparavant. J'éprouvai une sensation qui ensuite s'est souvent répétée dans ma vie : la joie de la nouveauté. Tout me plaisait : me lever tôt, préparer le petit déjeuner, débarrasser, me promener dans Barano, descendre et monter la route des Maronti, lire allongée au soleil, plonger et retourner lire. Je n'avais aucune nostalgie de mon père, mes frères et sœurs, ma mère, les rues du quartier ou le jardin public. Seule Lila me manquait,

Lila qui pourtant ne répondait pas à mes lettres. J'avais peur qu'il ne lui arrive quelque chose, en bien ou en mal, sans que je sois là. C'était une vieille crainte, une crainte qui ne m'était jamais passée : la peur qu'en ratant des fragments de sa vie, la mienne ne perde en intensité et en importance. Et le fait qu'elle ne me réponde pas accentuait cette inquiétude. Si je m'efforçais dans mes lettres de lui communiquer ma joie d'être à Ischia, mon flot de paroles et son silence me semblaient démontrer que, si ma vie était splendide, elle était aussi pauvre en événements, au point que j'avais le temps de lui écrire tous les jours, tandis que sa vie était sombre mais mouvementée.

C'est seulement fin juillet que Nella m'annonça qu'à la place des Anglais une famille napolitaine allait arriver, le 1er août. C'était la deuxième année qu'ils venaient. Des gens très comme il faut, gentils et raffinés, en particulier le mari, un véritable gentilhomme qui lui disait toujours de jolies choses. Et puis leur fils aîné était vraiment beau garçon : grand, maigre mais fort, il avait dix-sept ans cette année. «Tu ne seras plus toute seule», me dit-elle et je me sentis gênée, immédiatement angoissée à l'idée de ce jeune qui arrivait, craignant que nous ne parvenions pas à échanger deux mots ou qu'il ne m'aime pas.

Dès que les Anglais partirent – ils me laissèrent deux romans pour que je puisse m'entraîner à lire, ainsi que leur adresse, et si jamais je décidais d'aller en Angleterre je devrais aller les voir – j'aidai Nella à astiquer les chambres, changer toute la literie et refaire les lits. Je le fis volontiers, et tandis que je lavais par terre elle me cria depuis la cuisine :

«Qu'est-ce que tu es douée! Tu sais même lire en anglais! Ils ne te suffisent donc pas, les livres que tu as amenés?»

Et ainsi elle n'arrêta pas de me féliciter de loin et à haute voix : j'étais tellement déterminée, tellement intelligente, je lisais toute la journée et même le soir! Quand je la rejoignis à la cuisine je la trouvai un livre à la main. Elle m'expliqua que c'était le monsieur qui allait arriver le lendemain qui le lui avait offert, et il l'avait écrit lui-même. Nella le gardait sur sa table de chevet et tous les soirs elle lisait un poème, d'abord dans sa tête et puis à haute voix. Maintenant elle les connaissait tous par cœur.

«Regarde ce qu'il m'a écrit», dit-elle, et elle me tendit le livre.

C'était *Essais de sérénité*, de Donato Sarratore. La dédicace disait : «Pour Nella, qui est tout sucre, et pour ses confitures.»

31

J'écrivis aussitôt à Lila : des pages et des pages d'appréhension, de joie, d'envie de fuir et d'anticipation passionnée – le moment où j'allais voir Nino Sarratore, celui où je descendrais la route des Maronti avec lui, où nous nous baignerions ensemble, regarderions la lune et les étoiles, dormirions sous le même toit… Je ne fis que repenser à ce moment intense où, il y avait un siècle – ah, tellement de temps avait passé! –, tenant son petit frère par la main, il m'avait déclaré son amour.

Nous n'étions alors que deux enfants : maintenant je me sentais grande, presque vieille.

Le lendemain j'allai à l'arrêt de bus pour aider les invités à porter leurs bagages. J'étais très agitée, je n'avais pas dormi de la nuit. Le car arriva, s'arrêta, et les voyageurs en descendirent. Je reconnus Donato Sarratore et sa femme Lidia, je reconnus Marisa bien qu'elle eût beaucoup changé, Clelia qui restait toujours à part et le petit Pino qui était maintenant un petit garçon tout sérieux, et je supposai que le gamin plein de caprices qui tourmentait sa mère était celui qui, la dernière fois que j'avais vu la famille Sarratore au complet, était encore en landau, sous les projectiles lancés par Melina. Mais je ne vis pas Nino.

Marisa se jeta à mon cou avec un enthousiasme auquel je ne me serais jamais attendue : pendant toutes ces années elle ne m'était jamais, mais absolument jamais, revenue à l'esprit, alors qu'elle me dit avoir souvent pensé à moi avec grande nostalgie. Quand elle fit allusion à l'époque où ils habitaient le quartier et dit à ses parents que j'étais la fille de Greco, le portier, sa mère Lidia fit une grimace agacée et courut tout de suite attraper son petit dernier pour lui reprocher je ne sais quoi, tandis que Donato Sarratore se mit à s'occuper de leurs bagages sans même une phrase du genre : comment va ton père ?

Cela me déprima. Les Sarratore s'installèrent dans leurs chambres et moi j'allai à la plage avec Marisa. Elle connaissait très bien les Maronti et tout Ischia, et elle était déjà impatiente d'aller au port, où c'était plus animé, à Forio et à Casamicciola, bref partout sauf à Barano, qui d'après elle était d'un ennui mortel. Elle me raconta qu'elle

273

étudiait pour devenir secrétaire en entreprise et qu'elle avait un petit ami dont je ferais bientôt la connaissance puisqu'il viendrait la voir, mais en secret. Enfin elle me dit quelque chose qui me donna un coup au cœur. Elle savait tout sur moi : elle savait que j'étais au lycée, que j'étais excellente en classe et que j'étais la petite amie de Gino, le fils du pharmacien.

« Et qui t'a raconté tout ça ?

— Mon frère. »

Donc Nino m'avait reconnue ! Donc il savait qui j'étais, et il n'était pas distrait mais peut-être timide, mal à l'aise ou honteux à cause de la déclaration qu'il m'avait faite quand il était enfant.

« Ça fait longtemps que je ne suis plus avec Gino, précisai-je, ton frère n'est pas bien informé.

— Celui-là il ne pense qu'aux études, c'est déjà énorme qu'il m'ait parlé de toi, d'habitude il a toujours la tête dans les nuages.

— Et il ne vient pas ?

— Il viendra quand papa s'en ira. »

Elle me parla de Nino de manière très critique. Il n'avait pas de cœur. Il ne se passionnait jamais pour rien, et s'il n'était pas coléreux il n'était pas gentil non plus. Il restait renfermé sur lui-même et tout ce qui l'intéressait c'étaient les études. Il n'aimait rien, il avait le sang froid. La seule personne qui pouvait le perturber un peu c'était leur père. Pas qu'ils se disputent, non, c'était un fils respectueux et obéissant. Mais Marisa savait bien que Nino ne pouvait pas supporter son père. Elle au contraire elle l'adorait. C'était l'homme le plus doux et intelligent de la terre.

« Et il reste longtemps, ton père ? Quand est-ce

qu'il s'en va ? demandai-je avec un intérêt peut-être excessif.

— Seulement trois jours. Puis il retourne au travail.

— Alors Nino arrive dans trois jours ?

— Oui. Il a raconté qu'il devait aider la famille d'un de ses amis à déménager.

— Et c'est pas vrai ?

— Il n'a pas d'amis. Et de toute façon il ne déplacerait même pas ce caillou d'ici à là pour maman, la seule qu'il aime un minimum, alors tu parles qu'il va aider un copain ! »

Nous nous baignâmes et puis nous séchâmes en nous promenant le long de la rive. Elle me fit voir en riant quelque chose que je n'avais pas encore remarqué. Tout au bout de la plage noire se trouvaient des formes blanches et immobiles. Elle m'entraîna en riant sur le sable brûlant et, à un moment donné, il devint clair que ces formes étaient des personnes. Des êtres vivants recouverts de boue. Ils se soignaient ainsi, on ne savait pas de quoi. Nous nous allongeâmes sur le sable et commençâmes à nous tourner, nous pousser et jouer à faire les momies comme ces gens-là. Nous nous amusâmes beaucoup et puis nous retournâmes nous baigner.

Le soir la famille Sarratore dîna dans la cuisine et ils invitèrent Nella et moi à manger avec eux. Ce fut une belle soirée. Lidia ne fit jamais allusion au quartier mais, passé son premier mouvement d'hostilité, elle me posa des questions sur moi. Quand Marisa lui dit que j'étais très studieuse et que j'allais dans la même école que Nino elle devint particulièrement gentille. Mais le plus cordial de tous fut Donato Sarratore. Il couvrit Nella d'éloges, me félicita pour mes résultats scolaires, fut plein d'attentions pour Lidia, joua avec Ciro, le bambin, voulut débarrasser et m'interdit de faire la vaisselle.

Je l'observai très attentivement, il me semblait une personne différente de celle que j'avais connue. Certes il était plus maigre et s'était fait pousser la moustache ; mais en dehors de son aspect physique il y avait quelque chose d'autre qui avait changé, que je ne parvenais pas à saisir et qui relevait de son comportement. Peut-être me sembla-t-il plus paternel que mon père, et d'une courtoisie hors du commun.

Cette impression s'accentua les deux jours suivants. Sarratore, quand nous allions à la mer, ne permettait ni à Lidia ni à nous deux les filles de porter quoi que ce soit. C'était lui qui se chargeait du parasol, des sacs avec les serviettes et la nourriture pour le déjeuner, aussi bien à l'aller – passe encore – qu'au retour, quand la route était tout en montée. Il ne nous cédait son chargement que si Ciro pleurnichait parce qu'il voulait être porté. Il avait un corps sec et peu poilu. Il portait un maillot de bain d'une couleur indéterminée, pas en tissu mais en une espèce de laine légère. Il nageait beaucoup mais sans s'éloigner et voulait montrer à Marisa et moi comment on faisait le crawl. Sa fille nageait comme lui, avec les mêmes mouvements de bras lents et très étudiés, et je me mis aussitôt à les imiter. Il s'exprimait plus en italien qu'en dialecte et avait une certaine tendance à s'acharner, surtout avec moi, à construire des phrases tortueuses et des périphrases inattendues. Il nous invitait joyeusement, Lidia, Marisa et moi, à courir dans un sens et dans l'autre sur la plage afin de tonifier nos muscles, tout en nous faisant rire avec des grimaces, des voix amusantes et des démarches loufoques. Quand il se baignait avec sa femme ils faisaient la planche l'un près de l'autre, se parlaient à voix basse et riaient souvent. Le jour où il partit je fus triste, comme furent tristes Marisa, Lidia et Nella. La maison, bien qu'elle résonne de nos voix, sembla tout à coup silencieuse, un vrai cimetière. Mon unique consolation fut que Nino allait enfin arriver.

32

J'essayai de suggérer à Marisa d'aller l'attendre au port mais elle refusa, disant que son frère ne méritait pas de telles attentions. Nino arriva dans la soirée. Grand, très maigre, chemise bleue, pantalon noir, sandales et sac sur l'épaule, il ne manifesta pas la moindre émotion de me découvrir à Ischia, dans cette maison, au point que je me dis qu'à Naples ils devaient avoir le téléphone et Marisa avait dû trouver le moyen de le prévenir. À table il ne s'exprima que par monosyllabes et ne se présenta pas au petit déjeuner. Il se réveilla tard, on alla à la mer tard aussi et il n'emporta presque rien avec lui. Il plongea aussitôt, avec détermination, et nagea vers le large sans faire montre du brio exhibé par son père mais avec naturel. Il disparut et je craignis qu'il ne se soit noyé, mais ni Marisa ni Lidia ne s'inquiétèrent. Il réapparut presque deux heures plus tard et commença à lire, fumant une cigarette après l'autre. Il lut toute la journée sans jamais nous adresser la parole, disposant ses mégots dans le sable en rangs par deux. Je me mis à lire moi aussi, refusant l'invitation de Marisa à faire une promenade le long de la plage. Le soir il dîna en toute hâte et sortit. Je débarrassai et lavai la vaisselle en pensant à lui. J'installai mon lit dans la cuisine et me remis à lire en attendant son retour. Je lus jusque vers une heure et puis m'endormis, lumière allumée et livre ouvert sur la poitrine. Quand je me réveillai le lendemain la lampe était éteinte et le livre fermé : je me dis que c'était sûrement lui et sentis une grande bouffée d'amour me parcourir les veines comme cela ne m'était jamais arrivé.

En quelques jours la situation s'améliora. Je m'aperçus que de temps en temps il me regardait et puis tournait la tête dans une autre direction. Je lui demandai ce qu'il lisait et lui dis ce que je lisais. Nous parlâmes de nos lectures, ce qui ennuya Marisa. Au début il eut l'air de m'écouter avec attention et puis, exactement comme Lila, une fois qu'il commença à parler il se laissa de plus en plus emporter par ses propres paroles. Comme je voulais qu'il se rende compte de mon intelligence j'avais tendance à l'interrompre et à placer quelque commentaire mais c'était difficile : il semblait apprécier ma présence seulement si je me taisais et l'écoutais, ce que je me résignai bientôt à faire. D'ailleurs il racontait des choses que je me sentais incapable de concevoir, ou en tout cas de dire avec une assurance comme la sienne, d'autant plus qu'il s'exprimait dans un italien puissant et captivant.

Parfois Marisa nous jetait des poignées de sable ou se mettait à crier : « C'est pas un peu fini ? Mais on s'en fout de ce Dostoïevski, de ces Karamazov ! »

Alors Nino s'interrompait brusquement et s'éloignait le long de la rive, tête baissée, jusqu'à n'être plus qu'un petit point. Je passais un peu de temps avec Marisa à discuter de son petit ami, qui maintenant ne pouvait plus venir la voir en secret, ce qui la faisait pleurer. Je me sentais de mieux en mieux et n'arrivais pas à croire que la vie pouvait être comme ça. Peut-être, me disais-je, que les filles de la Via dei Mille – celle habillée tout en vert, par exemple – ont une vie comme celle-ci.

Tous les trois ou quatre jours Donato Sarratore revenait, mais il restait vingt-quatre heures tout au plus puis repartait. Il disait qu'il n'arrêtait pas de penser au 13 août, quand il s'installerait à Barano pour deux semaines complètes. Dès que son père arrivait, Nino devenait une ombre. Il mangeait, disparaissait, revenait tard dans la nuit et ne pipait mot. Il écoutait son père avec un petit sourire docile et, quoi que celui-ci affirmât, si Nino n'abondait pas dans son sens il ne le contredisait pas non plus. Les seules fois où il disait quelque chose de clair et d'explicite c'était quand Donato mentionnait ce 13 août dont il rêvait tant. Alors deux minutes après, il rappelait à sa mère – à sa mère, pas à Donato – qu'aussitôt l'Assomption passée il devait rentrer à Naples parce qu'il s'était mis d'accord avec des camarades de classe pour se retrouver – ils comptaient se réunir dans une maison de campagne vers Avellino – et commencer à faire leurs devoirs de vacances. « C'est un mensonge, me chuchotait Marisa, il n'a pas de devoirs. » Mais sa mère le félicitait et son père aussi. Donato entamait même aussitôt un de ses discours favoris : Nino avait bien de la chance d'étudier ; lui-même avait à peine fait deux ans d'école technique parce qu'il avait dû commencer à travailler ; mais s'il avait pu faire les études que faisait son fils, alors qui sait où il serait arrivé ! Et il concluait : « Étudie, Nino, continue, papa est fier de toi ! Fais ce que je n'ai pas réussi à faire. »

Ce genre de propos perturbait Nino plus que tout. Prêt à n'importe quoi pour y échapper il finissait parfois par inviter Marisa et moi à sortir avec lui. Il disait tristement à ses parents, comme si nous ne faisions que le harceler : « Elles ont envie d'une glace, elles veulent se balader, je les accompagne. »

En ces occasions Marisa courait se préparer en exultant et moi je me désolais de n'avoir rien d'autre à mettre que mes chiffons habituels. Mais j'avais l'impression que cela lui importait peu que je sois belle ou moche. À peine dehors il se mettait à bavarder et cela accablait immédiatement Marisa qui disait qu'elle aurait mieux fait de rester à la maison. Moi au contraire j'étais suspendue aux lèvres de Nino. Et j'étais vraiment stupéfaite de voir que, dans la foule du port, alors que jeunes et moins jeunes nous reluquaient Marisa et moi, riaient et tentaient de nous aborder, il ne montrait pas l'ombre de cette disposition à la violence qu'avaient Pasquale, Rino, Antonio ou Enzo quand ils sortaient avec nous et que quelqu'un nous lançait un regard de trop. Comme féroce garde du corps il ne valait pas grand-chose. Peut-être était-il trop pris par ce qu'il avait en tête et par son désir de m'en parler, mais autour de nous il s'en passait de belles et il ne réagissait pas.

C'est ainsi que Marisa se lia d'amitié avec des jeunes de Forio : ils vinrent lui rendre visite à Barano, elle les amena avec nous à la plage des

Maronti, et bientôt elle se mit à sortir avec eux tous les soirs. Nous descendions tous trois au port, mais une fois arrivés elle allait retrouver ses nouveaux amis (aurais-je jamais pu imaginer Pasquale aussi libéral avec Carmela, ou Antonio avec Ada?) tandis que nous allions nous promener au bord de la mer. On se retrouvait ensuite vers dix heures pour rentrer à la maison.

Un soir, dès que nous fûmes seuls, Nino me dit de but en blanc que, lorsqu'il était gosse, il avait beaucoup envié ma relation avec Lila. Il nous voyait au loin, toujours ensemble en train de bavarder, et il aurait voulu être ami avec nous, mais il n'en avait jamais eu le courage. Puis il sourit et dit :

« Tu te rappelles quand je t'ai fait ma déclaration ?

— Oui.

— Tu me plaisais beaucoup. »

Je piquai un fard et susurrai bêtement :

« Merci.

— J'imaginais qu'on se fiancerait et qu'on serait pour toujours ensemble tous les trois : toi, ton amie et moi.

— Tous les trois ? »

Il sourit de l'enfant qu'il était :

« Je ne comprenais rien à ces histoires de fiançailles. »

Puis il me demanda des nouvelles de Lila.

« Elle a continué ses études ?

— Non.

— Et qu'est-ce qu'elle fait ?

— Elle aide ses parents.

— Elle était tellement douée, je n'arrivais pas à la suivre, elle me brouillait la tête ! »

281

Il employa exactement cette expression – *elle me brouillait la tête* – et si au début j'avais été un peu vexée parce que, de fait, il venait de me révéler que sa déclaration d'amour n'avait été qu'une tentative de s'introduire dans ma relation avec Lila, cette fois je souffris véritablement et en ressentis une douleur au milieu de la poitrine :

« Elle n'est plus comme ça, dis-je, elle a changé. »

Et je fus tentée d'ajouter : « Tu as entendu ce que les profs disent de moi, au lycée ? » Heureusement je réussis à me retenir. Toutefois, après cette conversation je cessai d'écrire à Lila : j'avais du mal à lui raconter ce qui m'arrivait, et puis de toute façon elle ne me répondait pas. Je consacrai en revanche tous mes soins à Nino. Je savais qu'il se réveillait tard et inventais des excuses en tout genre pour ne pas prendre le petit déjeuner avec les autres. Je l'attendais, descendais avec lui à la plage, préparais ses affaires, les lui portais, et nous nous baignions ensemble. Mais quand il allait au large je ne me sentais pas capable de le suivre, alors je retournais sur ma serviette et surveillais avec appréhension le sillage qu'il laissait derrière lui et le petit point noir de sa tête. Je devenais tout anxieuse quand je le perdais de vue et heureuse quand je le voyais revenir. Bref je l'aimais, j'en étais consciente et j'étais heureuse de l'aimer.

Mais sur ces entrefaites l'Assomption se rapprochait. Un soir je lui dis que je n'avais pas envie d'aller au port et préférais me promener aux Maronti, c'était la pleine lune. J'espérai qu'il viendrait avec moi, renonçant à accompagner sa sœur qui insistait pour aller au port – à présent elle y avait un genre de petit copain avec lequel, me racontait-elle, elle échangeait baisers et câlins, trompant ainsi son autre copain, celui de Naples. Mais il partit avec Marisa. Moi, pour une question de principe, je pris la route pierreuse qui conduisait à la plage. Le sable était froid, noir-gris à la lumière de la lune, et la mer respirait à peine. Il n'y avait pas âme qui vive et je me mis à pleurer de solitude. Mais qu'est-ce que j'étais, et qui j'étais ? Je me sentais de nouveau belle, je n'avais plus de boutons, le soleil et la mer m'avaient rendue svelte, et pourtant la personne qui me plaisait et à laquelle je voulais plaire ne manifestait aucun intérêt pour moi. Quels signes pouvais-je donc porter ? Et quel était mon destin ? Je pensai au quartier comme à un gouffre d'où il était illusoire d'essayer de sortir. Puis j'entendis le sable crisser, me retournai et vis l'ombre de Nino. Il s'assit près de moi. Il devait aller chercher sa sœur dans une heure. Je sentis qu'il était nerveux, il tapait le sable avec le talon de sa jambe gauche. Il ne parla pas de livres mais se mit soudain à évoquer son père :

« J'emploierai toute ma vie, me dit-il comme s'il s'agissait d'une mission, à m'efforcer de ne pas lui ressembler.

— Il est sympathique.

— C'est ce que tout le monde dit.

— Et alors ? »

Il fit une grimace sarcastique qui, pendant quelques secondes, l'enlaidit.

« Comment va Melina ? »

Je le regardai stupéfaite. J'avais été très attentive à ne jamais mentionner Melina pendant ces journées d'intenses conversations, et voilà que c'était lui qui en parlait.

« Comme ci, comme ça.

— Il a été son amant. Il le savait très bien qu'elle

était fragile mais ça ne l'a pas empêché de la conquérir, par pure vanité. Par vanité il ferait du mal à n'importe qui et sans jamais se sentir coupable. Comme il est convaincu de rendre tout le monde heureux, il croit que tout lui sera pardonné. Il va à la messe tous les dimanches. Il nous traite bien, nous ses enfants. Il est plein d'attentions envers ma mère. Mais il la trompe sans arrêt. Ce n'est qu'un hypocrite, il me dégoûte. »

Je ne sus que répondre. Dans le quartier il pouvait se passer des choses terribles, pères et fils en venaient souvent aux mains, comme Rino et Fernando. Mais la violence de ces quelques phrases construites avec soin me fit mal. Nino haïssait son père de toutes ses forces, voilà pourquoi il me parlait autant des Karamazov. Mais ce n'était pas l'essentiel. Ce qui me troubla profondément ce fut que Donato Sarratore, pour ce que j'avais pu voir de mes propres yeux et entendre de mes propres oreilles, n'avait rien d'aussi repoussant, c'était le père que toutes les filles et tous les garçons auraient voulu avoir, et d'ailleurs Marisa l'adorait. De plus, si son péché était sa capacité d'aimer, je ne voyais là rien de particulièrement mauvais – même ma mère disait de mon père avec colère qu'il en faisait de toutes les couleurs. Par conséquent ces propos cinglants et ce ton tranchant me parurent terribles. Je murmurai :

« Melina et lui ont été emportés par la passion, comme Didon et Énée. Ça fait mal, mais c'est aussi très émouvant.

— Il a juré fidélité à ma mère devant Dieu ! s'exclama-t-il soudain en haussant la voix. Il ne respecte ni elle ni Dieu ! » Et d'un bond il fut sur ses pieds, tout agité, ses yeux brillants étaient

splendides. « Même toi tu ne me comprends pas »,
dit-il en s'éloignant à grandes enjambées.

Je le rejoignis, mon cœur battait fort :

« Si, je te comprends », murmurai-je en lui prenant délicatement le bras.

Nous ne nous étions jamais même effleurés, ce
contact me brûla les doigts et je lâchai aussitôt son
bras. Il se pencha et m'embrassa sur les lèvres – un
baiser tout léger.

« Je pars demain, dit-il.

— Mais le 13 c'est après-demain ! »

Il ne répondit rien. Nous remontâmes à Barano
en parlant de livres avant d'aller chercher Marisa
au port. Je sentais sa bouche sur la mienne.

33

Je pleurai toute la nuit dans la cuisine silencieuse. Je m'endormis à l'aube. Nella vint me
réveiller et elle me gronda, me disant que Nino
avait voulu prendre son petit déjeuner en terrasse
pour ne pas me déranger. Il était parti.

Je m'habillai en hâte, elle comprit que j'étais
malheureuse : « Vas-y, m'accorda-t-elle enfin, tu as
peut-être encore le temps. » Je courus au port en
espérant arriver avant le départ du ferry, mais le
bateau était déjà au large.

Je passai de tristes journées. En faisant les
chambres je trouvai un marque-page en carton
bleu qui appartenait à Nino et le cachai dans mes
affaires. Le soir dans la cuisine, dans mon lit, je le
reniflais, l'embrassais, le léchais avec la pointe de

ma langue, et je pleurais. Ma passion désespérée m'émouvait moi-même, et mes pleurs se nourrissaient d'eux-mêmes.

Puis Donato Sarratore arriva et ses quinze jours de vacances débutèrent. Il regretta que son fils soit déjà parti mais fut satisfait qu'il ait rejoint ses camarades près d'Avellino pour étudier. « C'est un garçon très sérieux, me dit-il, comme toi. Je suis fier de lui, comme j'imagine que ton père est fier de toi. »

La présence de cet homme rassurant m'apaisa. Il voulut connaître les nouveaux amis de Marisa et les invita un soir pour faire un grand feu sur la plage. Il s'activa lui-même pour rassembler tout le bois qu'il put trouver et resta avec nous les jeunes jusque tard. Le garçon avec qui Marisa était plus ou moins fiancée grattouillait la guitare et Donato chanta, il avait une très belle voix. La nuit était déjà avancée quand lui-même se mit à jouer, il se débrouillait bien et esquissa des airs de danse. Certains se mirent à danser, à l'exemple de Marisa.

Je regardais cet homme et me disais : son fils et lui n'ont vraiment rien en commun. Nino est grand, il a un visage délicat, son front est enfoui sous des cheveux très noirs, sa bouche est toujours entrouverte et ses lèvres invitantes ; Donato au contraire est de taille moyenne, les traits de son visage sont marqués et ses tempes très dégarnies, il a une bouche toute fine, presque sans lèvres. Nino a toujours un regard noir qui voit au-delà des gens et des choses et s'effraye ; Donato a toujours l'air disponible, ses yeux s'attachent avec délectation à l'apparence des gens et des choses et ne cessent de leur sourire. Nino a quelque chose qui le ronge de l'intérieur, comme Lila, ce qui est un don et une souffrance : ils ne sont jamais heureux, ne s'abandonnent pas et craignent ce qui se passe autour d'eux. Mais pas cet homme : lui a l'air d'aimer toutes les manifestations de la vie, presque comme si chaque seconde vécue était d'une limpidité absolue.

À partir de ce soir-là le père de Nino me sembla un bon remède non seulement à l'obscurité dans laquelle son fils m'avait précipitée en partant après un baiser presque imperceptible mais aussi – je m'en rendis compte avec stupeur – à l'état dans lequel Lila m'avait jetée en ne répondant jamais à mes lettres. Nino et elle se connaissent à peine, me dis-je, ils ne se sont jamais fréquentés, et pourtant maintenant je les trouve très semblables : ils n'ont besoin de rien ni de personne et savent toujours quoi faire et ne pas faire. Mais s'ils se trompaient ? Qu'est-ce qu'il a de si terrible, Marcello Solara ? Et qu'est-ce qu'il a de si terrible, Donato Sarratore ? Je ne comprenais pas. J'aimais Lila et Nino, et à présent ils me manquaient de manière différente, mais j'étais aussi reconnaissante à ce père haï qui donnait de l'importance aux jeunes et à moi-même et qui nous offrait joie et tranquillité dans la nuit des Maronti. Je fus soudain contente qu'aucun des deux ne se trouve dans l'île.

Je me remis à lire et j'écrivis une dernière lettre à Lila dans laquelle je lui disais que, vu qu'elle ne m'avait jamais répondu, je ne lui écrirais plus. Je me liai en revanche à la famille Sarratore et me sentis bientôt la sœur de Marisa, de Pinuccio et du petit Ciro, qui maintenant m'adorait : il n'y avait qu'avec moi, personne d'autre, qu'il ne faisait pas de caprices mais jouait gentiment, et nous allions ensemble chercher des coquillages. Lidia, qui avait définitivement changé son hostilité initiale à mon égard en sympathie et affection, me félicitait souvent pour la rigueur que je mettais en toute chose : mettre la table, nettoyer les chambres, faire la vaisselle, jouer avec son gamin, lire ou étudier. Un matin elle me fit essayer un chemisier qui était trop petit pour elle : Nella et aussi Sarratore, appelé de toute urgence pour donner son avis, furent tellement enthousiastes, disant qu'il m'allait très bien, qu'elle me l'offrit. Parfois elle avait même l'air de me préférer à Marisa. Elle disait : « Elle est feignante et vaniteuse, je l'ai mal élevée, elle ne travaille pas à l'école ; toi au contraire tu fais tout avec beaucoup d'intelligence. » « Exactement comme Nino, ajouta-t-elle une fois, à part que toi tu es solaire alors que lui, il est toujours nerveux. » Mais en entendant ces critiques Donato bondit et se mit à faire l'éloge de son aîné : « C'est un garçon en or », dit-il, et il me demanda confirmation du regard : j'acquiesçai avec grande conviction.

Après ses très longues baignades Donato s'allongeait à côté de moi pour se sécher au soleil et il lisait son journal, le *Roma* – c'était la seule chose qu'il lisait. J'étais frappée de voir qu'une personne qui écrivait des poésies et les avait même rassemblées en un recueil n'ouvrait jamais un livre. Il n'en avait pas apporté avec lui et n'avait aucune curiosité pour les miens. Parfois il me déclamait quelque extrait d'article – c'étaient des mots et des phrases qui auraient mis Pasquale très en colère, et certainement Mme Galiani aussi. Mais je me taisais, je n'avais pas envie de me mettre à discuter avec une personne tellement affable, gâchant la haute estime qu'elle avait de moi. Une fois il m'en lut un tout entier, du début à la fin ; toutes les deux lignes il se tournait vers Lidia en souriant et Lidia lui répondait avec un sourire complice. À la fin il me demanda :

« Tu as aimé ? »

C'était un article sur la rapidité des voyages en train par rapport aux voyages d'autrefois, en calèche ou à pied, par les chemins de campagne. Il était écrit avec des phrases grandiloquentes qu'il lisait avec émotion.

« Oui, beaucoup, répondis-je.

— Regarde qui l'a écrit : qu'est-ce que tu lis ici ? »

Il se pencha vers moi et me mit son journal sous les yeux. Je lis tout émue :

« Donato Sarratore. »

Lidia éclata de rire et lui aussi. Ils me laissèrent sur la plage à surveiller Ciro tandis qu'ils se baignaient comme à leur habitude, l'un tout près de l'autre, en se parlant à l'oreille. Je les regardai et pensai « Pauvre Melina », mais sans rancune contre Sarratore. En admettant que Nino ait raison et qu'il y ait vraiment eu quelque chose entre ces deux-là, bref en admettant que Sarratore ait vraiment trompé Lidia, maintenant que je le connaissais mieux j'arrivais encore moins qu'avant à le trouver coupable, d'autant plus qu'apparemment sa femme ne le trouvait pas coupable non plus, même si à l'époque elle l'avait obligé à quitter le quartier. Quant à Melina, je la comprenais elle aussi. Elle avait éprouvé la joie de l'amour pour cet homme tellement au-dessus de la moyenne – contrôleur de train mais aussi poète et journaliste – et son esprit fragile n'avait pas réussi à se réadapter à la fruste normalité de la vie sans lui. Je me complaisais dans ces pensées. Ces jours-là, j'étais contente de tout : de mon amour pour Nino, de ma tristesse, de l'affection dont je me sentais entourée et de mes propres capacités à lire, penser et réfléchir dans la solitude.

34

Puis fin août, alors que cette période extraordinaire allait bientôt s'achever, deux événements se produisirent coup sur coup, dans la même journée. C'était le 25, je m'en souviens bien parce que c'était le jour de mon anniversaire. Je me levai, préparai le petit déjeuner pour tout le monde et annonçai à table : « Aujourd'hui j'ai quinze ans ! », et j'étais encore en train de parler quand je me souvins que l'anniversaire de Lila était le 11, mais j'avais eu tellement d'émotions que je l'avais oublié. Bien que l'usage veuille que l'on célèbre surtout les fêtes – à cette époque les anniversaires ne comptaient pas – les Sarratore et Nella insistèrent pour faire une petite fête le soir. Cela me fit plaisir. Ils allèrent se préparer pour aller à la plage, je me mis à débarrasser, et voilà qu'arriva le facteur.

Je me mis à la fenêtre, le facteur dit qu'il y avait une lettre pour Greco. Je descendis en courant, le cœur battant. J'excluais que mes parents m'aient écrit. Était-ce une lettre de Lila ? De Nino ? C'était Lila. Je déchirai l'enveloppe. Cinq feuillets très denses en sortirent, je les dévorai mais ne compris presque rien de ce que je lus. Aujourd'hui cela peut sembler étrange, et pourtant ce fut vraiment comme ça : avant d'être saisie par le contenu, ce qui me frappa fut que l'écriture de Lila contenait

290

sa voix. Et pas seulement. Dès les premières lignes, «La Fée bleue» me revint à l'esprit, l'unique texte que j'avais lu d'elle avant celui-ci en dehors des modestes devoirs de l'école primaire, et je compris ce qui, à l'époque, m'avait tellement plu. Il y avait, dans «La Fée bleue», la même qualité qui me frappait à présent : Lila savait parler à travers l'écriture. Pas comme moi quand j'écrivais, pas comme Sarratore dans ses articles et poésies, et pas comme de nombreux écrivains que j'avais lus et lisais : elle s'exprimait avec des phrases qui, certes, étaient soignées et sans erreur – bien qu'elle ait arrêté ses études – mais en plus chez elle tout semblait parfaitement naturel, on ne sentait jamais l'artifice de la parole écrite. En la lisant je la voyais, je l'entendais. Cette voix sertie dans l'écriture me bouleversa et me ravit encore plus que lorsque nous discutions en tête à tête : elle était totalement purifiée des scories du parler, de la confusion de l'oral, elle avait la clarté et la vivacité que j'imaginais être celles du discours quand on était assez chanceux pour être nés dans la tête de Zeus et non pas chez les Greco ou les Cerullo. J'eus honte des pages infantiles que je lui avais écrites, de mes exagérations, mes frivolités, ma joie feinte et ma douleur fabriquée. Qui sait ce que Lila avait pensé de moi ! J'éprouvai du mépris et de la rancœur à l'égard de M. Gerace qui m'avait donné des illusions en me mettant un neuf en italien. Le premier effet de cette lettre fut que je me sentis, à quinze ans, le jour de mon anniversaire, un imposteur. Avec moi l'école avait fait une bévue et la preuve en était là, dans la lettre de Lila.

Puis, petit à petit, le contenu me parvint aussi. Lila m'adressait ses vœux pour mon anniversaire.

Elle ne m'avait jamais écrit parce qu'elle était contente que je prenne du bon temps au soleil, que je me plaise avec les Sarratore, sois amoureuse de Nino et aime autant Ischia et la plage des Maronti, et elle ne voulait pas gâcher mes vacances avec ses sales histoires. Pourtant à présent il lui était devenu urgent de rompre le silence. Immédiatement après mon départ, Marcello Solara, avec l'accord de Fernando, avait commencé à venir dîner tous les soirs. Il arrivait à vingt heures trente et s'en allait à vingt-deux heures trente précises. Il apportait toujours quelque chose : pâtisseries, petits chocolats, sucre, café. Elle ne touchait à rien et gardait ses distances pendant qu'il la regardait en silence. Après une semaine de ce supplice, puisque Lila faisait comme s'il n'existait pas, il avait décidé de l'épater. Il s'était présenté un matin accompagné d'un gros bonhomme tout en sueur qui avait déposé dans leur salle à manger une énorme boîte en carton. De cette boîte était sorti un objet dont nous avions tous entendu parler mais que très peu de personnes dans le quartier avaient à la maison : un téléviseur, c'est-à-dire un appareil doté d'un écran sur lequel on voyait des images, exactement comme au cinéma, à part qu'elles n'arrivaient pas d'un projecteur mais des airs, et à l'intérieur il y avait un tube mystérieux qui s'appelait un tube cathodique. À cause de ce tube, que le gros bonhomme en sueur n'arrêtait pas de mentionner, l'appareil était resté plusieurs jours sans fonctionner. Puis, après toutes sortes d'essais, il s'était mis en route, et maintenant la moitié du quartier, y compris ma mère, mon père et mes frères et sœur, allait chez les Cerullo pour admirer ce miracle. Mais pas Rino. Il allait mieux, la fièvre était définitivement tombée, mais il n'adressait plus la parole à Marcello. Quand ce dernier se présentait Rino commençait par critiquer la télévision et puis allait vite se coucher sans toucher à son dîner, ou bien il allait traîner jusque tard dans la nuit avec Pasquale et Antonio. Lila au contraire disait qu'elle adorait la télévision. Elle aimait surtout la regarder avec Melina, qui faisait son apparition tous les soirs et restait longtemps, silencieuse et très concentrée. Pour Lila, c'était le seul moment de paix. À part ça tout le monde déversait sa rage sur elle : son frère parce qu'elle l'avait abandonné à son destin d'esclave de leur père tandis qu'elle se dirigeait vers un mariage qui ferait d'elle une bourgeoise ; Fernando et Nunzia parce qu'elle n'était pas gentille avec Solara – en effet elle le traitait comme du poisson pourri ; enfin même Marcello se déchaînait parce que, bien qu'elle ne lui ait jamais dit oui, il se comportait de plus en plus comme son fiancé, ou plutôt son patron, et avait tendance à passer de la dévotion muette aux tentatives de baisers et aux questions soupçonneuses – où elle allait pendant la journée, qui elle voyait, est-ce qu'elle avait déjà eu des petits copains ou quelqu'un l'avait-il déjà effleurée. Comme elle ne répondait pas, ou pis encore se payait sa tête en lui racontant toutes sortes de baisers et câlins avec des fiancés imaginaires, un soir il lui avait dit à l'oreille, sérieux : « Tu te fous de moi, mais tu te rappelles quand tu m'as menacé avec ton tranchet ? Eh bien si j'apprends que tu en aimes un autre, je me contente pas de te menacer mais je te tue, point final – penses-y. » Du coup elle ne savait comment sortir de cette situation et continuait à porter son arme sur elle, au cas où. Mais elle était terrorisée. Dans ses dernières pages elle écrivait qu'elle se sentait cernée par tout le mal du quartier. Elle avait même soudain cette formule obscure : le bien et le mal sont mêlés et ils se renforcent l'un l'autre. Marcello, à la réflexion, était décidément un bon parti, mais le bon sentait mauvais et le mauvais sentait bon, et cet amalgame lui coupait le souffle. Un soir, quelques jours auparavant, il lui était arrivé quelque chose qui lui avait vraiment fait peur. Marcello était parti, la télévision était éteinte, la maison était vide, Rino était dehors et ses parents allaient se coucher. Bref elle était seule dans la cuisine en train de faire la vaisselle, elle se sentait très fatiguée, à bout de forces, quand tout à coup il y avait eu une explosion. Elle s'était retournée d'un bond et s'était rendu compte que la grande casserole en cuivre avait explosé. Comme ça, toute seule. Elle était pendue au clou où elle se trouvait habituellement, mais au milieu elle avait un grand trou, ses bords étaient soulevés et tordus, et la casserole elle-même était toute déformée, comme si elle n'arrivait pas à conserver son apparence de casserole. Sa mère était accourue en chemise de nuit et l'avait accusée de l'avoir fait tomber et de l'avoir cassée. Mais une casserole en cuivre, même quand elle tombe, ne se rompt pas et ne se déforme pas ainsi. « C'est ce genre de choses, concluait Lila, qui m'effraie. Plus que Marcello, plus que quiconque. Et je sens que je dois trouver une solution, autrement, une chose après l'autre, tout va se casser – tout, tout, tout ! » Elle me disait au revoir, m'adressait à nouveau tous ses vœux et me souhaitait – même si elle désirait tout le contraire car elle était impatiente de me revoir et avait un besoin urgent de mon aide – de rester à

Ischia avec la charmante Mme Nella et de ne plus jamais revenir dans le quartier.

35

Cette lettre me troubla énormément. Le monde de Lila, comme d'habitude, se superposa rapidement au mien. Tout ce que je lui avais écrit entre juillet et août me parut banal et je fus saisie d'une frénésie de rédemption. Je ne descendis pas à la plage et tentai aussitôt de lui répondre avec une lettre sérieuse qui ait le style à la fois essentiel, net et familier de la sienne. Mais si les autres lettres m'étaient venues facilement – je sortais des pages et des pages en quelques minutes, sans jamais rien corriger – celle-ci je l'écrivis et la réécrivis encore, et pourtant tout sonnait faux : la haine de Nino envers son père, le rôle qu'avait eu l'histoire de Melina dans la naissance de ce triste sentiment, toute ma relation avec la famille Sarratore, et même mon anxiété pour ce qui lui arrivait à elle. Donato, qui dans la réalité était un homme remarquable, sur le papier devint un père de famille banal ; moi-même, en ce qui concernait Marcello, je ne fus capable que de conseils superficiels. À la fin, la seule chose qui sonna juste fut ma déception parce qu'elle avait la télévision à la maison et pas moi.

En somme, bien que je me fusse privée de la mer, du soleil et du plaisir d'être avec Ciro, Pino, Clelia, Lidia, Marisa et Sarratore, je ne parvins pas à lui répondre. Heureusement Nella, au bout d'un moment, vint me tenir compagnie sur la terrasse en m'apportant un sirop d'orgeat. Et heureusement, quand les Sarratore revinrent de la plage, ils regrettèrent que je sois restée à la maison et recommencèrent à me faire fête. Lidia voulut préparer elle-même un gâteau plein de crème pâtissière. Nella ouvrit une bouteille de vermouth, Donato entonna des chansons napolitaines et Marisa m'offrit un hippocampe en étoupe qu'elle s'était acheté au port la veille au soir.

Je m'apaisai, sans toutefois parvenir à chasser de mon esprit le fait que Lila avait tous ces problèmes alors que moi j'étais si bien et que tout le monde m'aimait. Je déclarai d'un ton un peu dramatique que j'avais reçu la lettre d'une amie et que, celle-ci ayant besoin de moi, je songeais à rentrer plus tôt que prévu. « Après-demain au plus tard », annonçai-je sans trop y croire moi-même. En réalité je parlai seulement pour entendre Nella dire sa tristesse, Marisa se désespérer, Lidia expliquer que Ciro en souffrirait beaucoup et Sarratore s'exclamer, navré : « Mais comment on va faire sans toi ? » Tout cela m'émut et rendit ma fête encore plus agréable.

Puis Pino et Ciro commencèrent à somnoler, alors Lidia et Donato allèrent les mettre au lit. Marisa m'aida à faire la vaisselle et Nella me proposa, si je voulais me reposer un peu plus, de se lever pour préparer le petit déjeuner. Je protestai : ça c'était mon travail. L'un après l'autre, tous se retirèrent, et je demeurai seule. J'installai mon petit lit dans le coin habituel et examinai les lieux pour vérifier qu'il n'y avait ni cafards ni moustiques. Mes yeux tombèrent sur les casseroles en cuivre.

Comme l'écriture de Lila était évocatrice ! Je regardai ces casseroles avec une inquiétude croissante. Je me souvins qu'elle avait toujours aimé leur éclat, et quand elle les lavait mettait beaucoup de soin à les lustrer. Ce n'est pas par hasard si c'était sur l'une d'entre elles que, quatre ans auparavant, elle avait placé le jet de sang qui avait jailli du cou de Don Achille, quand il avait été poignardé. Et c'était encore là qu'aujourd'hui elle concentrait la sensation d'être menacée et l'angoisse devant le choix difficile qui se présentait à elle, en faisant exploser une casserole en guise de signal, comme si sa forme avait brusquement décidé de céder. Étais-je capable d'imaginer ce genre de choses sans elle ? Pouvais-je donner vie à chaque objet et le laisser se tordre à l'unisson avec ma vie ? J'éteignis la lumière. Je me déshabillai et me couchai avec la lettre de Lila et le marque-page bleu de Nino, qui étaient pour moi en ce moment mes biens les plus précieux.

La lumière blanche de la lune semblait pleuvoir par la large fenêtre. J'embrassai le marque-page comme je le faisais tous les soirs et essayai de relire la lettre de mon amie à cette faible lueur. Les casseroles brillaient, la table grinçait, le plafond pesait lourdement sur la maison que l'air nocturne et la mer étouffaient. Je recommençai à me sentir humiliée par les talents d'écriture de Lila, par ce qu'elle savait inventer et pas moi, et mes yeux se voilèrent. Bien sûr j'étais heureuse qu'elle soit si douée, même sans l'école et sans les livres de la bibliothèque, mais ce bonheur me rendait malheureuse et coupable de l'être.

Puis j'entendis des pas. Je vis l'ombre de Sarratore entrer dans la cuisine, pieds nus, avec son pyjama bleu. Je tirai le drap sur moi. Il alla au robinet, prit un verre d'eau et le but. Il resta debout quelques secondes devant l'évier, posa le verre et se dirigea vers mon lit. Il s'accroupit près de moi, ses genoux touchaient le bord de mon drap.

« Je sais que tu es réveillée, fit-il.

— Oui.

— Ne pense plus à ton amie, reste !

— Elle ne va pas bien, elle a besoin de moi.

— Mais c'est moi qui ai besoin de toi », dit-il, et il se pencha pour m'embrasser sur la bouche, pas avec la légèreté de son fils mais en entrouvrant mes lèvres avec sa langue.

Je restai immobile.

Continuant à m'embrasser avec soin, avec passion, il écarta un peu le drap pour chercher mes seins avec sa main et il les caressa sous ma chemise de nuit. Puis il s'arrêta et descendit entre mes jambes, appuyant fort deux doigts contre ma culotte. Je ne dis ni ne fis rien, j'étais tétanisée par son comportement, par l'horreur que je ressentais et par le plaisir que j'éprouvais pourtant. Ses moustaches piquetaient ma lèvre supérieure et sa langue était rugueuse. Il s'écarta lentement de ma bouche et éloigna sa main.

« Demain soir toi et moi on se fera une belle balade sur la plage, dit-il d'une voix rauque. Je t'aime beaucoup et je sais que toi aussi, tu m'aimes beaucoup. C'est pas vrai ? »

Je ne répondis rien. Il effleura de nouveau mes lèvres avec les siennes, me murmura « Bonne nuit », se leva et sortit de la cuisine. Je ne bougeai toujours pas, je ne sais combien de temps je restai ainsi. J'essayais d'éloigner la sensation de sa langue, de ses caresses et de la pression de sa main, mais sans y parvenir. Nino avait-il voulu me prévenir, savait-il ce qui allait se passer ? J'éprouvai une haine irrépressible envers Donato Sarratore et du dégoût pour moi-même, pour le plaisir qui m'était resté dans le corps. Cela peut paraître invraisemblable aujourd'hui, mais d'aussi loin que je me souvienne avant ce soir-là je ne m'étais jamais donné du plaisir, je ne savais pas ce que c'était, et le sentir en moi me surprit. Je ne sais combien d'heures je demeurai dans la même position. Puis, aux premières lueurs, je me secouai, rassemblai toutes mes affaires, défis mon lit, écrivis deux lignes de remerciement à Nella et partis.

Il n'y avait pratiquement pas un son sur l'île, la mer était immobile, seules les odeurs étaient intenses. Utilisant l'argent que ma mère m'avait laissé plus d'un mois auparavant je pris le premier ferry en partance. Dès que le bateau appareilla et que l'île, avec ses couleurs tendres du petit matin, fut suffisamment éloignée, je me dis que j'avais enfin une histoire à raconter à Lila sans qu'elle puisse rétorquer par quelque chose d'aussi mémorable. Mais je compris aussitôt que mon dégoût pour Sarratore et la répugnance que j'avais de moi-même m'empêcheraient d'ouvrir la bouche. Et en effet, c'est la première fois que je cherche les mots pour décrire la fin inattendue de mes vacances.

36

Je retrouvai Naples plongée dans une chaleur écrasante et nauséabonde. Ma mère, sans dire un mot sur ma nouvelle apparence – sans acné et noircie par le soleil –, me gronda parce que j'étais rentrée plus tôt que prévu :

« Mais qu'est-ce que tu as fabriqué ? s'exclama-t-elle. Tu as fait des bêtises ? L'amie de la maîtresse t'a chassée ? »

Cela se passa différemment avec mon père, qui eut les yeux humides et me couvrit de compliments, parmi lesquels ressortait surtout celui-ci, répété cent fois : « Mon Dieu, qu'est-ce qu'elle est belle ma fille ! » Quant à mes frères et sœur, ils dirent avec un certain mépris : « Tu ressembles à une négresse. »

Je me regardai dans la glace et fus moi-même stupéfaite : le soleil m'avait rendue d'un blond resplendissant mais mon visage, mes bras et mes jambes semblaient peints en or noir. Tant que j'étais restée immergée dans les couleurs d'Ischia, toujours entourée de visages bronzés, ma transformation m'avait paru adaptée à l'environnement ; maintenant, une fois retrouvée l'ambiance du quartier, où tous les visages et toutes les rues étaient restés maladifs et blafards, elle me parut exagérée, presque anormale. Les gens, les immeubles et le boulevard poussiéreux plein de circulation me firent l'impression d'une photo mal imprimée, comme dans les journaux.

Dès que je pus je courus chercher Lila. Je l'appelai depuis la cour, elle passa la tête et se précipita dehors. Elle m'enlaça, m'embrassa et me couvrit de compliments comme elle ne l'avait jamais fait, au point que je fus bouleversée par tant d'affection aussi explicite. Elle était toujours la même et pourtant, en un peu plus d'un mois, elle avait encore changé. Elle avait l'air non plus d'une jeune fille mais d'une femme, une femme d'au moins dix-huit ans, ce qui alors me semblait un âge avancé. Ses vieilles robes semblaient trop courtes et trop serrées, comme si elle avait grandi dedans en l'espace de quelques minutes, et elles lui comprimaient le corps plus que de raison. Elle était encore plus grande, avait les épaules droites et était toute sinueuse. Son visage très pâle sur son cou fin me sembla d'une beauté rare et délicate.

Je sentis qu'elle était nerveuse, dans la rue elle regarda autour d'elle, derrière son dos, mais elle ne me donna pas d'explications. Elle dit simplement « Viens avec moi » et voulut que je l'accompagne à l'épicerie de Stefano. Elle ajouta en me prenant le bras : « C'est quelque chose que je ne peux faire qu'avec toi, heureusement que tu es rentrée : je pensais devoir attendre jusqu'en septembre. »

Nous n'avions jamais fait le chemin jusqu'au jardin public aussi serrées l'une contre l'autre, aussi unies et aussi heureuses de nous retrouver. Elle me raconta que la situation empirait de jour en jour. La veille au soir, Marcello était arrivé avec des pâtisseries et du mousseux et lui avait offert un anneau incrusté de brillants. Elle l'avait accepté et mis au doigt pour éviter les problèmes en présence de ses parents, mais peu avant qu'il ne s'en aille, sur le pas de la porte, elle le lui avait rendu sans y aller par quatre chemins. Marcello avait protesté, l'avait menacée comme il le faisait désormais de plus en plus souvent, et puis avait éclaté en sanglots. Fernando et Nunzia s'étaient tout de suite aperçus que quelque chose n'allait pas. Sa mère avait pris Marcello en affection, elle aimait les bonnes choses qu'il apportait tous les soirs chez eux et était fière d'être propriétaire d'un téléviseur ;

Fernando sentait que ses tribulations touchaient à leur fin parce que, grâce à sa parenté prochaine avec les Solara, il pouvait regarder l'avenir sans anxiété. Ainsi, dès que Marcello fut parti, tous deux l'avaient harcelée plus que de coutume pour savoir ce qui se passait. Du coup, après tout ce temps et pour la première fois Rino l'avait défendue, il avait crié que si sa sœur ne voulait pas d'un abruti comme Marcello l'éconduire était son droit sacro-saint et s'ils continuaient à vouloir la lui donner en mariage alors il allait tout faire flamber : la maison, la cordonnerie, lui-même et toute la famille. Père et fils en étaient venus aux mains, Nunzia s'était mise entre les deux et ils avaient réveillé le voisinage. Ce n'était pas tout : Rino s'était jeté sur son lit très agité, avait brusquement sombré dans le sommeil et une heure après avait eu un nouvel épisode de somnambulisme. Ils l'avaient trouvé dans la cuisine en train de craquer une allumette après l'autre, qu'il passait devant la poignée du gaz comme pour vérifier s'il y avait une fuite. Nunzia terrifiée avait réveillé Lila en lui disant : « Rino veut vraiment tous nous faire brûler vifs ! » Lila avait couru voir et avait rassuré sa mère : Rino dormait et dans son sommeil il s'inquiétait véritablement pour les fuites de gaz, contrairement à ce qu'il faisait éveillé. Elle l'avait raccompagné et l'avait aidé à se recoucher.

« Je n'en peux plus, conclut-elle, tu n'as pas idée de ce que je traverse, il faut que je sorte de cette situation. »

Elle se serra contre moi comme si je pouvais la recharger en énergie.

« Toi tu vas bien, dit-elle, et tout te réussit : il faut que tu m'aides. »

Je lui répondis qu'elle pouvait compter sur moi pour tout et elle eut l'air soulagé, elle me serra le bras et chuchota :

« Regarde ! »

Je vis de loin une sorte de tache rouge qui lançait des feux.

« Qu'est-ce que c'est ?

— Tu ne vois pas ? »

Non, je ne voyais pas bien.

« C'est la nouvelle voiture que Stefano s'est achetée. »

La voiture était garée devant l'épicerie qui avait été agrandie avec maintenant deux entrées et était bondée. Les clientes, en attendant d'être servies, jetaient des regards admiratifs vers ce symbole d'opulence et de prestige : dans le quartier on n'avait jamais vu une automobile de ce genre, toute de verre et de métal, avec le toit qui s'ouvrait. Une voiture de grands seigneurs, rien à voir avec la Millecento des Solara.

J'en fis le tour pendant que Lila restait à l'ombre et surveillait la route, comme si elle s'attendait d'un moment à l'autre à quelque agression. Stefano apparut sur le seuil de l'épicerie avec son tablier tout sale ; sa grosse tête et son front haut lui donnaient un air un peu disproportionné mais pas désagréable. Il traversa la rue et me salua cordialement en s'exclamant :

« Tu as l'air en forme ! On dirait une actrice ! »

Lui aussi se portait bien : comme moi il avait pris le soleil et nous étions peut-être les seuls dans tout le quartier à avoir un air aussi sain. Je lui dis :

« Tu es tout bronzé !

— J'ai pris une semaine de vacances.

— Où ça ?

303

— À Ischia.

— Moi aussi j'étais à Ischia.

— Je sais, Lina me l'a dit : je t'ai cherchée mais je ne t'ai pas vue. »

J'indiquai la voiture :

« Elle est belle ! »

Stefano mit sur son visage une expression modeste de consentement. Faisant allusion à Lila, il dit avec un regard amusé :

« Je l'ai achetée pour ton amie mais elle ne veut pas me croire. » Je regardai Lila qui restait à l'ombre, sérieuse et avec une expression tendue. Stefano s'adressa à elle, vaguement ironique : « Maintenant que Lenuccia est rentrée, qu'est-ce que tu fais ? »

Lila répondit comme si cela lui déplaisait :

« On y va. Mais on est d'accord : tu l'as invitée elle, pas moi, et je n'ai fait que vous accompagner. »

Il sourit et rentra dans le magasin.

« Qu'est-ce qui se passe ? » lui demandai-je déboussolée.

« Je ne sais pas », répondit-elle, et elle voulait dire qu'elle ne savait pas exactement dans quoi elle était en train de se fourrer. Elle avait son air de quand elle devait faire un calcul difficile, mais sans son expression effrontée de toujours : elle était visiblement inquiète, comme si elle tentait une expérience dont l'issue était incertaine. « Tout a commencé, me raconta-t-elle, avec l'arrivée de cette voiture. » Stefano, au début comme si c'était une plaisanterie et puis de plus en plus sérieusement, avait juré qu'il avait acheté cette voiture pour elle, pour le plaisir d'ouvrir au moins une fois la portière pour elle et de la faire monter à l'intérieur. « Cette voiture est faite pour toi, rien que pour toi ! » lui avait-il déclaré. Et depuis qu'on la lui avait livrée, fin juillet, il n'avait cessé de lui demander – mais pas en la harcelant, non, gentiment – d'abord de faire un tour avec Alfonso et lui, puis avec Pinuccia et lui, et enfin même avec sa mère et lui. Mais elle avait toujours refusé. Finalement elle lui avait promis : « Je viendrai quand Lenuccia rentrera d'Ischia. » Et maintenant on en était là, et ce qui devait arriver arriverait.

« Mais il est au courant, pour Marcello ?

— Bien sûr qu'il est au courant.

— Et alors ?

— Alors il insiste.

— Lila, j'ai peur.

— Tu te rappelles toutes les choses qu'on a faites et qui nous faisaient peur ? Je t'ai attendue exprès. »

Stefano revint sans son tablier : cheveux bruns, visage bronzé, yeux noirs brillants, chemise blanche et pantalon sombre. Il ouvrit la voiture, s'assit au volant et souleva la capote. Je m'apprêtai à me glisser sur l'exigu siège arrière mais Lila m'arrêta et c'est elle qui s'y installa. Mal à l'aise je pris place à côté de Stefano, qui partit aussitôt en se dirigeant vers les nouveaux immeubles.

La chaleur se dispersa avec le vent. Je me sentis bien, à la fois enivrée par la vitesse et par les certitudes tranquilles que dégageait le corps de Carracci. J'eus l'impression que Lila m'avait tout expliqué sans rien m'expliquer. D'accord il y avait cette voiture de sport flambant neuve qui avait été achetée rien que pour l'emmener faire la virée qui commençait tout juste. D'accord il y avait ce jeune homme qui, tout en étant au courant pour Marcello Solara, violait toutes les règles de la virilité sans aucune anxiété apparente. D'accord il y avait moi, entraînée à la hâte dans cette affaire pour dissimuler par ma présence des paroles secrètes entre eux, peut-être même une amitié. Mais quel genre d'amitié ? À l'évidence il se passait quelque chose d'important avec cette promenade en voiture, et pourtant Lila n'avait pas pu ou pas voulu me fournir les éléments nécessaires pour que je comprenne. Qu'avait-elle en tête ? Elle ne pouvait pas ne pas savoir qu'elle était en train de provoquer un tremblement de terre bien pire que lorsqu'elle lançait des bouts de papier imbibés d'encre. Et pourtant il était probablement vrai qu'elle ne visait rien de précis. Elle était comme ça, elle rompait les équilibres seulement pour voir de quelle autre manière elle pouvait les recomposer. Si bien que nous nous retrouvions là à rouler à vive allure, cheveux au vent, Stefano qui conduisait avec une aisance satisfaite et moi qui étais assise à son côté comme si j'étais sa petite amie. Je pensai à la manière dont il m'avait regardée, quand il m'avait dit que j'avais l'air d'une actrice. Je pensai à la possibilité de lui plaire plus que mon amie ne lui plaisait en ce moment. Je pensai avec horreur à la possibilité que Marcello Solara lui tire dessus. Sa jolie personne aux gestes assurés perdrait sa consistance, comme le cuivre de la casserole dont Lila m'avait parlé dans sa lettre.

Le tour par les nouveaux immeubles permit d'éviter de passer devant le bar Solara.

« Moi je m'en fiche que Marcello nous voie, dit Stefano sans emphase, mais si pour toi c'est important, alors d'accord. »

On emprunta le tunnel pour filer vers la Marina. C'était la route que nous avions faite ensemble Lila et moi des années auparavant, quand nous avions été surprises par la pluie. Je fis allusion à cet épisode, elle sourit et Stefano voulut que nous le lui racontions. Nous lui racontâmes toute l'histoire, on s'amusa bien et sur ces entrefaites on arriva aux Granili.

«Qu'est-ce que vous en pensez? Elle est rapide, non?

— Très rapide », répondis-je enthousiaste.

Lila ne fit aucun commentaire. Elle regardait autour d'elle, touchant parfois mon épaule pour m'indiquer des maisons ou la pauvreté loqueteuse des rues, comme si elle y voyait la confirmation de quelque chose et que j'aurais dû le comprendre au vol. Puis, sérieuse et sans préambule, elle demanda à Stefano :

«Alors toi tu es vraiment différent? »

Il la chercha dans le rétroviseur :

«Différent de qui?

— Tu le sais bien. »

Il ne répondit pas tout de suite. Puis il dit en dialecte :

«Tu veux que je te dise la vérité?

— Oui.

— C'est mon intention, mais je ne sais pas comment ça finira. »

À ce moment-là j'eus la confirmation que Lila avait dû me taire de nombreux épisodes. Ce ton allusif prouvait qu'il y avait une entente entre eux et qu'ils avaient déjà eu des occasions de se parler et pas pour plaisanter, mais sérieusement. Qu'est-ce que j'avais raté pendant que j'étais à Ischia? Je me retournai pour la regarder, elle tardait à répliquer et je me dis que la réponse vague de Stefano devait la rendre nerveuse. Je la vis inondée de soleil, les yeux mi-clos, le chemisier gonflé par sa poitrine et par le vent.

« Ici la misère est pire que chez nous », fit-elle. Et puis elle ajouta, sans transition et en riant : « Ne t'imagine pas que j'ai oublié que tu voulais me percer la langue ! »

Stefano fit oui de la tête.

« C'était une autre époque, dit-il.

— Quand on est lâche on le reste ! Tu étais deux fois plus gros que moi. »

Il eut un petit sourire gêné et sans répondre accéléra en direction du port. La promenade dura presque une demi-heure et on rentra par le Rettifilo et le Corso Garibaldi.

« Ton frère ne va pas bien », dit Stefano alors que nous étions déjà revenus aux abords du quartier. Il la chercha encore dans le rétroviseur et demanda : « Ce sont celles que vous avez fabriquées, les chaussures exposées en vitrine ?

— Comment tu es courant, pour les chaussures ?

— Rino ne parle que de ça.

— Et alors ?

— Elles sont très belles. »

Les yeux de Lila devinrent tout petits, elle les plissa presque jusqu'à les fermer :

« Achète-les, lança-t-elle avec son ton provocateur.

— Vous les vendez combien ?

— Parle à mon père. »

Stefano fit un demi-tour déterminé qui m'envoya battre contre la portière et on prit la route de la cordonnerie.

« Qu'est-ce que tu fais ? demanda Lila, à présent alarmée.

« — Tu m'as dit de les acheter, alors je vais les acheter. »

37

Il gara la voiture devant la cordonnerie, vint m'ouvrir la portière et me tendit la main pour m'aider à descendre. Il ne s'occupa pas de Lila, elle se débrouilla seule et resta derrière nous. Lui et moi nous arrêtâmes devant la vitrine, sous les yeux de Rino et Fernando qui, de l'intérieur du magasin, nous regardaient avec une curiosité perplexe.

Quand Lila nous rejoignit Stefano ouvrit la porte du magasin, me laissa passer devant lui et entra sans céder le passage à Lila. Il fut extrêmement cordial avec le père et le fils et demanda à voir les chaussures. Rino se précipita pour les lui amener, Stefano les examina et fut admiratif :

« Elles sont à la fois légères et résistantes, et elles ont vraiment une belle ligne. » Et il me demanda : « Qu'est-ce que tu en penses, Lenù ? »

Très gênée je répondis :

« Elles sont magnifiques. »

Il s'adressa à Fernando :

« Votre fille m'a dit que vous y aviez beaucoup travaillé tous les trois et que vous projetiez d'en fabriquer d'autres, y compris pour femme.

— Oui, fit Rino ébahi en regardant sa sœur.

— Oui, fit Fernando prudemment, mais pas tout de suite. »

Rino dit à sa sœur, légèrement tendu parce qu'il craignait un refus :

« Va chercher les dessins. »

Lila, continuant à l'étonner, n'opposa pas de résistance. Elle se rendit dans l'arrière-boutique et revint en tendant les feuillets à son frère, qui les passa à Stefano. Il y avait tous les modèles qu'elle avait imaginés près de deux ans auparavant.

Stefano me montra le dessin d'une paire de chaussures pour femme avec un talon très haut :

« Tu les achèterais, celles-là ?

— Oh oui ! »

Il recommença à examiner les dessins. Puis il s'assit sur un tabouret et enleva sa chaussure droite.

« C'est quelle pointure ?

— Du 43, mais ça pourrait être un 44 », mentit Rino.

Lila, nous surprenant à nouveau, s'agenouilla devant Stefano et, munie d'un chausse-pied, aida le jeune homme à glisser le pied dans la chaussure neuve. Puis elle lui ôta son autre chaussure et refit la même opération.

Stefano, qui jusqu'à cet instant avait joué le rôle de l'homme pratique et efficace, en fut visiblement troublé. Il attendit que Lila se relève et demeura encore assis quelques secondes comme pour reprendre son souffle. Puis il se mit debout et fit quelques pas.

« Elles me serrent », dit-il.

Rino s'assombrit, déçu.

« On peut te les mettre dans la machine pour les élargir », intervint Fernando, mais d'un ton peu convaincu.

Stefano me regarda et demanda :

« Comment elles me vont ?

— Bien, dis-je.

310

— Alors je les prends. »

Fernando demeura impassible, le visage de Rino s'éclaircit :

« Tu sais Stef', ces chaussures c'est un modèle exclusif Cerullo, elles coûtent cher. »

Stefano sourit et prit un ton affectueux :

« Et si c'était pas un modèle exclusif Cerullo, tu crois que je les achèterais ? Elles peuvent être prêtes quand ? »

Rino, radieux, regarda son père.

« On doit les laisser dans la machine au moins trois jours », expliqua Fernando, mais à l'évidence il aurait aussi bien pu répondre dix jours, vingt jours ou un mois, tant il avait envie de prendre son temps devant cette nouveauté surprenante.

« Très bien : réfléchissez à un prix d'ami et je reviens les chercher dans trois ou quatre jours. »

Il replia les feuillets avec les dessins et les mit dans sa poche sous nos yeux perplexes. Puis il serra la main de Fernando et de Rino et se dirigea vers la porte.

« Les dessins ! lança froidement Lila.

— Je peux te les rapporter dans trois jours ? » demanda Stefano cordialement, et sans attendre la réponse il ouvrit la porte. Il me laissa passer et sortit après moi.

J'étais déjà installée en voiture à côté de lui quand Lila nous rejoignit. Elle était en colère :

« Tu prends mon père pour un imbécile, mon frère aussi ?

— Qu'est-ce que tu veux dire ?

— Si tu crois que tu peux faire le mariole avec ma famille et moi, tu te trompes.

— Tu me vexes : je ne suis pas Marcello Solara, moi.

— Et tu es qui, alors ?

— Un commerçant : les chaussures que tu as dessinées, c'est du jamais-vu. Et je ne parle pas seulement de celles que j'ai achetées, mais aussi de toutes les autres.

— Et donc ?

— Donc laisse-moi réfléchir et on se voit dans trois jours. »

Lila le fixa comme si elle voulait lire dans ses pensées et elle ne s'éloignait pas de la voiture. Pour finir elle lança une phrase que moi je n'aurais jamais eu le courage de prononcer :

« Écoute, Marcello a déjà essayé de m'acheter par tous les moyens, mais moi personne ne m'achète. »

Stefano la regarda droit dans les yeux pendant une longue seconde :

« Et moi je ne dépense pas une lire si je ne crois pas qu'elle va m'en rapporter cent. »

Il mit le moteur en marche et on partit. Maintenant j'en étais sûre : la virée en voiture avait été le résultat d'une espèce d'accord auquel ils étaient parvenus après bien des rencontres et des discussions. Je dis faiblement, en italien :

« S'il te plaît, Stefano, tu me laisses au coin de la rue ? Si ma mère me voit en voiture avec toi elle me colle une gifle. »

38

La vie de Lila changea de manière décisive pendant ce mois de septembre. Ce ne fut pas facile, mais elle changea. Quant à moi, j'étais rentrée d'Ischia amoureuse de Nino, marquée par les lèvres et les mains de son père, et certaine que j'allais pleurer nuit et jour à cause de ce mélange de bonheur et d'horreur que je sentais en moi. Mais en fait je n'eus même pas à trouver une forme pour mes émotions car tout reprit sa place en quelques heures. Je mis de côté la voix de Nino et les désagréables moustaches de son père. L'île s'estompa et se perdit dans quelque recoin secret de mon cerveau. Je fis place à ce qui arrivait à Lila.

Pendant les trois jours qui suivirent cette stupéfiante promenade en voiture décapotable, sous le prétexte d'aller faire les courses Lila se rendit souvent dans l'épicerie de Stefano, mais en me demandant toujours de l'accompagner. Je le fis le cœur battant, effrayée par la possible irruption de Marcello, mais aussi heureuse de mon rôle de confidente prodigue de conseils, de complice dans l'invention de nouvelles trames, et d'objet apparent des attentions de Stefano. Nous n'étions que des gamines, même si nous nous imaginions perfides et sans scrupules. Nous brodions à partir des faits – Marcello, Stefano, les chaussures – avec notre passion habituelle et nous nous sentions toujours capables de tout faire coller. «Je lui dirai ça», imaginait-elle, et je lui suggérais une petite variante : «Non, dis-lui plutôt ça.» Puis Stefano et elle discutaient intensément dans un coin derrière le comptoir tandis qu'Alfonso échangeait deux mots avec moi, que Pinuccia agacée servait les clientes et que Maria, à la caisse, surveillait avec appréhension son aîné qui, ces derniers temps, se souciait bien peu du travail et alimentait les potins des commères.

Naturellement nous improvisions. Pendant nos allées et venues j'essayai de comprendre ce que Lila avait vraiment en tête, afin de coller à ses objectifs. Au début j'eus l'impression qu'elle souhaitait simplement faire gagner un peu d'argent à son père et à son frère en vendant au prix fort à Stefano l'unique paire de chaussures produite par les Cerullo, mais bientôt il me sembla qu'elle espérait surtout se débarrasser de Marcello en se servant du jeune épicier. Et en effet, je lui posai une fois cette question décisive :

« Entre les deux, lequel te plaît le plus ? »

Elle haussa les épaules :

« Marcello ne m'a jamais plu, il me dégoûte.

— Tu te mettrais avec Stefano rien que pour chasser Marcello de chez toi ? »

Elle y réfléchit un instant et répondit que oui.

À partir de là, le but de toutes nos intrigues fut toujours le même : empêcher par tous les moyens l'intrusion de Marcello dans sa vie. Le reste vint s'agréger presque par hasard et nous nous contentions de donner à l'ensemble un rythme et parfois une véritable orchestration. Ou du moins, c'est ce que nous croyions. En réalité, celui qui agit fut toujours et uniquement Stefano.

Ponctuel, il se présenta au magasin trois jours plus tard et acheta les chaussures, même si elles le serraient. Les deux Cerullo, après bien des hésitations, lui demandèrent vingt-cinq mille lires, tout en étant prêts à descendre jusqu'à dix mille. Stefano ne broncha pas et en ajouta vingt mille en échange des dessins de Lila qui, dit-il, lui plaisaient, et qu'il voulait faire encadrer.

« Encadrer ? demanda Rino.

— Oui.

314

— Comme le tableau d'un peintre ?

— Oui.

— Et tu l'as dit à ma sœur, que tu achetais aussi ses dessins ?

— Oui. »

Stefano ne s'arrêta pas là. Quelques jours plus tard, il fit à nouveau irruption dans la cordonnerie et annonça au père et au fils qu'il avait pris en location le local adjacent à leur magasin. « Pour le moment il est là, dit-il, mais si un jour vous décidez de vous agrandir alors rappelez-vous que je suis à votre disposition. »

Chez les Cerullo on débattit longuement, à voix basse, pour savoir ce que cette phrase pouvait bien signifier. « Nous agrandir ? » Pour finir, comme tout seuls ils n'y arrivaient pas, Lila intervint :

« Il vous propose de transformer la cordonnerie en atelier pour fabriquer les chaussures Cerullo.

— Et l'argent ?

— C'est lui qui le met.

— Il te l'a dit ? s'alarma Fernando incrédule, aussitôt suivi par Nunzia.

— Il vous l'a dit à tous les deux, dit Lila en indiquant son père et son frère.

— Mais il sait que ça coûte cher, les chaussures faites main ?

— Vous le lui avez prouvé.

— Et si elles ne se vendent pas ?

— Vous perdrez la face et lui son argent.

— Et c'est tout ?

— C'est tout. »

Toute la famille vécut des jours de fébrilité. Marcello passa au second plan. Il arrivait le soir à huit heures et demie et le dîner n'était pas encore prêt. Souvent il se retrouva seul devant la télévision avec Melina et Ada pendant que les Cerullo complotaient dans une autre pièce.

Naturellement Rino était le plus enthousiaste : il retrouva énergie, couleur et allégresse, et comme il avait été l'ami intime des Solara il devint l'ami intime de Stefano, Alfonso, Pinuccia et même de Mme Maria. Quand finalement Fernando leva ses dernières objections, Stefano alla au magasin et, au terme d'une brève discussion, on arriva à un accord verbal en vertu duquel il avancerait l'argent de toutes les dépenses tandis que les deux Cerullo lanceraient la production non seulement du modèle que Lila et Rino avaient déjà réalisé mais aussi de tous les autres, restant entendu que les éventuels profits seraient partagés moitié-moitié. Il tira les feuillets d'une poche et les leur montra l'un après l'autre :

« Vous ferez celle-ci, celle-ci et celle-là, dit-il, mais espérons que vous n'y mettrez pas deux ans comme je sais que ça a été le cas pour votre première paire.

— Lina n'est qu'une fille, se justifia Fernando embarrassé, et Rino n'avait pas encore bien appris le métier. »

Stefano secoua la tête gentiment :

« Laissez Lina en dehors de ça. Vous devrez prendre des apprentis.

— Et qui va les payer ? demanda Fernando.

— Toujours moi. Vous en choisirez deux ou trois à votre guise, je vous laisse juge. »

À l'idée d'avoir même des employés, Fernando fut tout exalté et sa langue se délia, décevant visiblement son fils. Il se mit à raconter comment feu son père lui avait appris le métier. Il raconta combien le travail derrière les machines, à Casoria, était dur. Il expliqua que son erreur avait été d'épouser Nunzia, qui était dépourvue de force dans les mains et n'avait aucune envie de se fatiguer, alors que s'il avait épousé Ines, une flamme de jeunesse qui était une grande travailleuse, il aurait eu depuis longtemps une activité bien à lui, mieux que les chaussures Campanile, et aurait peut-être exposé des échantillons à la Mostra d'Oltremare. Il raconta enfin qu'il avait en tête des chaussures superbes, des articles parfaits, et que si Stefano n'était pas si obsédé par les chaussures absurdes de Lina on pourrait commencer à les fabriquer tout de suite – et tu verrais comment elles se vendraient ! Stefano écouta patiemment mais répliqua ensuite que pour le moment, tout ce qui l'intéressait c'était de voir les dessins de Lila réalisés à la perfection. Rino prit alors les feuillets de sa sœur, les examina à fond et lui demanda d'un ton légèrement sarcastique :

« Et quand ils seront encadrés, où tu veux les accrocher ?

— Ici même. »

Rino regarda son père, qui s'était à nouveau assombri et ne dit rien.

« Ma sœur est d'accord pour tout ? » demanda-t-il.

Stefano sourit :

« Et qui aurait envie de faire quelque chose si ta sœur n'était pas d'accord ? »

Il se leva, serra vigoureusement la main de Fernando et se dirigea vers la porte. Rino le raccompagna et soudain, alors que l'épicier partait déjà vers sa décapotable rouge, il lui cria depuis le seuil, ne pouvant plus contenir quelque chose qui le préoccupait :

« Mais la marque des chaussures reste Cerullo ! »

Stefano lui fit un signe de la main sans se retourner :

« Une Cerullo les a inventées, alors elles s'appelleront Cerullo. »

39

Le soir même Rino, avant de partir se promener avec Pasquale et Antonio, s'exclama :

« Marcè, t'as vu la voiture que s'est achetée Stefano ? »

Abruti par la télévision allumée et par la tristesse, Marcello ne répondit même pas.

Alors Rino sortit un peigne de sa poche et se le passa dans les cheveux avant de lancer joyeusement :

« Tu sais qu'il a acheté nos chaussures pour quarante-cinq mille lires ?

— On voit qu'il a de l'argent à perdre », répondit Marcello et Melina éclata de rire, sans qu'on sache si c'était à cause de cette réplique ou pour quelque chose qui passait à la télévision.

Dès lors Rino trouva toujours le moyen, soir après soir, d'énerver Marcello, et l'ambiance devint de plus en plus tendue. En outre, à peine Solara arrivait-il, toujours bien accueilli par Nunzia, que Lila disparaissait, disant qu'elle était fatiguée et allait se coucher. Un soir Marcello, vraiment déprimé, parla à Nunzia :

« Si votre fille va se coucher dès que j'arrive, qu'est-ce que je viens faire ici ? »

Évidemment il espérait qu'elle le réconforterait en lui disant quelque chose qui l'encourage à persévérer dans ses tentatives pour gagner l'amour de la jeune fille. Mais Nunzia ne sut que répondre et alors il marmonna :

« Elle en aime un autre ?

— Mais non !

— Je sais qu'elle va faire les courses chez Stefano.

— Mais fiston, où tu veux qu'elle aille faire les courses ? »

Marcello se tut, les yeux baissés.

« On l'a vue en voiture avec l'épicier.

— Il y avait aussi Lenuccia : Stefano s'intéresse à la fille du portier.

— Je crois pas que Lenuccia soit une bonne fréquentation pour votre fille. Dites-lui d'arrêter de la voir. »

Je n'étais pas une bonne fréquentation ? Lila ne devait plus me voir ? Quand mon amie me rapporta cette requête de Marcello, je passai définitivement du côté de Stefano et me mis à faire l'éloge de ses manières discrètes et de sa calme détermination. « Il est riche », lui dis-je enfin. Mais, au moment même où je prononçais cette phrase, je me rendis compte que la richesse dont nous rêvions enfants était encore en train de se métamorphoser. Les coffres remplis de pièces d'or qu'une procession de serviteurs viendrait déposer dans notre château quand nous aurions publié un livre comme *Les Quatre Filles du docteur March* – richesse et célébrité – s'étaient définitivement évaporés. Restait peut-être l'idée de l'argent comme ciment capable de consolider notre existence et celle des personnes qui nous étaient chères, nous protégeant de la *délimitation*. Mais ce qui dominait vraiment à présent c'était le concret, le geste quotidien et la tractation commerciale. Cette richesse de l'adolescence naissait toujours d'une vision féerique issue de notre enfance – les dessins de chaussures jamais vues – mais elle s'était matérialisée sous la forme de l'insatisfaction vindicative de Rino qui voulait dépenser comme un grand seigneur, sous la forme de la télévision, des pâtisseries et de la bague de Marcello qui visait à acheter un sentiment et enfin, étape après étape, sous la forme de ce jeune homme courtois, Stefano, qui vendait de la charcuterie, avait une voiture rouge décapotable, dépensait quarante-cinq mille lires comme si de rien n'était, encadrait des petits dessins, voulait vendre non seulement du fromage mais aussi des chaussures, investissait dans la peausserie et la force de travail, et qui semblait convaincu de pouvoir inaugurer une ère nouvelle de paix et de bien-être pour le quartier : bref, il s'agissait d'une richesse qui se logeait dans les faits de tous les jours, et qui était par conséquent sans splendeur ni gloire.

« Il est riche », entendis-je Lila répéter, et cela nous fit rire. Mais ensuite elle ajouta : « Il est aussi sympathique et gentil », et je me déclarai aussitôt d'accord ; ces dernières qualités ne pouvaient être attribuées à Marcello et c'était là une raison supplémentaire de prendre le parti de Stefano. Toutefois, ces deux adjectifs me troublèrent : je sentis qu'ils donnaient le coup de grâce aux rêves fulgurants de notre enfance. Plus aucun château, plus aucun coffre, crus-je comprendre, ne nous concernerait Lila et moi – et seulement nous –, et nous ne nous pencherions plus sur un cahier pour écrire une histoire comme *Les Quatre Filles du docteur March*. En s'incarnant dans Stefano, la richesse prenait les apparences d'un jeune homme au tablier graisseux, elle adoptait ses traits, son odeur et sa voix, elle exprimait la sympathie et la gentillesse, elle devenait cet homme que nous connaissions depuis toujours, le fils aîné de Don Achille.

Je m'agitai et m'exclamai :

«Quand même, il voulait te percer la langue !

— C'était un gamin», répliqua-t-elle d'une voix émue et tout de miel que je n'avais jamais entendue, au point que c'est seulement à ce moment-là que je me rendis compte qu'elle était allée en fait beaucoup plus loin qu'elle ne me l'avait avoué.

Les jours suivants, la situation se clarifia encore davantage. Je remarquai comment elle parlait à Stefano et je vis qu'il était comme façonné par sa voix. Je m'adaptai au pacte qu'ils étaient en train de sceller, je ne voulais pas en être exclue. Et nous complotâmes pendant des heures – nous deux, nous trois – pour faire en sorte que tout change rapidement : les personnes, les sentiments et la manière dont les choses se présentaient. Un ouvrier vint dans le local à côté de la cordonnerie pour abattre le mur mitoyen. Le magasin fut réorganisé. Trois apprentis débarquèrent, des garçons qui venaient de la région, vers Melito, pratiquement muets. Dans un coin on continuait à faire le ressemelage, dans le reste de l'espace Fernando installa des comptoirs, des rayonnages, ses instruments et ses formes en bois correspondant aux différentes pointures, et il commença à réfléchir sur ce qu'il fallait faire, avec une énergie aussi soudaine qu'inattendue chez cet homme très maigre et dévoré depuis toujours par un ressentiment hargneux.

Le jour même où le nouveau travail devait commencer, Stefano fit son apparition. Il portait un paquet fait avec du papier d'emballage. D'un bond tout le monde fut debout, y compris Fernando, comme si Stefano était venu faire une inspection. Il ouvrit le paquet, à l'intérieur il y avait un grand nombre de petits cadres tous de même taille, avec des baguettes marron. C'étaient les feuilles de cahier de Lila, sous verre comme s'il s'agissait de précieuses reliques. Il demanda à Fernando la permission de les accrocher aux murs, Fernando grommela quelque chose et Stefano se fit aider par Rino et les apprentis pour mettre les clous. Seulement une fois les cadres accrochés, Stefano passa quelques lires aux trois employés en leur demandant d'aller prendre un café. Dès qu'il se trouva seul avec le cordonnier et son fils, il leur annonça tranquillement qu'il voulait épouser Lila.

Un silence insupportable s'installa. Rino se contenta d'un sourire entendu. Enfin Fernando dit faiblement :

« Stefano, Lina est fiancée avec Marcello Solara.

— Votre fille n'est pas au courant.

— Qu'est-ce que tu veux dire ? »

Rino intervint, tout joyeux :

« Il a raison ! Maman et toi vous faites venir ce connard à la maison, mais Lina ne l'a jamais voulu et ne le voudra jamais. »

Fernando lança un regard mauvais à son fils. L'épicier dit gentiment, tout en regardant autour de lui :

« Maintenant nous avons commencé à travailler, alors ne nous énervons pas. Je ne vous demande qu'une chose, Don Fernà : dites à votre fille de se décider. Si elle veut Marcello Solara, je me résigne. Je l'aime tellement que si elle est heureuse avec un autre je me retire, et entre vous et moi rien ne change. Mais si elle me veut, si elle veut m'épouser, alors là rien à faire, vous devez me la donner.

— Tu me menaces, dit Fernando mais mollement, sur le ton de la constatation résignée.

— Non : je vous demande seulement de faire le bien de votre fille.

— Moi je sais ce que c'est, son bien !

— Certes, mais elle le sait encore mieux que vous. »

Alors Stefano se leva, ouvrit la porte et m'appela : j'attendais dehors avec Lila.

« Lenù ! »

Nous entrâmes. Nous aimions nous sentir au cœur de l'action ensemble, toutes les deux, pour la mener à sa fin. Je me rappelle la tension surexcitée de ce moment. Stefano dit à Lila :

« Je te le dis devant ton père : je t'aime, encore plus que ma vie. Veux-tu m'épouser ? »

Lila répondit, sérieuse :

« Oui. »

Fernando eut l'air de suffoquer un peu et puis il murmura, avec le même ton de soumission qu'il utilisait autrefois avec Don Achille :

« Nous sommes en train de faire un affront énorme non seulement à Marcello, mais à tous les Solara. Et maintenant qui va lui annoncer, à ce pauvre garçon ? »

Lila répondit :

« Moi. »

40

Et en effet, deux soirs plus tard, avant de se mettre à table et d'allumer la télévision, devant toute la famille à l'exception de Rino qui était en vadrouille, Lila demanda à Marcello :

« Tu m'emmènes prendre une glace ? »

Marcello n'en crut pas ses oreilles :

« Une glace ? Avant le dîner ? Toi et moi ? » Et il demanda aussitôt à Nunzia : « Madame, vous voulez venir avec nous ? »

Nunzia alluma la télévision et dit :

« Non merci, Marcè. Mais ne restez pas longtemps. Rien que dix minutes, le temps de faire l'aller-retour.

— Oui, promit-il tout heureux, merci. »

Il répéta merci au moins quatre fois. Il croyait que le moment tant attendu était enfin arrivé et que Lila allait lui dire oui.

Mais à peine sortis de l'immeuble elle lui fit front et scanda, avec cette méchanceté glaciale qui lui venait si bien depuis les premières années de sa vie :

« Je n'ai jamais dit que je voulais de toi.

— Je sais. Mais maintenant tu veux de moi ?

— Non. »

Marcello, qui était grand et fort, un gros gaillard de vingt-trois ans, sain et sanguin, s'appuya contre un réverbère, le cœur brisé :

« Vraiment pas ?

— Non. J'en aime un autre.

— Qui ?

— Stefano.

— Je le savais, mais j'arrivais pas à y croire.

— Eh bien il faut y croire, c'est comme ça.

— Je vous tuerai tous les deux !

— Avec moi tu peux essayer tout de suite. »

Marcello s'écarta du réverbère, furieux, mais avec une espèce de râle il se mordit le poing droit jusqu'au sang :

« Je t'aime trop, je n'y arriverai pas.

— Alors demande à ton frère, à ton père ou à l'un de vos copains de le faire, peut-être qu'eux en seront capables. Mais explique-leur bien à tous qu'il faut qu'ils me tuent d'abord. Parce que si vous touchez à quelqu'un d'autre tant que je suis encore vivante, alors c'est moi qui vous tuerai, et tu sais que je le ferai, et je commencerai par toi. »

Marcello continua à se mordre un doigt avec acharnement. Puis il réprima une sorte de sanglot qui lui secoua la poitrine, tourna le dos et s'en alla.

Elle cria derrière lui :

« Et envoie quelqu'un pour récupérer la télévision, on n'en a pas besoin ! »

41

Tout arriva en à peine plus d'un mois et à la fin Lila me sembla heureuse. Elle avait trouvé une issue à son projet de chaussures, avait donné une chance à son frère et à toute la famille, s'était débarrassée de Marcello Solara et était devenue la fiancée du jeune homme aisé le plus estimé du quartier. Que pouvait-elle vouloir de plus ? Rien. Elle avait tout. Quand l'école reprit, mon quotidien me parut encore plus gris qu'à l'ordinaire. Je fus à nouveau absorbée par les études et, pour éviter d'être prise au dépourvu par mes professeurs, je me remis à bûcher jusqu'à vingt-trois heures et à mettre le réveil à cinq heures et demie. Je vis de moins en moins Lila.

En revanche j'approfondis mes relations avec le frère de Stefano, Alfonso. Bien qu'il ait travaillé tout l'été à l'épicerie, il avait brillamment réussi ses épreuves de rattrapage avec des sept dans chacune des matières où il avait été recalé : latin, grec et anglais. Gino, qui avait espéré qu'il échouerait pour pouvoir redoubler avec lui, en était vert. Et quand il se rendit compte que, maintenant que nous étions tous deux en dernière année du petit lycée, nous allions en classe et rentrions à la maison tous les jours ensemble, il devint encore plus amer, et même mesquin. Il n'adressa plus la parole ni à moi, son ex-petite amie, ni à Alfonso, son ex-voisin de table, alors qu'il se trouvait dans la salle de classe à côté de la nôtre et que nous le croisions souvent dans les couloirs, en plus de le voir dans les rues du quartier. Mais il alla plus loin, et la rumeur me parvint bientôt qu'il racontait de vilaines choses sur nous. Il disait que j'étais amoureuse d'Alfonso et que je le touchais pendant les cours, même si Alfonso ne me donnait rien en retour parce que, comme Gino le savait bien pour avoir été assis près de lui pendant un an, il n'aimait pas les femmes mais préférait les hommes. Je rapportai cette histoire au petit Carracci en m'attendant qu'il aille casser la figure à Gino, comme c'était obligatoire dans ces cas-là, mais il se contenta de répondre d'un ton méprisant, en dialecte : « Tout le monde sait bien que c'est lui, le pédé. »

Alfonso fut une découverte agréable et providentielle. Il émanait de lui une impression de propreté et d'éducation. Bien que ses traits soient très semblables à ceux de son frère – mêmes yeux, même nez et même bouche –, bien qu'en grandissant son corps soit en train de se modeler comme celui de Stefano, avec une grosse tête et des jambes un peu courtes par rapport au buste, et bien qu'ils aient tous deux la même douceur dans les gestes et le regard, je percevais en revanche chez Alfonso une totale absence de cette détermination qui était tapie dans toutes les cellules de son frère et qui en fin de compte, d'après moi, réduisait sa courtoisie à une sorte de tanière d'où il pouvait bondir à tout moment. Alfonso était un garçon apaisant, il faisait partie de ces personnes, rares dans notre quartier, dont on sait bien qu'elles ne nous feront jamais rien de mal. Nous faisions le trajet en échangeant juste quelques mots, mais sans aucune gêne. Il avait toujours ce dont j'avais besoin, et s'il ne l'avait pas courait se le procurer. Il m'aimait sans aucune tension et moi-même je le pris progressivement en affection. Le jour de la rentrée nous finîmes par nous asseoir côte à côte, ce qui était audacieux pour l'époque ; même si les autres garçons se moquaient de lui parce qu'il me tournait toujours autour, et même si les filles me demandaient sans arrêt si nous sortions ensemble, ni l'un ni l'autre ne voulut changer de place. C'était une personne de confiance. S'il voyait que j'avais besoin de temps pour moi, il m'attendait discrètement ou bien me saluait et s'en allait. S'il se rendait compte que je voulais qu'il reste à mes côtés, il restait même s'il avait des choses à faire.

Je me servis de lui pour échapper à Nino

Sarratore. Quand, pour la première fois après Ischia, nous nous aperçûmes de loin, Nino vint aussitôt à ma rencontre, très amical, mais je me débarrassai sèchement de lui après avoir échangé deux mots. Et pourtant il me plaisait tellement, et dès que sa silhouette haute et mince apparaissait je devenais toute rouge et mon cœur battait la chamade. Et puis, maintenant que Lila était fiancée pour de vrai, fiancée officiellement – et avec quel fiancé ! pas un gamin mais un homme de vingt-deux ans, gentil, déterminé et courageux –, il était plus urgent que jamais que je me trouve moi aussi un copain enviable afin de rééquilibrer notre relation. Cela aurait été tellement beau de sortir à quatre, Lila avec son fiancé et moi avec le mien ! Certes, Nino n'avait pas de voiture rouge décapotable. Certes, c'était un lycéen et il n'avait pas le sou. Mais il faisait vingt centimètres de plus que moi, alors que Stefano faisait quelques centimètres de moins que Lila. Et quand il le voulait il s'exprimait dans un italien sorti des livres. Et il lisait, parlait de tout et était sensible aux grandes questions de la condition humaine, tandis que Stefano vivait enfermé dans son épicerie, parlait presque exclusivement en dialecte, n'avait pas dépassé l'école professionnelle, mettait sa mère qui faisait les comptes mieux que lui à la caisse et, même s'il était de bonne composition, était surtout sensible aux bonnes rentrées d'argent. Toutefois, j'avais beau être dévorée par la passion et voir tout le prestige que j'aurais obtenu aux yeux de Lila en me liant à lui, pour la deuxième fois depuis que je l'avais vu et en étais tombée amoureuse, je n'arrivai pas à nouer cette relation. Mes raisons me semblèrent bien plus solides qu'à l'époque de mon enfance. Le voir me faisait immédiatement revenir en mémoire Donato Sarratore, bien qu'ils ne se ressemblent pas du tout. Et la répugnance et la colère que suscitait en moi le souvenir de ce que son père m'avait fait sans que je sois capable de le repousser retombaient jusqu'à lui. Bien sûr, je l'aimais. Je voulais lui parler, me promener avec lui, et je me disais parfois en me tourmentant : mais pourquoi tu te comportes comme ça ? Le père n'est pas le fils, le fils n'est pas le père, fais donc comme Stefano a fait avec les Peluso ! Mais je n'y arrivais pas. Dès que je m'imaginais en train de l'embrasser, je sentais la bouche de Donato, et une vague de plaisir et de dégoût mêlait le père et le fils en une seule personne.

Pour compliquer encore la situation, survint un épisode qui m'alarma. Maintenant Alfonso et moi avions pris l'habitude de rentrer à la maison à pied. Nous allions jusqu'à la Piazza Nazionale et puis rejoignions le Corso Meridionale. C'était une longue promenade mais nous parlions des devoirs, des profs et de nos camarades, et c'était agréable. Quand voilà qu'une fois, peu après les étangs, au début du boulevard, je me tournai et eus l'impression de voir sur le terre-plein de la voie ferrée, en uniforme de contrôleur, Donato Sarratore. Je tressaillis de colère et d'horreur et détournai aussitôt les yeux. Quand je me tournai à nouveau pour regarder, il n'était plus là.

Que cette apparition ait été vraie ou fausse, le bruit qu'avait fait mon cœur dans ma poitrine resta imprimé en moi : ce fut comme un coup de feu et, je ne sais pourquoi, l'extrait de la lettre de Lila sur le bruit qu'avait fait la casserole en cuivre en éclatant me revint à l'esprit. Et le lendemain j'entendis ce bruit à nouveau, rien qu'en apercevant Nino. Alors, effrayée, je m'apaisai grâce à mon affection pour Alfonso, et à l'aller comme au retour je restai toujours près de lui. Dès qu'apparaissait la fine silhouette du garçon que j'aimais, je m'adressais au fils cadet de Don Achille comme si j'avais quelque chose de très urgent à lui dire et nous nous éloignions en bavardant.

Bref, ce fut une période confuse : j'aurais voulu me serrer contre Nino mais je restais accrochée à Alfonso. En outre, par peur qu'il ne s'ennuie et ne me quitte pour d'autres compagnies, je me comportai toujours très gentiment avec lui, lui parlant même parfois avec une voix toute flûtée. Mais à peine me rendais-je compte que je risquais de l'encourager dans son penchant pour moi, je changeais de ton. « Et s'il se méprend et me déclare son amour ? » m'inquiétais-je. Cela aurait été embarrassant, j'aurais été obligée de l'éconduire : Lila, qui avait mon âge, était fiancée à Stefano, un homme fait, ça aurait été humiliant de me mettre avec un gamin, le petit frère de son futur mari. Cependant mon esprit partait dans des directions incontrôlables et mon imagination vagabondait. Un jour où je rentrais avec Alfonso par le Corso Meridionale et où je le sentais à mon côté comme un chevalier m'escortant au milieu des mille dangers de la ville, je fus séduite par l'idée qu'aux deux Carracci, Stefano et lui, incombe la mission de nous protéger Lila et moi – même si c'était de manière différente – de la noirceur du monde et du mal, ce mal dont nous avions justement fait la première expérience quand nous avions monté l'escalier qui menait chez eux, et que nous étions allées récupérer les poupées que leur père nous avait volées.

42

J'aimais découvrir des rapprochements de ce genre, surtout s'ils concernaient Lila. Je reliais des instants et des faits éloignés les uns des autres, j'établissais des convergences et des divergences. À cette époque cela devint un exercice quotidien. Autant je m'étais sentie bien à Ischia, autant Lila s'était sentie mal dans la désolation du quartier ; autant j'avais souffert en quittant l'île, autant elle avait été de plus en plus heureuse. C'était comme si, par quelque vilain tour de magie, la joie ou la douleur de l'une impliquaient la douleur ou la joie de l'autre. Il me sembla que même notre aspect physique participait à ce jeu de balancier. À Ischia je m'étais sentie belle, et cette impression ne s'était pas estompée après mon retour à Naples mais bien durant nos manœuvres intenses pour aider Lila à se débarrasser de Marcello ; il y avait même eu des moments où j'avais recommencé à me croire plus belle qu'elle, et dans quelques regards de Stefano j'avais perçu la possibilité de lui plaire. Mais à présent Lila avait repris le dessus, la satisfaction avait exalté sa beauté tandis que moi, accablée par le travail scolaire et épuisée par ma passion frustrée pour Nino, voilà que je redevenais moche. Mes couleurs saines se fanaient, l'acné revenait. Et puis, un matin, le spectre des lunettes arriva d'un coup.

M. Gerace m'interrogea sur quelque chose qu'il avait écrit au tableau et s'aperçut que je n'y voyais presque rien. Il me dit que je devais immédiatement aller chez l'ophtalmologue, insista pour l'écrire sur mon carnet et exigea de voir la signature d'un de mes parents le lendemain. Je rentrai chez moi et montrai mon carnet, pleine de culpabilité pour la dépense que les lunettes allaient engendrer. Mon père s'assombrit et ma mère me cria : « Tu passes ton temps sur les livres, ça t'a abîmé les yeux ! » Cela me toucha beaucoup. Étais-je donc punie parce que j'avais l'orgueil d'étudier ? Et Lila ? N'avait-elle pas lu beaucoup plus que moi ? Alors pourquoi avait-elle une vue parfaite tandis que moi, j'y voyais de moins en moins ? Pourquoi devrais-je porter des lunettes toute ma vie et pas elle ?

Cette nécessité de porter des lunettes accentua ma manie de trouver un dessein qui, en bien et en mal, relie mon destin et celui de mon amie : mes yeux d'aveugle et son œil de lynx ; ma pupille opaque et elle qui depuis toujours plissait les yeux en décochant des regards qui voyaient plus loin ; moi accrochée à son bras au milieu des ombres et elle qui me guidait avec son regard infaillible. Pour finir, grâce à ses petits arrangements à la mairie, mon père trouva l'argent. Mon imagination s'apaisa. J'allai chez l'ophtalmologue, il diagnostiqua une forte myopie et les lunettes se concrétisèrent. Quand je me regardai dans la glace, mon image trop nette fut un coup dur : impuretés de la peau, visage large, grande bouche, gros nez et les yeux prisonniers d'une monture qu'un dessinateur hargneux semblait avoir tracée avec acharnement sous des sourcils déjà trop fournis. Je me sentis définitivement défigurée et décidai de ne mettre mes lunettes qu'à la maison ou, tout au plus, si je devais recopier quelque chose qui était au tableau. Mais un matin, à la sortie des classes, je les oubliai sur la table. Je retournai en courant dans ma salle de classe mais le pire s'était déjà produit. Dans la furie qui nous saisissait tous à la dernière sonnerie de la journée, elles avaient fini par terre : maintenant une branche était cassée et un verre brisé. Je me mis à pleurer.

Je n'eus pas le courage de rentrer chez moi et me réfugiai chez Lila pour chercher de l'aide. Je lui racontai ce qui m'était arrivé, elle me demanda les lunettes et les examina. Elle me dit de les lui laisser. Elle s'exprima avec une détermination différente de celle qu'elle avait d'ordinaire, elle fut plus calme, comme si désormais elle n'était plus obligée d'en arriver aux dernières extrémités chaque fois qu'elle voulait quelque chose. J'imaginai quelque intervention miraculeuse de Rino avec ses outils de cordonnier et rentrai chez moi en espérant que mes parents ne remarqueraient pas que j'étais sans lunettes.

Quelques jours plus tard, en fin d'après-midi, j'entendis qu'on m'appelait dans la cour. En bas il y avait Lila : elle avait mes lunettes sur le nez et, sur le coup, ce qui me frappa ne fut pas tant qu'elles étaient comme neuves mais qu'elles lui allaient à ravir. Je descendis en courant et pensai : pourquoi les lunettes lui vont-elles si bien alors qu'elle n'en a pas besoin tandis que moi, qui ne peux pas m'en passer, elles me bousillent le visage ? Dès que je franchis la porte elle enleva les lunettes, amusée, en clignant des paupières. Elle dit : « Elles me font mal aux yeux » et me les mit elle-même sur le nez en s'exclamant : « Comme elles te font un beau visage, tu devrais les mettre tout le temps ! » Elle avait donné les lunettes à Stefano qui les avait fait réparer chez un opticien du centre. Gênée, je murmurai que je ne pourrais jamais lui revaloir ça, ce à quoi elle répondit, ironique et peut-être avec une pointe de perfidie :

« Revaloir dans quel sens ?

— Te rendre les sous. »

Elle sourit puis dit fièrement :

« C'est pas la peine, maintenant avec les sous je fais ce que je veux. »

43

Cet argent donna encore plus de force à mon impression qu'elle avait ce qui me manquait et vice versa, dans un perpétuel jeu d'échanges et de renversements qui, parfois dans la joie, parfois dans la souffrance, nous rendait indispensables l'une à l'autre.

Après l'épisode des lunettes je me demandai : « Elle a Stefano, elle claque des doigts et mes lunettes sont aussitôt réparées : et moi qu'est-ce que j'ai ? »

Je me répondis que j'avais l'école, un privilège qu'elle avait perdu pour toujours. C'est ça ma richesse, tentai-je de me convaincre. Et en effet, cette année-là tous les professeurs recommencèrent à faire mon éloge. Mes bulletins furent sans cesse plus brillants, même mon cours de théologie par correspondance marcha très bien et je reçus en récompense une bible avec une couverture noire.

Je montrai fièrement mes succès comme si c'était le bracelet en argent de ma mère, et pourtant je ne savais trop quoi faire de ce talent. En classe il n'y avait personne avec qui je puisse discuter de ce que je lisais et des idées qui me venaient à l'esprit. Alfonso était un garçon appliqué, après sa défaillance de l'année précédente il s'était remis en course et avait au-dessus de la moyenne partout. Mais quand j'essayais de réfléchir avec lui sur *Les Fiancés* ou sur les merveilleux romans que je continuais à prendre dans la bibliothèque de M. Ferraro, ou même sur le Saint-Esprit, il se contentait d'écouter et, par timidité ou ignorance, ne disait rien qui fasse naître en moi d'autres idées. En outre, quand il était interrogé il parlait un bon italien mais en tête à tête il ne sortait pas du dialecte; or en dialecte il était difficile de discuter de la corruption de la justice des hommes telle qu'elle était mise en scène pendant le déjeuner chez Don Rodrigo, ou bien des relations entre Dieu, le Saint-Esprit et Jésus qui, tout en étant une seule personne, d'après moi quand ils se divisaient en trois devaient forcément s'ordonner en une hiérarchie – et alors qui venait en premier et en dernier?

Bientôt me revint à l'esprit ce que Pasquale m'avait dit un jour: mon lycée, même si c'était un bon lycée, ne devait pas être des meilleurs. Je conclus qu'il avait raison. Je voyais rarement mes camarades aussi bien habillées que les filles de la Via dei Mille. Et aucun jeune homme élégamment vêtu, au volant d'une voiture plus luxueuse que celle de Marcello ou Stefano, ne venait jamais les chercher à la sortie. Même les mérites intellectuels étaient rares. Le seul garçon qui bénéficiât d'une réputation semblable à la mienne était Nino mais désormais, vu la froideur avec laquelle je l'avais traité, il passait tête baissée sans même me regarder. Alors que faire?

J'avais besoin de m'exprimer, ma tête débordait.

J'avais recours à Lila, surtout pendant les vacances scolaires. Nous nous rencontrions et bavardions toutes les deux. Je lui parlais en détail de mes cours et de mes professeurs. Elle m'écoutait avec attention et j'espérais qu'elle serait intéressée au point d'en revenir à cette période où, en secret ou ouvertement, elle courait tout de suite se procurer les livres qui lui permettraient de se maintenir à mon niveau. Mais cela n'arriva jamais, c'était comme si une part d'elle tenait l'autre fermement en laisse. En revanche, elle prit bientôt l'habitude d'intervenir de manière soudaine et généralement ironique. Pour donner un exemple, je lui parlai un jour de mon cours de théologie et expliquai, pour l'impressionner avec les questions sur lesquelles je me triturais les méninges, que je ne savais pas quoi penser du Saint-Esprit, je ne comprenais pas bien à quoi il servait. Je me mis à réfléchir à haute voix : « Mais qu'est-ce que c'est ? Une entité subordonnée au service à la fois de Dieu et de Jésus, une espèce de messager ? Ou une émanation des deux premières personnes, comme un fluide miraculeux qui viendrait d'eux ? Mais, dans le premier cas de figure, comment est-il possible qu'une entité soit un messager et en même temps fasse tout un avec Dieu et son fils ? Est-ce que c'est comme dire que mon père, qui est portier à la mairie, fait tout un avec le maire et avec le commandant Lauro ? Par contre, si on regarde le deuxième cas de figure, eh bien, un fluide, la sueur, la voix, ce sont des parties de la personne dont ils émanent : or comment peut-on concevoir le Saint-Esprit séparé de Dieu et de Jésus ? Ou alors le Saint-Esprit est la personne la plus importante, et les autres ne sont que deux de ses modalités : sinon je ne comprends pas à quoi il peut servir. » Lila, je me souviens, se préparait pour sortir avec Stefano : ils allaient dans un cinéma du centre avec Pinuccia, Rino et Alfonso. Je la regardais pendant qu'elle mettait sa jupe neuve, sa veste neuve, et c'était vraiment une autre personne désormais – même ses chevilles n'étaient plus comme deux brindilles. Cependant je vis que ses yeux se faisaient tout petits, comme quand elle cherchait à saisir quelque chose qui risquait de lui échapper. Elle lança en dialecte : « Tu perds encore ton temps avec ces machins, Lenù ? Tu ne vois pas que nous volons au-dessus d'une boule de feu ? La partie qui s'est refroidie flotte sur la lave : c'est sur cette partie qu'on construit les immeubles, les ponts et les routes. De temps en temps la lave sort du Vésuve ou bien provoque un tremblement de terre qui détruit tout. Il y a tout un tas de microbes qui rendent malades et qui tuent. Il y a les guerres. C'est partout la misère qui nous rend tous méchants. Chaque seconde, il peut se produire quelque chose qui te fera tellement souffrir que tu n'auras pas assez de larmes pour pleurer. Et toi qu'est-ce que tu fais ? Un cours de théologie où tu t'efforces de comprendre ce que c'est que le Saint-Esprit ? Laisse tomber, c'est le diable qui a inventé le monde, pas le Père, le Fils ni le Saint-Esprit ! Tu veux voir le collier de perles que Stefano m'a offert ? » En gros c'est ainsi qu'elle me parla, me jetant dans la confusion. Et ce ne fut pas la seule fois : cela se produisit de plus en plus souvent, au point que ce ton finit par devenir permanent et être sa manière de me tenir tête. Si je disais quelque chose sur la Très Sainte Trinité, en quelques répliques expéditives mais presque toujours indulgentes Lila anéantissait toute possibilité de conversation et se mettait à me montrer les cadeaux de Stefano – la bague de fiançailles, le collier, une nouvelle robe, un petit chapeau –, tandis que tous les sujets qui me passionnaient et me permettaient de me faire mousser auprès des professeurs, qui du coup me considéraient comme excellente, s'affaissaient dans un coin vidés de leur sens. Je laissais tomber les idées et les livres. Je me mettais à admirer tous ces cadeaux qui contrastaient tellement avec la pauvre demeure de Fernando le cordonnier ; j'essayais les robes et les accessoires de valeur ; je reconnaissais presque tout de suite que sur moi ils ne seraient jamais aussi beaux que sur elle ; et puis je m'en allais.

44

Dans son rôle de fiancée, Lila fut très enviée et causa bien de l'agacement. D'ailleurs sa manière d'être énervait déjà quand elle était une gamine maigrelette, alors vous pensez bien, maintenant qu'elle était une jeune fille aussi chanceuse ! Elle-même me parla de l'hostilité croissante de la mère de Stefano et surtout de Pinuccia. Les deux femmes portaient clairement leur antipathie écrite sur le visage. Mais pour qui se prenait-elle, la fille du cordonnier ? Quel filtre maléfique avait-elle fait boire à Stefano ? Comment se faisait-il que, dès qu'elle ouvrait la bouche, il ouvrait aussitôt le portefeuille ? Elle veut venir faire la patronne chez nous ?

Si Maria se contentait de faire la tête en silence,

Pinuccia ne se retenait pas et explosait en s'adressant ainsi à son frère :

« Pourquoi elle, tu lui achètes tout, alors que moi tu m'achètes jamais rien ? En plus, à chaque fois que je trouve quelque chose de joli, tu ne fais que me critiquer en disant que ce sont des dépenses inutiles ! »

Stefano affichait son demi-sourire tranquille et ne répondait rien. Mais bientôt, fidèle à sa ligne conciliante, il se mit aussi à faire des cadeaux à sa sœur. C'est ainsi que débuta une compétition entre les deux jeunes filles, qui allaient ensemble chez le coiffeur et s'achetaient des toilettes identiques. Mais cela ne fit que rendre Pinuccia encore plus aigrie. Elle n'était pas laide, avait quelques années de plus que nous et était peut-être mieux formée, mais l'effet que produisait n'importe quel vêtement ou accessoire sur Lila était sans comparaison avec l'effet produit sur elle. La première à s'en rendre compte fut sa mère. Maria, quand elle voyait Lila et Pinuccia prêtes à sortir, même coiffure et même robe, trouvait toujours le moyen de changer de sujet et d'arriver, par des voies de traverse et avec un ton faussement inoffensif, à critiquer sa future belle-fille pour quelque chose qu'elle avait fait plusieurs jours avant, comme laisser la lumière allumée dans la cuisine ou le robinet ouvert après avoir pris un verre d'eau. Puis elle tournait le dos comme si elle avait beaucoup à faire et bougonnait, sinistre : « Rentrez de bonne heure ! »

Et nous aussi, les filles du quartier, nous eûmes bientôt des problèmes du même genre. Tous les jours chômés, Carmela (qui insistait pour qu'on l'appelle Carmen), Ada et Gigliola commencèrent à se mettre sur leur trente et un afin de rivaliser avec

Lila – même si elles ne l'avouaient ni aux autres ni à elles-mêmes. Gigliola surtout, qui travaillait à la pâtisserie et qui, même si ce n'était pas officiel, s'était mise avec Michele Solara, s'achetait et se faisait acheter de belles choses exprès pour pouvoir se pavaner quand elle allait se promener à pied ou en voiture. Mais il n'y avait pas de compétition possible, Lila semblait hors de portée, comme quelque silhouette ensorcelante vue à contre-jour.

Au début nous tentâmes de la retenir et de lui imposer nos vieilles habitudes. Stefano fut enrôlé dans notre groupe où il fut chouchouté et flatté, ce qui eut l'air de lui plaire, au point qu'un samedi, peut-être poussé par la sympathie qu'il éprouvait pour Antonio et Ada, il dit à Lila : « Demande à Lenuccia et aux enfants de Melina s'ils veulent venir manger quelque chose avec nous demain soir. » Par « nous » il entendait eux deux plus Pinuccìa et Rino, qui désormais tenait beaucoup à passer son temps libre avec son futur beau-frère. Nous acceptâmes, mais ce fut une soirée compliquée. Ada, craignant de détonner, se fit prêter une robe par Gigliola. Stefano et Rino ne choisirent pas une pizzeria mais un restaurant à Santa Lucia. Comme ni Antonio, ni Ada, ni moi n'étions jamais allés au restaurant, un truc de bourgeois, nous fûmes terrassés par l'anxiété : comment s'habiller ? et combien ça allait coûter ? Alors que les quatre autres s'y rendirent en Giardinetta, nous arrivâmes en bus jusqu'à la Piazza Plebiscito et fîmes le reste du trajet à pied. Une fois parvenus à destination, ils commandèrent nonchalamment toute une série de plats et nous presque rien, de peur que l'addition ne se révèle trop élevée pour nos possibilités. Nous demeurâmes presque toujours silencieux, parce

que Rino et Stefano parlèrent surtout d'argent et
ne pensèrent jamais à impliquer dans leurs différentes conversations ne serait-ce qu'Antonio. Ada,
refusant de se résigner à la marginalité, essaya
pendant toute la soirée d'attirer l'attention de Stefano à grand renfort de minauderies, ce qui déplut
à son frère. Pour finir, quand il fallut payer, nous
découvrîmes que l'épicier y avait déjà pourvu, et
si cela ne dérangea pas du tout Rino, Antonio
rentra chez lui furieux : il avait le même âge que
Stefano et le frère de Lila, il travaillait comme
eux, et il s'était senti traité comme un moins-que-
rien. Mais ce qui était encore plus frappant c'était
qu'Ada et moi, avec des sentiments différents,
nous nous aperçûmes que dans un lieu public,
en dehors de nos relations amicales en tête à tête,
nous ne savions pas quoi dire à Lila, ni comment
nous comporter avec elle. Elle était tellement bien
maquillée et habillée qu'elle semblait faite pour
la Giardinetta, la décapotable et le restaurant de
Santa Lucia, mais désormais physiquement ina-
daptée à prendre le métro avec nous, monter dans
un bus, se promener à pied, manger une pizza sur
le Corso Garibaldi, aller au cinéma de la paroisse
ou danser chez Gigliola.

Ce soir-là, il fut bien évident que Lila était en
train de changer de statut. Au fil des jours et des
mois elle devint une demoiselle qui imitait les
modèles des revues de mode, les femmes de la
télévision et les jeunes filles qu'elle avait vues se
promener Via Chiaia. En la voyant, on se disait
qu'elle dégageait une lumière qui était une grande
claque assenée à la misère de notre quartier. Son
corps de petite fille, dont il restait encore quelques
traces lorsque nous tissions ensemble la trame qui

l'avait conduite à ses fiançailles avec Stefano, fut rapidement chassé vers quelque territoire obscur. Et à la lumière du jour apparut une jeune femme qui, lorsqu'elle sortait le dimanche au bras de son fiancé, avait l'air d'appliquer les clauses d'un contrat établi dans leur couple ; quant à Stefano, avec ses cadeaux, il semblait vouloir démontrer au quartier que, si Lila était belle, elle pouvait l'être toujours plus. Lila avait apparemment découvert la joie de puiser dans la source inépuisable de sa beauté et celle de sentir et montrer qu'aucun profil bien dessiné ne pouvait la contenir de manière définitive, de sorte qu'une nouvelle coiffure, une nouvelle robe, un nouveau maquillage des yeux ou de la bouche n'étaient que des frontières de plus en plus avancées qui effaçaient les frontières précédentes. Stefano avait l'air de chercher en elle le symbole le plus éclatant de l'avenir d'aisance et de pouvoir auquel il tendait ; et elle utilisait sans doute le sceau qu'il était en train de lui imposer pour se protéger elle-même et son frère, ses parents et le reste de sa famille, de tout ce qu'elle avait confusément affronté et défié depuis son enfance.

Je ne savais encore rien de ce qu'elle appelait en secret, seulement pour elle-même, la *délimitation*, depuis sa pénible expérience du Nouvel An. Mais je connaissais son récit de la casserole explosée : il était là, toujours aux aguets dans quelque recoin de mon esprit, j'y pensais encore et toujours. Et je me rappelle qu'un soir, à la maison, je relus exprès la lettre qu'elle m'avait envoyée à Ischia. Comme sa manière de parler d'elle-même était séduisante, et comme elle semblait maintenant lointaine ! Je dus reconnaître que la Lila qui m'avait écrit ces mots avait disparu. Dans cette lettre il y avait encore celle qui avait écrit « La Fée bleue », la fillette qui avait appris le latin et le grec toute seule, celle qui avait dévoré la moitié de la bibliothèque de M. Ferraro, et même celle qui avait fait les dessins de chaussures encadrés dans la cordonnerie. Mais dans la vie de tous les jours je ne la voyais plus, je ne l'entendais plus. La Cerullo nerveuse et agressive s'était pour ainsi dire immolée. Nous avions beau habiter toujours elle et moi le même quartier, avoir eu la même enfance et être toutes les deux dans notre quinzième année, nous nous retrouvions soudain dans deux mondes différents. Tandis que les mois défilaient, je me transformais en une jeune fille à lunettes négligée et ébouriffée, toujours penchée sur des livres en lambeaux qui dégageaient la mauvaise odeur des volumes d'occasion achetés au prix de grands sacrifices ou bien obtenus grâce à Mme Oliviero. Lila passait au bras de Stefano, coiffée comme une star et habillée avec des vêtements qui la faisaient ressembler à une actrice ou une princesse.

Je la regardais de ma fenêtre, je me disais que sa forme précédente s'était cassée et je repensais à ce splendide passage de sa lettre, au cuivre fendu et tordu. C'était une image que désormais j'utilisais sans cesse, à chaque fois que je percevais une fracture à l'intérieur d'elle ou de moi-même. Je savais – ou peut-être j'espérais – qu'aucune forme ne pourrait jamais contenir Lila et que, tôt ou tard, elle casserait tout une nouvelle fois.

45

Après cette soirée ratée au restaurant de Santa Lucia il n'y eut pas d'autres occasions de ce genre, non pas que les deux fiancés ne nous aient plus invités, mais nous nous esquivâmes toujours sous un prétexte ou un autre. En revanche, lorsque les devoirs scolaires ne m'ôtaient pas toute énergie, je me laissais tenter par un bal chez des amis ou par une pizza avec tout le groupe d'autrefois. Cependant, je préférais sortir seulement quand j'étais sûre qu'Antonio viendrait : depuis quelque temps il se consacrait entièrement à moi, me faisant une cour discrète et pleine d'attentions. Certes la peau de son visage luisait, pleine de points noirs, ses dents étaient bleuâtres par endroits et ses mains épaisses – une fois, ses doigts robustes avaient dévissé sans effort les boulons de la roue crevée d'une très vieille voiture que Pasquale s'était procurée. Mais il avait des cheveux tout noirs et ondulés qu'on avait envie de caresser et, même s'il était très timide, les rares fois où il ouvrait la bouche il était amusant. Et puis c'était le seul qui me remarquait. Enzo faisait rarement son apparition, il avait une vie bien à lui de laquelle on ne savait pratiquement rien, mais quand il était là il s'occupait – mais sans jamais exagérer, avec son détachement et sa lenteur habituels – de Carmela. Quant à Pasquale, on aurait dit qu'il avait perdu tout intérêt pour les filles après le refus de Lila. C'est à peine s'il remarquait Ada qui pourtant minaudait beaucoup avec lui, alors qu'elle répétait sans arrêt qu'elle n'en pouvait plus de toujours voir nos sales tronches.

Naturellement, lors de ces soirées on finissait tôt

ou tard par parler de Lila, même s'il semblait que personne n'eût envie de la nommer : les garçons étaient tous un peu déçus et chacun d'entre eux aurait voulu être à la place de Stefano. Mais le plus malheureux était Pasquale : s'il n'avait pas éprouvé une haine très ancienne envers les Solara, il se serait sans doute déclaré publiquement en faveur de Marcello contre la famille Cerullo. Ses souffrances d'amour lui rongeaient le cœur, et apercevoir Lila et Stefano ensemble suffisait à lui ôter toute joie de vivre. Toutefois, par nature c'était un garçon qui avait des idées et des sentiments généreux, de sorte qu'il était très attentif à contrôler ses propres réactions et à prendre le juste parti. Quand on avait su qu'un soir Marcello et Michele avaient affronté Rino et, même s'ils n'avaient pas touché un seul de ses cheveux, l'avaient abreuvé d'insultes, Pasquale avait donné pleinement raison à Rino. On avait su que Silvio Solara, le père de Michele et Marcello, s'était rendu en personne dans la cordonnerie réaménagée de Fernando et lui avait calmement reproché de ne pas avoir su élever correctement sa fille ; puis, regardant autour de lui, il avait observé que le cordonnier pouvait fabriquer toutes les chaussures qu'il voulait, mais ensuite où irait-il les vendre ? Il ne trouverait jamais un magasin qui veuille les lui prendre. Sans compter qu'avec toute cette colle partout dans la boutique, tout ce fil, cette poix, ces formes en bois, ces semelles et ces patins, il suffirait d'un rien pour que tout prenne feu. Alors Pasquale avait juré qu'en cas d'incendie dans la cordonnerie Cerullo, avec quelques compagnons de confiance il irait brûler le bar-pâtisserie Solara. Mais vis-à-vis de Lila il était critique. Il disait qu'elle aurait dû s'enfuir de chez elle plutôt que d'accepter que Marcello vienne lui faire la cour tous les soirs. Il disait qu'elle aurait dû défoncer la télévision à coups de marteau au lieu de la regarder avec celui qui, on le savait, ne l'avait achetée que pour la conquérir, elle. Enfin il disait que c'était une fille trop intelligente pour être vraiment tombée amoureuse d'un merlan frit et d'un hypocrite comme Stefano Carracci.

En ces occasions, j'étais la seule à ne pas me taire et à désapprouver explicitement les critiques de Pasquale. Je rétorquais par exemple : mais c'est pas facile de fuir de la maison ; c'est pas facile d'agir contre la volonté de ceux que tu aimes ; d'ailleurs rien n'est facile, et c'est bien pourquoi tu la critiques au lieu de t'en prendre à ton copain Rino : c'est lui qui l'a fichue dans ce pétrin avec Marcello, et si Lila n'avait pas trouvé le moyen d'en sortir elle aurait fini par devoir l'épouser. Je concluais avec un panégyrique de Stefano, disant que parmi tous les garçons qui connaissaient Lila depuis son enfance et l'aimaient, c'était le seul qui avait eu le courage de la soutenir et de l'aider. Tombait alors un silence désagréable, et je me sentais très fière d'avoir réfuté toutes les critiques contre mon amie avec un ton et une langue qui, en plus, les avaient impressionnés.

Mais un soir on finit par se disputer méchamment. Nous mangions tous, y compris Enzo, dans une pizzeria du Rettifilo, un endroit où l'on pouvait prendre une *margherita* et une bière pour cinquante lires. Cette fois, ce sont les filles qui commencèrent : Ada, je crois, dit qu'elle trouvait Lila ridicule de se balader toujours avec des coiffures impeccables et des vêtements dignes de Soraya même pour mettre le poison anti-cafards devant la porte de chez elle, et cela nous fit tous plus ou moins rire. Puis, une chose en amenant une autre, Carmela finit par dire clairement que, selon elle, Lila s'était mise avec Stefano pour l'argent, pour caser son frère et le reste de sa famille. Je commençais mon habituel travail de défense quand Pasquale m'interrompit et dit :

« Mais c'est pas ça, l'important ! L'important c'est que Lina sait d'où provient cet argent.

— Tu vas pas encore nous ressortir Don Achille, le marché noir, les trafics, l'usure et toutes les saletés d'avant et d'après la guerre ? m'exclamai-je.

— Si ! Et si ton amie était là, elle me donnerait raison.

— Stefano n'est qu'un commerçant qui sait vendre.

— Et l'argent qu'il a mis dans la cordonnerie des Cerullo, il vient de l'épicerie, peut-être ?

— Pourquoi ? Tu crois qu'il vient d'où ?

— Il vient des bijoux des mères de famille que Don Achille avait cachés dans son matelas. Lina fait sa bourgeoise avec le sang de tous les pauvres gens du quartier. Et elle se fait entretenir, elle et toute sa famille, avant même d'être mariée. »

J'allais lui répondre quand Enzo intervint avec son détachement habituel :

« Pardon, Pascà, qu'est-ce que tu veux dire, par "se fait entretenir" ? »

Il me suffit d'entendre cette question pour comprendre que ça allait mal se terminer. Pasquale devint rouge et gêné :

« Entretenir ça veut dire entretenir. Excuse-moi, mais qui c'est qui paye, quand Lina va chez le coiffeur ou quand elle s'achète des habits et des sacs ? Et qui a mis l'argent dans la cordonnerie

347

pour que le savetier puisse jouer au fabricant de chaussures ?

— Bref, tu es en train de dire que Lina n'est pas amoureuse, pas fiancée, ne se mariera pas bientôt avec Stefano, mais qu'elle s'est vendue ? »

Nous restâmes tous silencieux. Antonio bredouilla :

« Mais non, Enzo, c'est pas ce que Pasquale veut dire. Tu sais bien qu'il aime Lina comme nous l'aimons tous. »

Enzo lui fit signe de se taire :

« Tais-toi, Anto', laisse Pasquale répondre. »

Pasquale dit sombrement :

« Eh bien oui, elle s'est vendue ! Et elle s'en fout s'il pue, l'argent qu'elle dépense tous les jours. »

À ce moment-là je tentai à nouveau d'intervenir, mais Enzo me toucha le bras :

« Excuse, Lenù, mais je voudrais bien savoir comment Pasquale appelle une femme qui se vend. »

Là Pasquale eut un accès de violence que nous lûmes tous dans son regard et lança ce que, depuis des mois, il avait envie de dire et de hurler à tout le quartier :

« Une traînée, je l'appelle une traînée ! Lina s'est comportée et se comporte comme une traînée ! »

Enzo se leva et dit presque à voix basse :

« Viens dehors. »

Antonio bondit, retint par un bras Pasquale qui voulait se lever, et dit :

« Allez, faut pas exagérer, Enzo. Ce que dit Pasquale n'est pas une accusation, c'est juste une critique qu'on a tous envie de faire. »

Enzo répondit, cette fois à haute voix :

« Pas moi. » Et il se dirigea vers la sortie en scandant : « Je vous attends dehors tous les deux. »

On interdit à Pasquale et Antonio de le suivre et il ne se passa rien. Ils se contentèrent de se faire la tête pendant un moment, puis tout redevint comme avant.

46

J'ai raconté cette dispute pour expliquer comment cette année se déroula et quelle atmosphère entoura les choix de Lila, en particulier parmi les jeunes gens qui, secrètement ou explicitement, l'avaient aimée et désirée, et qui selon toute probabilité l'aimaient et la désiraient encore. Quant à moi, j'ai du mal à dire dans quel méli-mélo de sentiments je me trouvais. En toute occasion je défendais Lila et j'aimais le faire – j'aimais m'écouter parler avec l'autorité de celle qui fait des études difficiles. Mais je savais que j'aurais raconté tout aussi volontiers, peut-être en exagérant un peu, qu'en réalité Lila avait été derrière toutes les initiatives de Stefano, et moi avec elle, progressant étape après étape comme si c'était un problème de mathématiques jusqu'au résultat final : se caser, caser son frère, essayer de réaliser le projet de fabrique de chaussures et même trouver l'argent pour faire réparer mes lunettes quand elles se cassaient.

Je passais devant la vieille boutique de Fernando et éprouvais le sentiment d'une victoire par personne interposée. Lila, à l'évidence, avait gagné.

La cordonnerie, qui n'avait jamais eu d'enseigne, exhibait à présent au-dessus de sa vieille porte une espèce de plaque où était écrit : Cerullo. Fernando, Rino et les trois apprentis étaient au travail : ils collaient, cousaient, martelaient et ponçaient du matin jusqu'à la nuit tombée, courbés sur leurs établis. On savait que père et fils se disputaient beaucoup. On savait que, d'après Fernando, il était impossible de réaliser les chaussures, surtout celles pour femme, telles que Lila les avait imaginées : ce n'étaient que des fantaisies de petite fille. Rino soutenait le contraire et allait chercher Lila pour lui demander d'intervenir. Mais Lila disait qu'elle ne voulait plus en entendre parler, alors Rino allait voir Stefano et le traînait à la boutique pour qu'il donne des ordres précis à son père. Stefano s'y rendait et regardait longuement les dessins de Lila accrochés aux murs, souriant tout seul, puis disait tranquillement qu'il voulait exactement les chaussures que l'on voyait dans ces petits cadres, il les avait accrochés là exprès. Bref, tout marchait au ralenti. D'abord les apprentis recevaient les instructions de Fernando, puis Rino les modifiait, tout s'arrêtait et on recommençait ; Fernando s'apercevait des changements et rechangeait tout, alors Stefano arrivait et hop, on repartait de zéro ; ça finissait par des hurlements et de la casse.

Je jetais un œil et continuais tout droit. Mais les cadres accrochés aux murs me restaient en tête. Je me disais : « Ces dessins, pour Lila, c'était du rêve, ils n'ont rien à voir avec l'argent et le commerce. Et aujourd'hui tout ce travail résulte de son imagination, célébrée par Stefano seulement par amour. Elle a de la chance d'être tellement aimée, et d'aimer ! Elle a de la chance d'être adorée pour ce qu'elle est et ce qu'elle sait inventer ! Maintenant qu'elle a donné à son frère ce qu'il voulait, maintenant qu'elle l'a mis hors de danger, elle inventera sûrement autre chose. C'est pour ça que je ne veux pas la perdre de vue. Il va se passer quelque chose. »

Mais il ne se passa rien. Lila s'installa dans son rôle de fiancée de Stefano. Et même dans les conversations que nous avions ensemble, quand je trouvais un peu de temps, elle me parut toujours satisfaite de ce qu'elle était devenue, comme si elle ne voyait plus rien au-delà ou ne *voulait* plus rien voir, à part le mariage, la maison et les enfants.

J'en eus beaucoup de peine. Elle semblait adoucie, elle n'avait plus son âpreté de toujours. Je m'en rendis compte plus tard quand, par l'intermédiaire de Gigliola Spagnuolo, des rumeurs infamantes me parvinrent à son sujet.

Gigliola me dit avec hostilité, en dialecte :

« Maintenant elle fait la princesse, ta copine ! Mais il le sait, Stefano, que quand Marcello allait chez elle, elle lui taillait une pipe tous les soirs ? »

J'ignorais ce qu'était une pipe. Je connaissais cette expression depuis mon enfance mais sa sonorité ne m'évoquait qu'une espèce d'offense, en tout cas quelque chose de très humiliant :

« C'est pas vrai.

— C'est ce que dit Marcello.

— C'est un menteur.

— Ah oui ? Et à son frère aussi, il raconte des histoires ?

— C'est Michele qui t'a dit ça ?

— Ben oui. »

J'espérai que ces racontars n'arriveraient pas aux oreilles de Stefano. Tous les jours je me disais, en rentrant du lycée : peut-être que je devrais prévenir Lila avant qu'il ne se passe quelque chose de grave. Mais je craignais qu'elle ne sorte de ses gonds et que, vu la façon dont elle avait grandi et dont elle était faite, elle n'aille directement voir Marcello Solara avec son tranchet. Pourtant je finis par me décider : il valait mieux lui répéter ce que j'avais appris, ainsi elle pourrait se préparer à affronter la situation. Mais je découvris qu'elle savait déjà tout. Et pas seulement : elle était plus informée que moi sur ce qu'était une pipe. Je le compris parce qu'elle utilisa une formule plus claire pour me dire qu'elle ne ferait jamais ce truc à aucun homme tellement ça la dégoûtait – alors à Marcello Solara, tu penses ! Puis elle me raconta que la rumeur était déjà parvenue à Stefano, et celui-ci lui avait demandé quel genre de relation elle avait eu avec Marcello à l'époque où il fréquentait l'appartement des Cerullo. Elle lui avait répondu avec rage : « Mais aucune ! Tu es fou ? » Et Stefano s'était hâté de répondre qu'il la croyait, qu'il n'avait jamais eu le moindre doute et qu'il ne lui avait posé cette question que pour l'informer que Marcello racontait des cochonneries à son sujet. Mais en même temps il avait pris une expression distraite comme si, sans le vouloir, il suivait des scènes de massacre qui se formaient dans son esprit. Lila s'en était aperçue et ils avaient longuement discuté, elle lui avait avoué qu'elle aussi avait des envies de meurtre. Mais à quoi bon ? Ils avaient beaucoup parlé et puis avaient finalement décidé, d'un commun accord, de se mettre un cran au-dessus des Solara et de la logique du quartier.

« Un cran au-dessus ? lui demandai-je émerveillée.

— Oui, les ignorer : Marcello, son frère, son père, son grand-père, tout le monde. Faire comme s'ils n'existaient pas. »

Ainsi Stefano avait continué à travailler sans défendre l'honneur de sa future épouse, Lila avait continué sa vie de fiancée sans avoir recours ni au tranchet ni à rien d'autre, et les Solara avaient continué à faire courir leurs rumeurs obscènes. En la quittant j'étais stupéfaite. Que se passait-il ? Je ne comprenais pas. Le comportement des Solara me semblait plus clair, il était cohérent avec le monde que nous connaissions depuis notre enfance. Mais Stefano et elle, que pouvaient-ils bien avoir en tête, et où croyaient-ils donc vivre ? L'attitude qu'ils adoptaient ne se trouvait même pas dans les poésies que j'étudiais en classe ou dans les romans que je lisais. J'étais perplexe. Ils ne réagissaient pas aux offenses, même pas à celle, vraiment insupportable, que leur faisaient les Solara. Ils déployaient gentillesse et politesse avec tout le monde, comme s'ils étaient John et Jacqueline Kennedy en visite dans un quartier de pouilleux. Quand ils sortaient se promener ensemble, il lui mettait un bras autour des épaules et on aurait dit qu'aucune des anciennes règles n'était valable pour eux : ils riaient, plaisantaient, se serraient l'un contre l'autre et s'embrassaient sur la bouche. Je les voyais passer en flèche dans la décapotable, tout seuls même le soir, toujours habillés comme des acteurs de cinéma, et je me disais : ils s'en vont Dieu sait où faire leurs affaires, sans surveillance, et pas en cachette mais avec l'approbation de leurs parents et avec celle de Rino, sans se soucier du qu'en-dira-t-on. Était-ce Lila qui pliait Stefano à ces comportements qui faisaient d'eux le couple le plus admiré du quartier, et aussi celui dont on parlait le plus ? C'était ça, la dernière nouveauté qu'elle avait inventée ? Elle voulait quitter le quartier tout en restant dans le quartier ? Elle voulait nous faire sortir de nous-mêmes, arracher notre vieille peau et nous en imposer une nouvelle, adaptée à celle qu'elle était en train d'inventer elle-même ?

47

Tout rentra brusquement dans l'ordre habituel quand les rumeurs sur Lila parvinrent jusqu'à Pasquale. C'était un dimanche et Carmela, Enzo, Pasquale, Antonio et moi nous promenions le long du boulevard. Antonio lança :

« Il paraît que Marcello Solara raconte à tout le monde qu'il a été avec Lina. »

Enzo ne cilla pas, Pasquale s'emporta aussitôt :

« Comment ça, il a été avec elle ? »

Antonio se sentit gêné à cause de Carmela et moi et répondit :

« Tu vois ce que je veux dire. »

Ils s'éloignèrent et se mirent à discuter entre eux. Je vis et entendis croître la fureur de Pasquale ; Enzo devenait physiquement de plus en plus compact, comme s'il n'avait plus ni bras, ni jambes, ni cou et n'était qu'un bloc de matière dure. Mais pourquoi ? me demandais-je. Comment se fait-il qu'ils s'énervent autant ? Lila n'est pas leur sœur, même pas une cousine ! Et pourtant tous trois se sentent obligés de s'indigner, plus que Stefano, beaucoup plus que Stefano, comme si c'étaient eux les véritables fiancés. Pasquale surtout me parut ridicule. Lui qui peu de temps avant avait dit ce qu'il avait dit, il finit à un moment donné par hurler et nous l'entendîmes très bien, de nos propres oreilles : « Mais moi j'vais leur défoncer la tête, à ces connards ! Ils la font passer pour une traînée ! P'têt' que Stefano les laisse faire, mais sûrement pas moi. » Puis silence, ils nous rejoignirent et nous déambulâmes sans entrain, je bavardais avec Antonio et Carmela marchait entre son frère et Enzo. Un peu plus tard ils nous raccompagnèrent chez nous. Je les vis s'éloigner : Enzo le plus petit au milieu, Antonio et Pasquale de chaque côté.

Le lendemain et les jours suivants on parla beaucoup de la Millecento des Solara. Elle avait été réduite en bouillie. Et pas seulement : les deux frères avaient été sauvagement tabassés mais ils ne savaient pas par qui. Ils juraient avoir été attaqués dans une ruelle sombre par au moins dix personnes, des gens venus de l'extérieur. Mais Carmela et moi savions très bien que leurs agresseurs n'étaient que trois et nous nous inquiétions beaucoup. Nous attendîmes les inévitables représailles pendant un, deux, trois jours. Mais à l'évidence ils avaient bien fait les choses. Pasquale continua à faire le maçon, Antonio le mécano et Enzo à circuler avec sa charrette. En revanche, pendant quelque temps les Solara ne se déplacèrent qu'à pied, l'air mal en point et un peu perdus, accompagnés par quatre ou cinq de leurs amis. J'avoue que les voir dans cet état me réjouit. Je me sentis fière de mes amis. Avec Carmen et Ada je critiquai Stefano et aussi Rino parce qu'ils avaient fait semblant de rien. Puis le temps passa, Marcello et Michele s'achetèrent une Giulietta verte et recommencèrent à faire les patrons du quartier. En pleine forme et encore plus despotiques qu'avant. Signe que Lila avait peut-être raison : les gens de cette espèce il faut les combattre en s'inventant une vie supérieure, telle qu'ils ne sont même pas capables de l'imaginer. Pendant que je passais mes examens de fin de petit lycée elle m'annonça qu'au printemps, alors qu'elle aurait à peine plus de seize ans, elle allait se marier.

48

Cette nouvelle me bouleversa. Quand Lila me parla de son mariage on était en juin, c'étaient quelques heures avant mes oraux. Certes c'était prévisible, mais maintenant qu'il y avait une date fixée, le 12 mars, j'eus l'impression de m'être cognée par distraction contre une porte. J'eus des pensées mesquines. Je comptai les mois : neuf. Peut-être que neuf mois seraient suffisants pour que la hargne perfide de Pinuccia, l'hostilité de Maria et les racontars de Marcello Solara – ils continuaient à circuler de bouche en bouche dans tout le quartier, comme la Renommée dans l'*Énéide* – épuisent Stefano et le conduisent à rompre les fiançailles. J'eus honte de moi, mais je n'arrivais plus à trouver un dessein cohérent à l'éloignement de nos destins. Cette date bien concrète rendit tout aussi concrète la bifurcation qui allait séparer nos vies l'une de l'autre. Pis encore, il était évident pour moi que son sort serait meilleur que le mien. Je ressentis plus fort que jamais l'insignifiance de la voie des études et compris clairement que je ne l'avais empruntée, des années auparavant, que pour susciter l'envie de Lila. Or, maintenant elle n'attribuait plus aucune valeur aux livres. Je cessai de me préparer pour l'examen et ne dormis pas de la nuit. Je songeai à ma misérable expérience amoureuse : j'avais embrassé une fois Gino, j'avais à peine effleuré les lèvres de Nino et j'avais subi le contact fugace et répugnant de son père – c'était tout. Lila en mars, à seize ans, aurait un mari et dans l'espace d'une année, à dix-sept ans, un enfant, et puis un autre enfant, et un autre et encore un autre. Je ne me sentis plus qu'une ombre et pleurai désespérée.

Le lendemain j'allai passer mes examens en traînant les pieds. Mais quelque chose se produisit qui me remonta le moral. M. Gerace et Mme Galiani – qui faisait partie du jury – me firent beaucoup de compliments sur mon devoir d'italien. En particulier, M. Gerace dit que mon style s'était encore amélioré. Il voulut lire un extrait au reste du jury. Et c'est seulement en l'écoutant que je compris ce que j'avais essayé de faire, ces derniers mois, chaque fois qu'il m'arrivait d'écrire : me libérer de mon ton artificiel et de mes phrases trop rigides, tenter une écriture fluide et entraînante comme celle de Lila dans sa lettre d'Ischia. Quand j'entendis mes mots de la bouche du professeur, pendant que Mme Galiani écoutait et acquiesçait en silence, je me rendis compte que j'y étais parvenue. Bien sûr ce n'était pas la manière d'écrire de Lila, c'était la mienne. Et mes professeurs trouvaient qu'elle était vraiment hors du commun.

Je passai en première année du grand lycée avec des dix partout, mais chez moi personne ne fut

surpris ni ne me fit fête. Je vis qu'ils étaient satis-
faits, c'est vrai, et j'en fus contente, mais ils n'attri-
buèrent aucune importance à cet événement. Ma
mère trouva même ma réussite scolaire tout à fait
naturelle et mon père me dit d'aller tout de suite
voir Mme Oliviero et de l'inciter à me procurer les
livres pour l'année suivante. J'étais sur le point de
sortir quand ma mère me cria : « Et si elle veut
encore t'envoyer à Ischia, dis-lui que je ne vais pas
bien et qu'il faut que tu m'aides à la maison ! »

La maîtresse me félicita mais sans empresse-
ment, à la fois parce qu'elle pensait désormais elle
aussi que mon talent allait de soi et aussi parce
qu'elle n'avait pas la santé, sa douleur à la bouche
la tourmentait beaucoup. Elle ne fit nulle allusion
à mon besoin de repos, à sa cousine Nella ou à
Ischia. En revanche, à ma grande surprise elle se
mit à parler de Lila. Elle l'avait vue dans la rue, de
loin. Elle était avec son fiancé, dit-elle, l'épicier.
Puis elle ajouta une phrase dont je me souviendrai
toujours : « Greco, la beauté que Cerullo avait dans
la tête depuis l'enfance n'a pas trouvé à s'exprimer :
elle a fini entièrement sur sa figure, dans ses seins,
ses cuisses et son cul. Mais ce sont des endroits où
la beauté ne dure pas, et après c'est comme si elle
n'avait jamais existé. »

Depuis que je la connaissais, je ne l'avais jamais
entendue dire de gros mot. Ce jour-là elle dit « cul »
et puis marmonna : « Excuse-moi. » Mais ce n'est
pas cela qui me frappa. Ce fut son regret, comme si
la maîtresse se rendait compte que quelque chose
de Lila avait été gâché justement parce qu'elle-
même, en tant qu'enseignante, ne l'avait pas bien
protégée et développée. Je sentis que j'étais son
élève la plus accomplie et m'en allai soulagée.

Le seul qui me fit fête sans aucune réserve fut Alfonso qui passa lui aussi, avec des sept partout. Je sentis que son admiration était sincère et cela me fit plaisir. Devant les tableaux d'honneur, emporté par son enthousiasme, en présence de nos camarades et de leurs parents, il fit quelque chose d'inconvenant comme s'il avait oublié que j'étais une fille et qu'il n'était même pas censé m'effleurer : il me serra fort contre lui et m'embrassa sur la joue, avec un baiser sonore. Puis il fut tout confus, me lâcha aussitôt, dit pardon, mais ne put se retenir et cria : « Des dix partout ! C'est incroyable ! Des dix partout ! » Sur le chemin du retour nous discutâmes longuement du mariage de son frère et de Lila. Comme je me sentais particulièrement à l'aise je lui demandai pour la première fois ce qu'il pensait de sa future belle-sœur. Il prit son temps pour répondre. Puis il dit :

« Tu te rappelles la compétition qu'on a faite à l'école primaire ?

— Tu parles, comment l'oublier !

— J'étais certain de gagner : vous aviez tous peur de mon père.

— Y compris Lina : d'ailleurs, au début elle a essayé de ne pas te battre.

— Oui, mais après elle a décidé de gagner, et elle m'a humilié. Je suis rentré à la maison en pleurant.

— C'est pas marrant, de perdre.

— Mais ce n'était pas pour ça : je trouvais insupportable que tout le monde soit terrorisé par mon père, moi le premier, et pas cette gamine.

— Tu en es tombé amoureux ?

— Tu rigoles ? Elle m'a toujours intimidé.

— Dans quel sens ?

— Dans le sens où mon frère a bien du courage de l'épouser.

— Qu'est-ce que tu veux dire ?

— Je veux dire que toi t'es beaucoup mieux et que si c'était moi qui avais choisi, je me serais marié avec toi ! »

Cela aussi me fit plaisir. On éclata de rire et quand on se sépara on riait encore. Il était condamné à passer l'été à l'épicerie ; moi, plus par décision de ma mère que de mon père, je devais me trouver un travail pour l'été. Nous nous promîmes de nous voir et d'aller au moins une fois à la mer ensemble. Cela ne se fit pas.

Les jours suivants je fis paresseusement le tour du quartier. Je demandai à Don Paolo, le droguiste du boulevard, s'il avait besoin d'une vendeuse. Rien. Je m'adressai au marchand de journaux : lui non plus ça ne l'intéressait pas. Je passai chez la papetière qui se mit à rire : elle avait besoin de quelqu'un, oui, mais pas maintenant, je devais revenir en automne, à la rentrée des classes. J'étais sur le point de sortir quand elle me rappela. Elle me dit :

« Tu es une fille très sérieuse, Lenù, j'ai confiance en toi : tu serais capable d'emmener mes filles à la plage ? »

Je sortis du magasin véritablement heureuse. La papetière me paierait – et me paierait bien – pour accompagner ses trois gamines à la mer pendant tout le mois de juillet et les dix premiers jours d'août. Mer, soleil et argent. Je devais aller tous les jours dans un endroit entre Mergellina et Posilippo dont je ne savais rien, il portait un nom étranger, il s'appelait le Sea Garden. Je me dirigeai tout excitée vers chez moi comme si ma vie venait de prendre un tournant décisif. Je gagnerais des sous pour mes parents, je me baignerais et ma peau deviendrait lisse et dorée par le soleil comme pendant l'été à Ischia. Comme la vie est douce, pensai-je, quand il fait soleil et que toutes les belles choses ont l'air d'être là juste pour toi !

Je fis quelques pas et cette impression de connaître des heures de chance se confirma. Antonio me rejoignit, en bleu de travail et couvert de graisse. J'en fus contente, quiconque m'aurait rencontrée en ce moment d'allégresse aurait été bien accueilli. Il m'avait vue passer et m'avait couru après. Je lui parlai tout de suite de la papetière et il dut lire sur mon visage que je vivais un instant de bonheur. Pendant des mois j'avais bûché en me sentant seule et moche. Même si j'étais convaincue d'aimer Nino Sarratore, je n'avais fait que l'éviter et n'étais même pas allée voir s'il avait réussi ses examens, et avec quelles notes. Lila allait bientôt sortir définitivement de ma vie et je ne serais plus capable de la suivre. Mais à présent je me sentais bien et avais envie de me sentir encore mieux. Quand Antonio, devinant que j'étais dans de bonnes dispositions, me demanda si je voulais être sa petite amie, je lui dis oui aussitôt, même si j'en aimais un autre et si je ne ressentais rien de spécial pour lui, juste une certaine sympathie. Je ne voyais pas vraiment de différence entre sortir avec lui, un travailleur, un homme qui avait le même âge que Stefano, et réussir mes examens avec des dix partout, ou être rémunérée pour emmener les filles de la papetière au Sea Garden.

49

Mon travail commença, ma relation avec Antonio aussi. La papetière me prit une sorte d'abonnement et tous les matins je traversais la ville avec les trois gamines, dans des bus bondés, pour les amener dans cet endroit plein de couleurs : parasols, mer bleue, jetées en ciment, étudiants, femmes aisées disposant de beaucoup de temps libre et femmes m'as-tu-vu à la figure avide. Je traitais avec gentillesse les garçons de plage qui essayaient d'engager la conversation. Je m'occupais des petites et faisais de longues baignades avec elles, profitant du maillot que Nella m'avait cousu l'année précédente. Je les faisais manger, jouais avec elles et les laissais boire sans fin au jet d'une fontaine en pierre, attentive à ce qu'elles ne glissent pas et n'aillent pas se casser les dents sur la vasque.

Nous rentrions dans le quartier en fin d'après-midi. Je ramenais les filles à la papetière et courais à mon rendez-vous secret avec Antonio, brûlée par le soleil et couverte de sel de mer. Nous nous rendions aux étangs par des chemins détournés, j'avais peur d'être vue par ma mère et peut-être plus encore par Mme Oliviero. Mes premiers vrais baisers, je les échangeai avec lui. Je lui permis bientôt de me toucher les seins et entre les jambes. Moi-même, un soir, je serrai son pénis caché à l'intérieur de son pantalon, tendu et gros, et quand il le sortit je le tins volontiers dans ma main pendant que nous nous embrassions. J'acceptai ces pratiques avec deux questions très précises en tête. La première était : Lila fait-elle ces trucs avec Stefano ? Et la deuxième : le plaisir que j'éprouve avec ce garçon est-il le même que j'ai éprouvé le soir où Donato Sarratore m'a touchée ? Dans les deux cas, Antonio finissait par n'être qu'un fantôme utile, d'une part, pour évoquer les amours de Lila et Stefano et, d'autre part, pour mettre des mots sur l'émotion forte et complexe que m'avait procurée le père de Nino. Mais je ne me sentis jamais coupable. Il m'était tellement reconnaissant pour ces maigres contacts aux étangs et dépendait de moi de façon tellement absolue que je fus bientôt convaincue que c'était lui qui me devait quelque chose et que le plaisir que je lui donnais était largement supérieur à celui que lui me donnait.

Parfois le dimanche il nous accompagnait les gamines et moi au Sea Garden. Il dépensait beaucoup d'argent avec une feinte désinvolture, bien qu'il en gagnât très peu, et en plus il détestait prendre le soleil. Mais il le faisait pour moi, uniquement pour rester à mon côté, sans aucune compensation immédiate puisque, pendant toute la journée, il n'y avait aucune possibilité de s'embrasser ou de se toucher. De surcroît il amusait les gamines en faisant toutes sortes de clowneries et des plongeons athlétiques. Pendant qu'il jouait avec elles je m'allongeais au soleil pour lire, me glissant comme une méduse dans les pages d'un roman.

Un de ces dimanches, je levai un instant les yeux et vis une jeune fille grande, mince et élégante avec un superbe deux-pièces rouge. C'était Lila. Désormais habituée à toujours avoir sur elle le regard des hommes, elle se déplaçait comme si, dans cet endroit bondé, il n'y avait personne, pas même le jeune garçon de plage qui la précédait pour l'accompagner à son parasol. Elle ne me vit pas et j'hésitai à l'appeler. Elle portait des lunettes de soleil et exhibait un sac en toile très coloré. Je ne lui avais pas encore parlé de mon travail et même pas d'Antonio : je craignais probablement son jugement sur l'un comme sur l'autre. Attendons que ce soit elle qui m'appelle, pensai-je en posant à nouveau les yeux sur mon livre, mais je ne parvins plus à lire. Peu après je regardai encore dans sa direction. Le garçon de plage avait ouvert sa chaise longue et elle s'était assise au soleil. Et maintenant c'était Stefano qui arrivait, tout blanc et en maillot bleu, portefeuille, briquet et cigarettes à la main. Il embrassa Lila sur les lèvres comme le font les princes avec les belles endormies, et il s'assit à son tour sur une chaise longue.

J'essayai encore de lire. J'étais habituée depuis longtemps à me discipliner et cette fois-ci, pendant quelques minutes, je réussis vraiment à saisir le sens des mots – je me souviens que je lisais *Oblomov*. Quand je relevai la tête Stefano était toujours assis et regardait la mer, mais Lila n'était plus là. Je la cherchai des yeux et vis qu'elle parlait avec Antonio, et Antonio me montrait du doigt. Je fis un salut joyeux auquel elle répondit tout aussi joyeusement avant de se tourner aussitôt pour appeler Stefano.

Nous nous baignâmes tous les trois ensemble tandis qu'Antonio gardait les filles de la papetière. Cette journée eut l'apparence d'une fête. À un moment donné Stefano nous emmena tous au bar et commanda des délices en tout genre – sandwiches, boissons et glaces – et les gamines laissèrent aussitôt tomber Antonio pour lui consacrer toute leur attention. Quand les deux garçons commencèrent à parler de je ne sais quels problèmes avec la décapotable, une conversation qui permit à Antonio de briller, je m'éloignai avec les fillettes pour qu'elles ne les dérangent pas. Lila me rejoignit.

« Combien elle te paye, la papetière ? » me demanda-t-elle.

Je le lui dis.

« C'est pas beaucoup.

— D'après ma mère, c'est déjà trop.

— Tu dois te faire payer à ta juste valeur, Lenù.

— Je me ferai payer à ma juste valeur quand c'est tes enfants que j'accompagnerai à la mer.

— Je te donnerai des caisses de pièces d'or, moi je sais ce qu'il vaut, le temps passé avec toi. »

Je la regardai pour comprendre si elle plaisantait. Non elle ne plaisantait pas, mais elle le fit aussitôt après, avec une allusion à Antonio :

« Et lui il la connaît, ta valeur ?

— On est ensemble depuis vingt jours.

— Tu l'aimes ?

— Non.

— Et alors ? »

Je la défiai du regard :

« Et toi, tu aimes Stefano ? »

Elle dit, sérieuse :

« Beaucoup.

— Plus que tes parents, plus que Rino ?

— Plus que tout le monde, mais pas plus que toi.

— Tu te moques de moi ! »

Cependant je me disais aussi : elle a beau se moquer de moi, c'est quand même bien de bavarder comme ça, au soleil, assises sur le ciment chaud avec les pieds dans l'eau ; tant pis si elle ne m'a pas demandé quel livre j'étais en train de lire ; tant pis si elle ne s'est pas renseignée sur mes examens de fin de petit lycée ; peut-être que tout n'est pas fini : même après son mariage, quelque chose continuera entre nous. Je lui dis :

« Je viens ici tous les jours. Pourquoi tu ne viens pas toi aussi ? »

Cette suggestion lui plut beaucoup et elle en parla à Stefano, qui fut d'accord. Ce fut une belle journée pendant laquelle tous, miraculeusement, nous nous sentîmes à l'aise. Puis le soleil commença à décliner, c'était l'heure de ramener les filles. Stefano se rendit à la caisse et là il découvrit qu'Antonio avait déjà tout payé. Il en fut vraiment navré et remercia chaleureusement. Au retour, dès que Stefano et Lila eurent filé dans la décapotable, je disputai Antonio. Melina et Ada lavaient les escaliers d'immeubles et lui gagnait des clopinettes au garage.

« Mais pourquoi tu as payé ? finis-je presque par lui crier en dialecte, très en colère.

— Parce que toi et moi on est plus beaux et plus chics », répondit-il.

50

Je pris Antonio en affection presque sans m'en apercevoir. Nos jeux sexuels se firent un peu plus audacieux et agréables. Je me dis que si Lila revenait au Sea Garden je lui demanderais ce qui se passait entre Stefano et elle quand ils s'éloignaient seuls en voiture. Faisaient-ils les mêmes choses qu'Antonio et moi ou bien davantage, par exemple ces trucs que lui attribuaient les rumeurs lancées par les deux Solara ? Je n'avais personne à qui me comparer, à part elle. Mais je n'eus pas d'occasion pour tenter de lui poser ces questions : elle ne vint plus au Sea Garden.

Peu avant le 15 août mon travail s'acheva, et finit aussi la joie du soleil et de la mer. La papetière fut très satisfaite de la manière dont je m'étais occupée de ses filles ; bien que celles-ci, malgré mes recommandations, aient raconté à leur mère que de temps en temps venait à la plage un jeune homme de mes amis qui faisait de beaux plongeons, au lieu de me gronder elle m'embrassa et s'exclama : « Tant mieux ! Lâche-toi un peu, s'il te plaît, tu es trop sérieuse pour ton âge. » Et elle ajouta, perfide : « Regarde Lina Cerullo qui fait les quatre cents coups ! »

Le soir aux étangs je dis à Antonio :

« Ça a toujours été comme ça, depuis que nous sommes petites : tout le monde croit que c'est elle la méchante et moi la gentille. »

Il m'embrassa et murmura, ironique :

« Pourquoi, c'est pas vrai ? »

Cette réponse m'attendrit et m'empêcha de lui annoncer qu'il fallait que l'on se quitte. C'était une décision qui me semblait urgente : l'affection n'était pas l'amour, j'aimais Nino et je savais que je l'aimerais toujours. J'avais préparé un discours pour Antonio, je voulais lui dire posément : on a passé un bon moment, tu m'as beaucoup aidée à une époque où j'étais triste, mais maintenant c'est la rentrée et cette année je commence le grand lycée, j'ai de nouvelles matières, ça va être difficile et il va falloir que je travaille beaucoup ; je suis désolée mais il faut qu'on arrête. Je sentais que c'était indispensable et, tous les après-midi, j'allais à notre rendez-vous aux étangs avec mon petit discours tout prêt. Mais il était tellement affectueux et passionné que le courage me manquait, et je repoussais. Le 15 août. Après le 15 août. Avant la fin du mois. Je me disais qu'il était impossible d'embrasser, toucher quelqu'un, se laisser toucher, si on n'avait rien d'autre qu'une certaine affection pour ce quelqu'un ; Lila aime beaucoup Stefano, moi je n'aime pas Antonio.

Le temps passa et je ne réussis jamais à trouver le bon moment pour lui parler. Il était inquiet. En général avec la chaleur l'état de Melina empirait, mais dans la seconde moitié d'août cette dégradation devint vraiment criante. Sarratore, qu'elle appelait Donato, lui était revenu à l'esprit. Elle disait qu'elle l'avait vu, qu'il était venu la chercher, et ses enfants ne savaient que faire pour la calmer. L'anxiété me vint à l'idée que Sarratore soit réellement apparu dans les rues du quartier et qu'il ne cherche pas Melina mais moi. La nuit, je me réveillais en sursaut avec l'impression qu'il était entré par la fenêtre et se trouvait dans ma chambre. Puis je me calmais et me disais : il doit être en vacances à Barano, aux Maronti, certainement pas ici avec cette chaleur, les mouches et la poussière.

Mais un matin où j'allais faire les courses, j'entendis qu'on m'appelait. Je me retournai et sur le coup ne le reconnus pas. Puis je distinguai les moustaches noires, les traits agréables dorés par le soleil et la bouche aux lèvres fines. Je continuai tout droit, il me suivit. Il dit qu'il avait souffert de ne pas me retrouver chez Nella, à Barano, cet été. Il dit qu'il pensait tout le temps à moi et ne pouvait vivre sans moi. Il ajouta que pour donner forme à notre amour il avait écrit de nombreuses poésies et qu'il aurait aimé me les lire. Il conclut qu'il voulait me voir, me parler tranquillement, et que si je refusais il se tuerait. Alors je m'arrêtai et lui sifflai qu'il devait me laisser en paix, que j'étais fiancée et ne voulais jamais le revoir. Cela le désespéra. Il murmura qu'il m'attendrait éternellement et que tous les jours à midi il se tiendrait à l'entrée du tunnel, sur le boulevard. Je secouai vigoureusement la tête : je ne le rejoindrais jamais. Il se pencha pour m'embrasser, je bondis en arrière avec un mouvement de dégoût et il eut un sourire déçu. Il murmura : « Tu es intelligente et sensible, je t'apporterai les poésies auxquelles je tiens le plus » et il s'en alla.

J'étais totalement épouvantée et ne savais que faire. Je décidai d'avoir recours à Antonio. Le soir même, aux étangs, je lui dis que sa mère avait raison et que Donato Sarratore rôdait dans le quartier. Il m'avait arrêtée dans la rue. Il m'avait demandé de dire à Melina qu'il l'attendrait tous les jours, éternellement, à l'entrée du tunnel, à midi. Antonio s'assombrit et murmura : « Qu'est-ce que je vais faire ? » Je lui dis que je l'accompagnerais moi-même au rendez-vous et qu'ensemble nous tiendrions un discours bien clair à Sarratore sur l'état de santé de sa mère.

Je ne dormis pas de la nuit tant j'étais inquiète. Le lendemain nous nous rendîmes au tunnel. Antonio était taciturne, il marchait lentement, je sentais qu'il avait sur les épaules un poids qui le faisait ralentir. Une part de lui était furieuse et l'autre était intimidée. Je me dis avec colère : il a été capable d'affronter les Solara pour sa sœur Ada et pour Lila mais maintenant il est impressionné, à ses yeux Donato Sarratore est un personnage important, prestigieux. Le sentir dans cet état me rendit encore plus déterminée, j'aurais voulu le secouer et lui crier : toi tu n'as peut-être écrit aucun livre, mais tu es beaucoup mieux que ce type-là ! Je me contentai de le prendre par le bras.

Sarratore nous vit de loin et tenta aussitôt de se fondre dans l'obscurité du tunnel. Mais je l'appelai :

« Monsieur Sarratore ! »

Il se retourna à contrecœur.

Je lui dis en utilisant la forme de politesse en italien, ce qui à l'époque était hors du commun dans notre milieu :

« Je ne sais pas si vous vous souvenez d'Antonio, c'est le fils aîné de Mme Melina. »

Sarratore eut recours à une voix claironnante et pleine d'affection :

« Mais bien sûr que je m'en souviens ! Salut, Antonio !

— Lui et moi on est fiancés.

— Ah bon, c'est bien.

— Et on a beaucoup discuté ensemble : il va vous expliquer. »

Antonio comprit que son moment était venu et dit, très pâle, tendu et peinant à parler en italien :

« Je suis très heureux de vous voir, monsieur Sarratore. Je suis quelqu'un qui n'oublie pas et je vous serai toujours reconnaissant de ce que vous avez fait pour nous après la mort de mon père. Je vous remercie surtout de m'avoir trouvé un travail dans le garage de M. Gorresio : si j'ai appris un métier, c'est grâce à vous.

— Parle-lui de ta mère », le pressai-je nerveusement.

Cela l'agaça et il me fit signe de me taire. Il poursuivit :

« Toutefois vous ne vivez plus dans le quartier et vous ne comprenez pas bien la situation. Ma mère, rien qu'à entendre votre nom, perd la tête. Et si jamais elle vous revoit, même une seule fois, c'est sûr elle finit à l'asile. »

Sarratore se troubla :

« Antonio, mon garçon, je n'ai jamais eu la moindre intention de faire du mal à ta mère. À juste titre, tu te rappelles tout ce que j'ai fait pour vous. Et en effet, je n'ai jamais voulu faire autre chose que l'aider et aider toute la famille.

— Eh bien si vous voulez continuer à l'aider n'essayez pas de la revoir, ne lui envoyez pas de livres et ne vous montrez pas dans le quartier.

— Mais tu ne peux pas me demander une chose pareille, tu ne peux pas m'interdire de revoir des lieux qui me sont chers ! » dit Sarratore d'une voix chaude et faussement émue.

Ce ton m'indigna. Je le connaissais, il l'avait souvent utilisé à Barano, sur la plage des Maronti. C'était un ton onctueux et caressant : Sarratore imaginait que c'était celui qu'un homme profond, écrivant des vers et des articles pour le *Roma*, devait avoir. Je fus sur le point d'intervenir mais Antonio, à ma grande stupeur, me précéda. Il courba les épaules et rentra la tête tout en tendant une main vers la poitrine de Donato Sarratore, le heurtant de ses doigts puissants. Il dit en dialecte :

« Je ne vous l'interdis pas ! Mais je vous promets que si vous enlevez à ma mère ce peu de raison qui lui reste, je vous ferai passer pour toujours l'envie de revoir cet endroit de merde. »

Sarratore devint tout pâle :

« D'accord, dit-il rapidement, j'ai compris, merci. »

Il tourna les talons et se dirigea vers la gare.

Je passai mon bras sous celui d'Antonio, fière de son emportement, mais je m'aperçus qu'il tremblait. Je pensai, peut-être alors pour la première fois, à ce qu'avait dû être pour lui, quand il était encore tout gamin, la mort de son père, et puis le travail, la responsabilité qui lui était tombée dessus et l'effondrement de sa mère. Je l'entraînai, très affectueuse, et me donnai une autre date butoir : je le quitterai après le mariage de Lila, me dis-je.

51

Le quartier se souvint très longtemps de ce mariage. Ses préparatifs s'entrecroisèrent avec la naissance lente, compliquée et tempétueuse des chaussures Cerullo et on aurait dit que ces deux projets, pour une raison ou pour une autre, n'arriveraient jamais à leur terme.

Le mariage, d'ailleurs, n'était pas sans incidence sur la cordonnerie. Fernando et Rino ne trimaient pas uniquement sur les nouvelles chaussures, qui pour le moment ne rapportaient rien, mais aussi sur mille autres petits travaux immédiatement rentables qu'ils devaient faire car ils avaient un besoin urgent de recettes. Il leur fallait accumuler assez d'argent pour assurer à Lila au moins un petit trousseau et faire face aux dépenses du vin d'honneur dont ils avaient à tout prix voulu se charger pour ne pas passer pour des miséreux. Aussi, pendant des mois la tension fut extrême chez les Cerullo : Nunzia brodait des draps nuit et jour et Fernando faisait sans arrêt des scènes, regrettant l'époque heureuse où, dans le cagibi dont il était le roi, il collait, cousait et martelait tranquillement, clous entre les lèvres.

Les seuls à avoir l'air serein étaient les deux fiancés. Il n'y eut que deux légers moments de friction entre eux. Le premier concernait leur futur logement. Stefano voulait acheter un petit appartement dans le quartier neuf alors que Lila préférait un appartement dans les vieux immeubles. Ils discutèrent. L'appartement dans le vieux quartier était plus grand mais sombre et n'avait pas de vue, comme du reste toutes les habitations de cette zone. Celui du quartier neuf était plus petit mais avait une énorme baignoire comme celle de la publicité Palmolive, un bidet et une vue sur le Vésuve. Il fut inutile de faire remarquer que, si le Vésuve était une silhouette fugace et distante qui s'estompait dans le ciel nébuleux, à moins de deux cents mètres passaient, bien visibles, les rails du chemin de fer. Stefano était séduit par la nouveauté, par les appartements aux carrelages resplendissants et aux murs tout blancs, et Lila céda rapidement. Ce qui comptait le plus pour elle, c'était qu'à moins de dix-sept ans elle serait maîtresse de sa propre maison, avec l'eau chaude qui sortait des robinets, et pas comme locataire mais comme propriétaire.

Le second motif de friction fut le voyage de noces. Stefano proposa comme destination Venise et Lila, révélant une tendance qui marquerait ensuite toute sa vie, insista pour ne pas trop s'éloigner de Naples. Elle suggéra une villégiature à

Ischia, Capri et peut-être la côte amalfitaine – que des endroits où elle n'était jamais allée. Son futur mari se déclara presque tout de suite d'accord.

Pour le reste il n'y eut que des tensions minimes, qui reflétaient surtout des problèmes internes à leurs familles d'origine. Par exemple, quand Stefano voyait Lila après une visite à la cordonnerie Cerullo, des paroles désagréables finissaient toujours par lui échapper sur Fernando et Rino : cela déplaisait à Lila qui se dépêchait de les défendre. Stefano secouait la tête, peu convaincu, commençant à voir dans l'histoire des chaussures un investissement financier excessif. Et à la fin de l'été, quand il y eut de fortes tensions entre les deux Cerullo et lui, il imposa une limite précise à ce faire et défaire permanent du père, du fils et de leurs apprentis. Il décréta qu'en novembre il voulait voir les premiers résultats : les modèles hivernaux au moins, homme et femme, devaient pouvoir être exposés en vitrine pour Noël. Puis avec Lila il laissa échapper, plutôt énervé, que Rino était plus disposé à demander de l'argent qu'à travailler. Elle défendit son frère, il répliqua, elle s'emporta et il fit immédiatement machine arrière. Il alla prendre la paire de chaussures d'où était né tout ce projet, des souliers achetés et jamais utilisés, conservés comme un précieux témoignage de leur histoire : il les toucha, les renifla et s'émut en expliquant qu'il y sentait, y voyait et y verrait toujours les petites mains de Lila, encore presque enfant, qui avaient travaillé auprès des grosses mains de son frère. Ils se trouvaient sur la terrasse du vieil immeuble de Stefano, d'où les garçons avaient tiré leur feu d'artifice, rivalisant avec les Solara. Il prit les doigts de Lila et les embrassa un à un, disant qu'il ne permettrait plus jamais qu'ils recommencent à s'abîmer.

C'est Lila elle-même qui me raconta cet acte d'amour, toute joyeuse. Elle le fit un jour où elle m'emmena voir son futur appartement. Quelle splendeur ! Carreaux tout luisants par terre, baignoire pour prendre des bains moussants, meubles sculptés dans la salle à manger et la chambre, réfrigérateur et même téléphone. Je notai son numéro, émue. Nous étions nées et avions vécu dans de petits logements, sans une chambre à nous et sans un endroit pour étudier. Je vivais encore comme ça, mais bientôt ce ne serait plus son cas. Nous sortîmes sur le balcon qui donnait sur la voie ferrée et le Vésuve et je lui demandai prudemment :

« Stefano et toi, vous venez quelquefois seuls ici ?

— Oui, quelquefois.

— Et qu'est-ce que vous faites ? »

Elle me regarda comme si elle ne comprenait pas :

« Dans quel sens ? »

Je me sentis gênée.

« Vous vous embrassez ?

— Des fois.

— Et après ?

— Après c'est tout, on est pas encore mariés. »

Cela me confondit. Était-ce donc possible ? Toute cette liberté, et il ne se passait rien ? Tant de commérages dans tout le quartier, les propos obscènes des Solara, et eux qui échangeaient juste quelques baisers ?

« Mais lui, il te demande pas plus ?

— Pourquoi, Antonio te demande des trucs ?

— Oui.

— Moi il me demande rien. Il pense aussi qu'on doit d'abord se marier. »

Toutefois elle me parut très frappée par mes questions, autant que je le fus par ses réponses. Ainsi donc elle ne concédait rien à Stefano, même s'ils sortaient seuls en voiture, s'ils étaient sur le point de se marier et s'ils avaient déjà leur appartement tout meublé et leur lit avec le matelas encore emballé. Moi au contraire, qui n'allais certes pas me marier, cela faisait longtemps que j'avais dépassé le stade du baiser. Quand elle me demanda avec une curiosité sincère si je faisais à Antonio les choses qu'il me demandait, j'eus honte de lui dire la vérité. Je répondis que non et elle eut l'air satisfaite.

52

J'espaçai les rendez-vous aux étangs, aussi parce que c'était bientôt la rentrée. J'étais convaincue que Lila, justement à cause de mes cours et de mes devoirs, m'aurait laissée en dehors de ses préparatifs de mariage : elle avait pris l'habitude de mes disparitions pendant l'année scolaire. Mais cela ne se passa pas ainsi. Les tensions avec Pinuccia s'étaient beaucoup accrues pendant l'été. Il ne s'agissait plus de vêtements, chapeaux, foulards ou bijoux de pacotille. Un jour Pinuccia dit à son frère, en présence de Lila et tout à fait clairement, que soit sa fiancée venait travailler à l'épicerie, si ce n'était immédiatement du moins après le voyage de noces – travailler comme toute la famille le faisait depuis toujours, et comme le faisait même Alfonso chaque fois que l'école le lui permettait –, soit c'était elle qui ne travaillerait plus. Et sa mère, cette fois, la soutint de manière explicite.

Lila ne cilla pas et dit qu'elle était prête à s'y mettre tout de suite, dès le lendemain s'il le fallait, quel que soit le rôle que la famille Carracci voulait lui attribuer. Cette réponse, comme toutes les réponses de Lila depuis toujours, si elle se voulait conciliante, portait en elle quelque chose d'excessif et de méprisant qui fit monter encore plus Pinuccia sur ses grands chevaux. Il devint très clair que la fille du cordonnier était désormais perçue par les deux femmes comme une sorcière venue faire la patronne, jeter l'argent par les fenêtres sans bouger le petit doigt pour le gagner et dominer l'homme de la maison avec ses artifices, faisant commettre à Stefano toutes sortes d'injustices contre sa chair et son sang, c'est-à-dire contre sa sœur et même contre sa propre mère.

Comme d'habitude, le jeune homme ne répliqua pas tout de suite. Il attendit que sa sœur se soit défoulée et puis, à croire que le problème de Lila et sa place dans la petite entreprise familiale n'avaient jamais été soulevés, il dit paisiblement qu'au lieu de travailler à l'épicerie, Pinuccia ferait mieux d'aider sa fiancée à préparer leur mariage.

« Tu n'as plus besoin de moi ? bondit la jeune fille.

— Non : dès demain je te ferai remplacer par Ada, la fille de Melina.

— C'est elle qui t'a suggéré ça ? cria sa sœur en indiquant Lila.

— Ça ne te regarde pas.

— Mais tu l'as entendu, m'man ? T'as entendu ce qu'il a dit ? Il se prend pour le maître absolu, ici ! »

Il y eut un moment de silence insupportable puis Maria quitta sa chaise, derrière le comptoir de la caisse, et dit à son fils :

« Trouve aussi quelqu'un pour ce poste-là, parce que moi je suis fatiguée et j'ai plus envie de travailler. »

Là Stefano eut un moment de fléchissement. Il dit doucement :

« Allez, on se calme, je ne suis le maître de rien du tout, les affaires de l'épicerie nous concernent tous, pas que moi. Mais il faut prendre une décision. Pinù, est-ce que tu as besoin de travailler ? Non. Maman, est-ce que tu es obligée de passer toute la journée assise là derrière ? Non. Alors donnons du travail à quelqu'un qui en a besoin. Je mettrai Ada à servir et je verrai plus tard pour la caisse. Mais qui peut s'occuper du mariage, si ce n'est vous ? »

Je ne saurais dire avec certitude si, derrière l'expulsion de Pinuccia et de sa mère du quotidien de l'épicerie et derrière l'embauche d'Ada, il y avait vraiment Lila (Ada en tout cas en fut convaincue et Antonio encore plus, au point qu'il se mit à parler de notre amie comme d'une bonne fée). Ce qui est sûr, c'est que se retrouver avec une belle-sœur et une belle-mère disposant de beaucoup de temps libre pour se consacrer aux préparatifs de son mariage ne fut pas un avantage. Les deux femmes lui compliquèrent la vie encore plus et des conflits éclataient à propos de n'importe quoi : les faire-part, la décoration de l'église, le photographe, l'orchestre, la salle de réception, le menu, le gâteau, les dragées, les alliances et même le voyage de noces – Pinuccia et Maria estimant qu'aller à Sorrente, Positano, Ischia et Capri, ce n'était vraiment pas terrible. C'est ainsi que de but en blanc je fus embarquée là-dedans, en apparence pour donner mon avis à Lila sur ceci ou cela, en réalité pour la soutenir dans une bataille difficile.

Je débutais ma première année de lycée et avais beaucoup de matières nouvelles et difficiles. Mon application et mon obstination habituelles m'anéantissaient déjà, j'étudiais avec trop d'acharnement. Or un jour, en rentrant de l'école, je croisai mon amie qui me lança à brûle-pourpoint :

« S'il te plaît, Lenù, tu peux venir me donner un conseil demain ? »

Je ne savais même pas de quoi elle parlait. Je venais d'être interrogée en chimie, cela n'avait pas été brillant et j'en souffrais.

« Un conseil sur quoi ?

— Un conseil sur ma robe de mariée. Je t'en prie, ne dis pas non, parce que si tu ne viens pas je vais finir par assassiner ma belle-sœur et ma belle-mère. »

J'y allai. Très mal à l'aise, j'accompagnai Pinuccia, Maria et elle. Le magasin se trouvait sur le Rettifilo et je me rappelle que j'avais glissé quelques livres dans un sac dans l'espoir de trouver moyen d'étudier. Ce fut impossible. De quatre heures de l'après-midi à sept heures du soir nous regardâmes des modèles, touchâmes des étoffes, et Lila essaya des robes de mariée exposées sur les mannequins du magasin. Quoi qu'elle porte, sa beauté mettait en valeur la robe et la robe mettait en valeur sa beauté. Tout lui allait : l'organdi rigide, le satin souple et le tulle nébuleux ; le bustier en dentelles et les manches bouffantes ; la jupe large ou droite, la traîne longue ou courte, le voile simple ou en cascade, la couronne de strass, de perles ou de fleurs d'oranger. En général, elle examinait docile les modèles ou essayait les robes qui faisaient bel effet sur les mannequins. Mais de temps en temps, quand elle ne supportait plus le comportement chipoteur de ses futures parentes, la Lila d'autrefois surgissait, elle me fixait droit dans les yeux et disait, ironique, alarmant belle-mère et belle-sœur : « Et si on allait sur un beau satin vert, un organdi rouge ou un charmant tulle noir ou, encore mieux, jaune ? » Il fallait que j'émette un petit rire pour indiquer que la mariée plaisantait, avant de recommencer à comparer étoffes et modèles, sérieuse et maussade. La couturière ne faisait que répéter, enthousiaste : « S'il vous plaît, quoi que vous choisissiez, amenez-moi les photos du mariage, je veux les exposer en vitrine, comme ça je pourrai dire : cette jeune femme, c'est moi qui l'ai habillée ! »

Mais le problème, c'était choisir. À chaque fois que Lila penchait pour un modèle, pour une étoffe, Pinuccia et Maria se déclaraient en faveur d'un autre modèle, d'une autre étoffe. Je demeurai toujours silencieuse, un peu étourdie par toutes ces discussions et aussi par l'odeur des tissus neufs. Puis Lila irritée me demanda :

« Et toi, Lenù, qu'est-ce que tu en penses ? »

Le silence se fit. Je perçus aussitôt, avec une certaine stupeur, que les deux femmes attendaient ce moment et le redoutaient. J'appliquai alors une technique que j'avais apprise à l'école et qui consistait en ceci : à chaque fois que je ne savais pas répondre à une question, je me lançais dans des prémisses abondantes avec la voix assurée de celle qui sait où elle veut en venir. J'expliquai tout d'abord – en italien – que j'aimais beaucoup les modèles défendus par Pinuccia et sa mère. Je me lançai non pas dans des panégyriques mais dans des argumentations qui démontraient combien ils étaient adaptés aux formes de Lila. Au moment où, comme en classe avec les professeurs, je sentis avoir gagné l'admiration et la sympathie de la mère et de la fille, je choisis un des modèles au hasard, vraiment au hasard, faisant juste attention à ne pas le pêcher parmi ceux que préférait Lila, et je me mis à démontrer qu'il contenait la synthèse à la fois de toutes les qualités des modèles défendus par les deux femmes et de toutes les qualités des modèles défendus par mon amie. La couturière, Pinuccia et sa mère furent tout de suite d'accord avec moi. Lila se contenta de me regarder en plissant les yeux. Puis elle revint à son regard habituel et dit qu'elle était d'accord elle aussi.

En sortant, Pinuccia et Maria étaient toutes deux de très bonne humeur. Elles s'adressaient à Lila presque avec affection et, commentant notre achat, faisaient sans cesse référence à moi avec des expressions du genre : « comme l'a dit Lenuccia » ou « comme Lenuccia l'a justement fait remarquer ». Lila manœuvra pour rester un peu en arrière, dans la foule du soir du Rettifilo. Elle me demanda :

« C'est ça qu'on t'apprend à l'école ?

— Ça quoi ?

— À te servir des mots pour embobiner les gens. »

Cela me blessa et je murmurai :

« Tu n'aimes pas le modèle qu'on a choisi ?

— Si si, je l'aime beaucoup.

381

— Et alors ?

— Alors rends-moi un service et viens avec nous chaque fois que je te le demanderai. »

J'étais fâchée et dis :

« Tu veux m'utiliser pour les embobiner ? »

Elle comprit qu'elle m'avait vexée et me serra fort la main :

« Je ne pensais pas à mal. Je voulais seulement dire que tu es très douée pour te faire aimer. La différence entre toi et moi, depuis toujours, c'est que les gens ont peur de moi mais pas de toi.

— Peut-être parce que tu es méchante, lui dis-je de plus en plus en colère.

— C'est possible », répondit-elle, et je sentis que je lui avais fait mal comme elle m'avait fait mal. Alors, repentie, j'ajoutai aussitôt pour me faire pardonner :

« Antonio se ferait tuer pour toi : il m'a demandé de te remercier pour avoir donné du travail à sa sœur.

— C'est Stefano qui a donné du travail à Ada, repartit-elle, moi je suis méchante. »

53

À partir de là je fus constamment appelée à participer aux choix les plus variés et parfois – découvris-je – ce n'était pas à la demande de Lila mais de Pinuccia et sa mère. De fait c'est moi qui choisis les dragées. Je choisis aussi le restaurant de la Via Orazio. Je choisis le photographe et les convainquis d'ajouter aux photos un film en super-8. À chaque fois je me rendis compte que si, de mon côté, je me passionnais pour tout, comme si chacune de ces questions était un entraînement pour quand ce serait mon tour de me marier, Lila accordait bien peu d'attention aux étapes de son mariage. J'en fus stupéfaite, et pourtant c'était vraiment comme ça. Ce qui l'intéressait certainement c'était d'établir une fois pour toutes que, sur sa future vie de femme et de mère, dans sa maison, sa belle-sœur et sa belle-mère n'auraient pas leur mot à dire. Mais ce n'était pas le conflit habituel entre belle-mère, belle-fille et belle-sœur. J'eus l'impression, à la façon dont elle se servait de moi et dont elle manipulait Stefano, qu'elle se débattait pour trouver, de l'intérieur de la cage où elle s'était enfermée, un moyen d'être vraiment elle-même qui cependant lui demeurait obscur.

Naturellement je perdais des après-midi entiers à résoudre leurs problèmes, je n'étudiais pas beaucoup et deux ou trois fois il m'arriva même de ne pas aller en cours. Par conséquent mon bulletin du premier trimestre ne fut pas particulièrement brillant. Ma nouvelle professeure de latin et grec, la très estimée Mme Galiani, me portait aux nues, mais en philosophie, chimie et mathématiques j'arrivai à peine à la moyenne. De plus, un matin je me retrouvai dans un sacré pétrin. Comme le professeur de religion se lançait sans arrêt dans des philippiques contre les communistes et leur athéisme, je me sentis poussée à réagir, je ne sais trop si c'était par affection pour Pasquale, qui s'était toujours déclaré communiste, ou simplement parce que je perçus que tout le mal que le prêtre disait des communistes me concernait directement en tant que chouchoute de la communiste par excellence, Mme Galiani. Quoi qu'il en soit je levai la main et dis que moi, qui avais suivi avec succès un cours de théologie par correspondance, je pensais que la condition humaine était à l'évidence tellement exposée à la furie aveugle du hasard que s'en remettre à un Dieu, à Jésus et au Saint-Esprit – une entité tout à fait superflue, celle-ci, qui n'était là que pour composer une trinité, notoirement plus noble qu'un simple binôme père-fils –, c'était la même chose que faire une collection d'images pendant que la ville brûle dans les flammes de l'enfer. Alfonso se rendit aussitôt compte que je dépassais les bornes et me tira timidement par la blouse, mais je ne l'écoutai pas et allai jusqu'au bout, jusqu'à cette comparaison finale. Pour la première fois je fus exclue de cours et j'eus un blâme pour mauvaise conduite dans le cahier de classe.

Dès que je fus dans le couloir je me sentis déboussolée – que s'était-il passé ? pourquoi m'étais-je comportée de façon si inconsidérée ? d'où m'était venue la conviction absolue que ce que je disais était vrai et devait être dit ? –, puis je me rappelai que j'avais tenu ces discours avec Lila et me rendis compte que je m'étais fichue dans ce pétrin seulement parce que, malgré tout, je continuais à lui attribuer une autorité suffisante pour me donner la force de défier mon professeur de religion. Lila n'ouvrait plus un livre, n'étudiait plus, était sur le point de devenir la femme d'un épicier, finirait sans doute à la caisse pour remplacer la mère de Stefano, et moi ? Moi j'avais tiré d'elle l'énergie pour inventer une comparaison qui définissait la religion comme une collection d'images pendant que la ville brûle dans les flammes de l'enfer ? Ce n'était donc pas vrai que l'école était ma richesse personnelle, désormais loin de son influence ? Je pleurai des larmes silencieuses devant la porte de ma salle.

Mais soudain tout changea. Au fond du couloir Nino Sarratore apparut. Après ma nouvelle rencontre avec son père je me comportais à plus forte raison comme s'il n'existait pas, mais le voir dans cette circonstance me redonna de la force et j'essuyai vite mes larmes. Il dut se rendre compte aussi que quelque chose n'allait pas et se dirigea vers moi. Il avait grandi : sa pomme d'Adam était très proéminente, ses traits creusés par de la barbe bleutée et son regard plus ferme. Impossible de lui échapper. Je ne pouvais ni rentrer en classe ni m'éloigner vers les toilettes, dans les deux cas cela aurait compliqué ma situation si le professeur de religion avait surgi. Je restai immobile et, quand il se planta devant moi et me demanda pourquoi j'étais dehors, et ce qui s'était passé, je lui racontai tout. Il fronça les sourcils et dit : « Je reviens tout de suite. » Il disparut et revint quelques minutes plus tard avec Mme Galiani.

Galiani me couvrit de louanges. « Mais maintenant, ajouta-t-elle comme si elle faisait la leçon à Nino et moi, après l'attaque sur le fond vient le temps de la médiation. » Elle frappa à la porte de ma classe, la referma derrière elle et revint joyeusement cinq minutes plus tard. Je pouvais rentrer à condition que je m'excuse auprès de mon professeur pour avoir employé un ton trop agressif. Je m'excusai, hésitant entre l'anxiété à cause des probables rétorsions et la fierté d'avoir été soutenue par Nino et Mme Galiani.

Je me gardai bien de raconter cette histoire à

mes parents mais rapportai tout à Antonio, qui répéta avec orgueil ce qui m'était arrivé à Pasquale, qui à son tour tomba un matin sur Lila : vaincu par l'émotion tant il l'aimait encore, ne sachant que lui dire, il s'agrippa à mon aventure comme à une bouée de sauvetage et la lui raconta. Je devins ainsi, en un clin d'œil, l'héroïne à la fois de mes amis de toujours et du groupe restreint mais très aguerri d'enseignants et d'élèves qui se battaient contre les sermons du professeur de religion. En même temps, comme je m'étais rendu compte que mes excuses au prêtre n'avaient pas suffi, je m'employai à récupérer mon crédit auprès de lui et des enseignants qui pensaient comme lui. Je sépa-rai sans efforts mes paroles de mes idées : avec tous les professeurs qui m'étaient devenus hostiles je fus très respectueuse, serviable, appliquée et accommodante, au point qu'ils recommencèrent bientôt à me considérer comme une petite jeune fille très bien à qui on pouvait volontiers pardon-ner quelques affirmations bizarres. Je découvris bientôt que je savais faire comme Mme Galiani : exprimer avec fermeté mes opinions et en même temps faire de la médiation en conquérant l'es-time de tout le monde grâce à un comportement irréprochable. En l'espace de quelques jours j'eus l'impression d'être revenue, avec Nino Sarratore qui était en troisième année et allait passer son baccalauréat, en tête de la liste des élèves les plus prometteurs de notre lycée miteux.

Et cela ne s'arrêta pas là. Quelques semaines plus tard, avec son air ténébreux Nino me demanda sans préambule d'écrire très vite une demi-page de cahier où je raconterais mon altercation avec le prêtre.

« Pour en faire quoi ? »

Il m'expliqua qu'il collaborait à une petite revue qui s'appelait *Naples Hospice des pauvres*. Il avait raconté l'épisode à la rédaction et ils lui avaient dit que si j'arrivais à en faire un compte-rendu à temps ils essaieraient de l'insérer dans le prochain numéro. Il me montra la revue. C'était un fascicule d'une cinquantaine de pages, d'un gris sale. Nino figurait dans l'index, nom et prénom, avec un article intitulé « Les chiffres de la misère ». Son père me vint à l'esprit, je me rappelai la satisfaction et la vanité avec lesquelles il m'avait lu aux Maronti l'article publié dans le *Roma*.

« Tu écris aussi des poésies ? » lui demandai-je.

Il nia avec une énergie tellement pleine de dégoût que je lui promis aussitôt :

« D'accord, j'essaie. »

Je rentrai à la maison très agitée. J'avais déjà la tête remplie des phrases que j'allais écrire et j'en parlai longuement en chemin avec Alfonso. Il fut saisi d'anxiété pour moi et me conjura de ne rien écrire :

« Ils le signeront avec ton nom ?

— Ben oui.

— Lenù, ça va encore énerver le prêtre et il va te recaler : il mettra de son côté les profs de chimie et de maths. »

Il me communiqua son anxiété et je perdis confiance. Mais dès que nous nous séparâmes, ce qui prit le dessus fut l'idée de pouvoir bientôt montrer la revue, mon petit article et mon nom imprimé à Lila, mes parents, Mme Oliviero et M. Ferraro. Après je réparerais les dégâts. J'avais été galvanisée par les applaudissements de ceux qui me semblaient les meilleurs (Galiani, Nino) en prenant parti contre ceux qui me semblaient les pires (le prêtre, la prof de chimie, le prof de maths) tout en me comportant avec mes adversaires de façon à ne pas perdre leur sympathie et leur estime. J'aurais fait en sorte que cela se répète après la sortie de l'article.

Je passai l'après-midi à écrire et réécrire. Je trouvai des phrases synthétiques et denses. J'essayai de donner à ma position un maximum de dignité théorique en recourant à des mots difficiles. J'écrivis : « Si Dieu est présent partout, à quoi ça lui sert de se diffuser par l'intermédiaire du Saint-Esprit ? » Mais j'arrivai vite au bout de ma demi-page, rien qu'avec l'introduction. Et le reste ? Je recommençai. Et comme j'avais été entraînée depuis le primaire à essayer et essayer encore, obstinément, j'aboutis finalement à un résultat acceptable et me mis à apprendre mes leçons pour le lendemain.

Mais au bout d'une demi-heure les doutes me reprirent et je sentis que j'avais besoin d'une confirmation. À qui pouvais-je faire lire mon texte pour avoir un avis ? À ma mère, mes frères, Antonio ? Bien sûr que non, il n'y avait que Lila. Mais m'adresser à elle signifiait continuer à lui reconnaître une autorité quand en réalité c'était moi, maintenant, qui en savais plus qu'elle. Aussi je résistai un moment. Je craignais qu'elle ne liquide ma demi-page d'une phrase expéditive. Et je craignais encore plus que cette petite réplique ne se mette à me hanter et ne me conduise à des idées excessives que j'aurais fini par transcrire dans ma demi-page en en détruisant l'équilibre. Et pourtant à la fin je cédai et sortis en courant, espérant la trouver. Elle était chez ses parents. Je lui parlai de la proposition de Nino et lui donnai mon cahier.

Elle regarda la page sans enthousiasme, comme si l'écriture lui faisait mal aux yeux. Exactement comme Alfonso, elle me demanda :

«Ils mettront ton nom ?»

Je fis signe que oui.

«Elena Greco, vraiment ?

— Oui.»

Elle me tendit le cahier :

«Je ne suis pas capable de te dire si c'est bien ou pas.

— S'il te plaît.

— Non, je n'en suis pas capable.»

Je dus insister. Tout en sachant que ce n'était pas vrai, je lui dis que s'il ne lui plaisait pas ou même si elle refusait de le lire, je ne le donnerais pas à Nino pour qu'il le publie.

À la fin elle lut. Elle parut se contracter tout entière, comme si j'avais jeté un poids sur ses épaules. Et j'eus l'impression qu'elle faisait un effort douloureux pour libérer du fond d'elle-même l'ancienne Lila, celle qui lisait, écrivait, dessinait et inventait avec l'immédiateté et le naturel d'une réaction instinctive. Quand elle y réussit, tout sembla agréablement léger :

«Je peux barrer ?

— Oui.»

Elle barra beaucoup de mots et une phrase entière.

«Je peux déplacer quelque chose ?

— Oui.»

Elle entoura une proposition et fit un trait sinueux pour la déplacer en haut de la page.

«Je peux tout recopier sur une autre feuille ?

— Mais je peux le faire !

— Non non, laisse-moi recopier.»

Cela lui prit un peu de temps, de recopier. Quand elle me rendit le cahier elle dit :

« Tu es très forte, ça ne m'étonne pas qu'ils te mettent tout le temps dix. »

Je sentis qu'il n'y avait pas d'ironie et que c'était un véritable compliment. Puis elle ajouta avec une dureté soudaine :

« Je ne veux plus rien lire de ce que tu écris.

— Pourquoi ? »

Elle y réfléchit :

« Parce que ça me fait mal », et elle se frappa le milieu du front avec les doigts en éclatant de rire.

54

Je rentrai à la maison heureuse. Je m'enfermai dans les toilettes pour ne pas déranger le reste de la famille et étudiai jusque vers trois heures du matin, quand j'allai enfin me coucher. Je me levai à six heures et demie pour recopier le texte. Mais avant je le relus dans la belle écriture ronde de Lila, une écriture restée à l'époque de l'école primaire, très différente de la mienne qui s'était simplifiée et avait rapetissé. Dans cette page il y avait exactement ce que j'avais écrit, mais tout était plus limpide et immédiat. Ce qui avait été barré et déplacé, les quelques ajouts, et d'une certaine manière la graphie même me donnèrent l'impression que je m'étais échappée de moi-même et que je courais cent pas devant, avec une énergie et une harmonie que la personne restée en arrière ignorait posséder.

Je décidai de laisser le texte dans l'écriture de

Lila. Je l'apportai à Nino sous cette forme afin de conserver la trace visible de la présence de Lila à l'intérieur de mes paroles. Il le lut en battant plusieurs fois de ses longs cils. À la fin il déclara avec une tristesse soudaine et inattendue :

« Galiani a raison.

— Raison sur quoi ?

— Tu écris mieux que moi. »

Et bien que je m'en défende, gênée, il répéta cette phrase une seconde fois, puis me tourna le dos sans me saluer et s'en alla. Il ne me dit même pas quand la revue paraîtrait ni comment je pourrais me la procurer, et je n'eus pas le courage de le lui demander. Ce comportement me déplut. D'autant plus que lorsqu'il s'éloigna, je reconnus pendant quelques secondes la démarche de son père.

C'est ainsi que notre nouvelle rencontre s'acheva. Encore une fois, nous avions tout raté. Pendant des jours, Nino continua à se comporter comme si écrire mieux que lui était une faute qu'il me fallait expier. J'étais fâchée. Quand tout à coup il me rendit corps, vie et présence et me demanda de faire un bout de chemin avec lui, je lui répondis froidement que j'étais déjà prise, mon fiancé devait venir me chercher.

Pendant un temps il dut croire que mon fiancé était Alfonso, mais le doute s'évanouit quand un jour sa sœur Marisa apparut à la sortie du lycée – elle était venue lui dire je ne sais quoi. Nous ne nous étions pas vues depuis l'époque d'Ischia. Elle courut vers moi, me fit grande fête et me dit combien elle avait été déçue que je ne sois pas retournée à Barano l'été précédent. Comme je me trouvais en compagnie d'Alfonso je le lui présentai. Son frère étant déjà parti, elle insista pour faire quelques pas avec nous. Elle nous raconta d'abord toutes ses souffrances d'amour. Puis, quand elle se rendit compte qu'Alfonso et moi n'étions pas ensemble, elle cessa de m'adresser la parole et se mit à lui faire la conversation avec ses manières captivantes. En rentrant chez elle, elle raconta certainement à son frère qu'entre Alfonso et moi il n'y avait rien parce que, dès le lendemain, il vint me tourner autour. Mais maintenant, rien que le voir me rendait nerveuse. Était-ce un fat comme son père, que pourtant il détestait ? Croyait-il que tout le monde ne pouvait s'empêcher de l'apprécier et de l'aimer ? Était-il tellement imbu de lui-même qu'il ne pouvait tolérer d'autres talents que les siens ?

Je demandai à Antonio de venir me chercher au lycée. Il m'obéit aussitôt, surpris mais aussi flatté de cette requête. Ce qui dut l'étonner encore davantage c'est que là en public, devant tout le monde, je lui pris la main et entrelaçai mes doigts avec les siens. J'avais toujours refusé de me promener ainsi, dans le quartier comme ailleurs, parce que ça me donnait l'impression d'être encore une petite fille et de marcher avec mon père. Mais cette fois je le fis. Je savais que Nino nous regardait et voulais qu'il comprenne qui j'étais. J'écrivais mieux que lui, j'allais publier dans la même revue que lui, j'étais aussi bonne que lui en classe sinon meilleure et j'avais un homme, et voilà : c'est pourquoi je ne courrais jamais derrière lui comme un petit animal fidèle.

55

Je demandai aussi à Antonio de m'accompagner au mariage de Lila, de ne jamais me laisser seule, de bavarder et éventuellement de danser toujours avec moi. Je craignais beaucoup cette journée, je la percevais comme une déchirure définitive et voulais avoir avec moi quelqu'un qui me soutienne.

Cette requête finit par lui compliquer encore plus la vie. Lila avait envoyé les faire-part à tout le monde. Cela faisait maintenant longtemps que, dans les maisons du quartier, mères et grand-mères travaillaient dur pour coudre des vêtements, se procurer chapeaux et sacs et faire le tour des magasins pour trouver un cadeau de mariage – cela pouvait être un service de verres, d'assiettes ou de couverts. Ce n'était pas tant pour Lila qu'elles faisaient ces efforts que pour Stefano : c'était un garçon vraiment comme il faut et il te permettait de payer à la fin du mois. Mais surtout, un mariage était une circonstance où personne ne pouvait se permettre de faire piètre figure, surtout les filles sans fiancé, qui en cette occasion avaient la possibilité d'en trouver un et de se caser, se mariant à leur tour quelques années plus tard.

C'est bien pour cette raison que je voulus qu'Antonio m'accompagne. Je n'avais aucune intention d'officialiser quoi que ce soit – nous étions très attentifs à garder notre relation totalement secrète – mais j'essayais de contrôler mon anxiété d'être séduisante. Je voulais, en cette occasion, me sentir calme et sereine avec mes lunettes, ma misérable robe cousue par ma mère et mes vieilles chaussures, et pouvoir me dire : pour une fille de seize ans j'ai tout ce qu'il faut, je n'ai besoin de rien ni de personne.

Mais Antonio ne le prit pas comme ça. Il m'aimait et considérait que j'étais la plus grande chance qui lui soit jamais arrivée. Il se demandait souvent à haute voix, avec un brin d'angoisse sous une apparence amusée, comment j'avais bien pu le choisir, lui qui était stupide et ne savait pas mettre deux mots l'un derrière l'autre. En réalité il brûlait d'impatience de se présenter chez mes parents pour officialiser notre relation. Par conséquent, quand je lui fis cette requête il dut s'imaginer que je me décidais enfin à le faire sortir de la clandestinité et s'endetta pour se faire faire un costume chez un tailleur, sans compter ce que lui coûtaient déjà le cadeau de mariage, la tenue d'Ada et de ses autres frères et sœurs et une apparence de respectabilité pour Melina.

Moi je ne me rendis compte de rien. Je continuai entre les cours, les consultations en urgence chaque fois que la situation s'embrouillait entre Lila, sa belle-sœur et sa belle-mère et l'agréable anxiété au sujet de mon article qui pouvait être publié d'un moment à l'autre. J'étais secrètement convaincue que je n'existerais vraiment qu'à partir du moment où ma signature apparaîtrait imprimée, Elena Greco, et en attendant je vivais au jour le jour sans trop faire attention à Antonio, qui s'était mis en tête de compléter sa tenue de mariage par une paire de chaussures Cerullo. De temps en temps il me demandait : « Tu sais où elles en sont, les chaussures ? » Je lui répondais : « Demande à Rino, Lina n'en sait rien. »

C'était vrai. En novembre les Cerullo firent venir Stefano sans aucunement se soucier de montrer d'abord les chaussures à Lila, qui vivait pourtant toujours chez eux. Stefano en revanche se présenta exprès avec sa fiancée et Pinuccia – tous trois semblaient sortis d'un écran de télévision. Lila me raconta qu'en voyant réalisées les chaussures qu'elle avait dessinées des années auparavant elle avait ressenti une très violente émotion, comme si une fée était apparue et avait exaucé un de ses souhaits. Les chaussures étaient exactement comme elle les avait imaginées autrefois. Pinuccia aussi demeura bouche bée. Elle voulut essayer un modèle qui lui plaisait et fit toutes sortes de compliments à Rino, laissant entendre qu'elle le considérait comme le véritable créateur de ces chefs-d'œuvre de légèreté robuste et d'harmonie décalée. Le seul à être mécontent fut Stefano. Il interrompit les félicitations que Lila adressait à son frère, à son père et aux apprentis, fit taire la voix tout de miel de Pinuccia qui louait Rino, cheville en l'air pour lui montrer son pied chaussé de manière si extraordinaire et, modèle après modèle, il critiqua les modifications apportées aux dessins originaux. Il s'acharna surtout sur la comparaison entre la chaussure pour homme qu'avaient réalisée Rino et Lila en cachette de Fernando et la même chaussure telle que père et fils l'avaient fabriquée. « Mais qu'est-ce que c'est que cette frange ? Et ces coutures ? Et qu'est-ce que c'est que cette boucle dorée ? » demanda-t-il énervé. Et Fernando eut beau expliquer que toutes ces modifications répondaient à des raisons de solidité et camouflaient parfois quelque défaut de conception, Stefano fut inébranlable. Il dit qu'il avait déjà investi beaucoup trop d'argent et que ce n'était pas pour obtenir des chaussures quelconques mais, exactement à l'identique, celles de Lila.

La tension fut extrême. Lila défendit posément son père, conseillant à son fiancé de laisser tomber : ses dessins n'étaient que des fantaisies de petite fille et les modifications apportées, du reste pas si importantes que cela, étaient certainement indispensables. Mais Rino soutint Stefano et la discussion s'éternisa. Elle s'interrompit seulement quand Fernando, laminé par la fatigue, s'assit dans un coin et, regardant les cadres accrochés au mur, déclara :

« Si tu veux les chaussures pour Noël tu les gardes comme elles sont. Si tu les veux comme les a dessinées ma fille, fais-les faire par quelqu'un d'autre. »

Stefano céda, Rino aussi.

À Noël les chaussures firent leur apparition dans la vitrine – celle-ci était décorée d'une comète fabriquée avec du coton. Je passai les voir : c'étaient des objets élégants, à la finition très soignée, et rien qu'en les regardant elles donnaient une impression d'opulence qui faisait contraste avec la pauvre vitrine, le paysage désolé alentour et l'intérieur de la cordonnerie, plein de morceaux de cuirs et peaux, d'établis, d'alênes, de formes en bois et de boîtes de chaussures empilées jusqu'au plafond, en attente de clients. Même avec les modifications apportées par Fernando, c'étaient toujours les chaussures de nos rêves d'enfance et elles n'étaient pas pensées pour la réalité du quartier.

Et en effet à Noël ils n'en vendirent pas une seule paire. Seul Antonio se présenta, il demanda à Rino un 44 et l'essaya. Plus tard il me raconta le plaisir qu'il avait éprouvé à se sentir aussi bien chaussé et à s'imaginer au mariage avec moi, avec son costume neuf et ces chaussures-là aux pieds. Mais ce ne fut pas possible. Quand il demanda le prix et que Rino le lui donna il demeura bouche bée : « Mais tu es fou ? » Et quand Rino lui fit : « Tu peux les payer par traites mensuelles », Antonio répondit en riant : « Je préfère m'acheter une Lambretta ! »

56

Sur le coup Lila, accaparée par le mariage, ne se rendit pas compte que son frère, jusqu'alors joyeux et blagueur même si son travail l'épuisait, se rembrunit et recommença à mal dormir et à se mettre en colère pour un rien. « On dirait un enfant, dit-elle à Pinuccia comme pour justifier certains éclats de Rino, il change d'humeur selon qu'il peut ou non satisfaire immédiatement ses caprices, il ne sait pas attendre. » Quant à elle, à l'instar de Fernando d'ailleurs, elle ne vit pas du tout un échec dans l'absence de ventes à Noël. Au fond, la réalisation de ces chaussures n'avait obéi à aucun plan : nées de la volonté de Stefano de voir se matérialiser l'imagination pure et intense de Lila, certains souliers étaient légers, d'autres bien chauds, et ils couvraient presque toutes les saisons. C'était un avantage. Dans les boîtes blanches entassées dans la cordonnerie Cerullo il y avait un bon assortiment. Il suffisait d'attendre et en hiver, au printemps ou à l'automne, les chaussures auraient trouvé preneurs.

Mais Rino se fit toujours plus fébrile. Après Noël

il prit l'initiative d'aller voir le patron d'un magasin de chaussures tout poussiéreux au fond du boulevard et, tout en sachant bien que cet homme était pieds et poings liés aux Solara, il lui proposa d'exposer quelques chaussures Cerullo sans engagement, juste pour voir ce que ça donnait. Le patron refusa poliment : ce produit n'était pas adapté à sa clientèle. Rino le prit mal, un échange de grossièretés s'ensuivit et tout le quartier fut au courant. Fernando piqua une grosse colère contre son fils, Rino l'insulta et Lila recommença à percevoir son frère comme un élément de désordre, une manifestation de ces forces destructrices qui l'effrayaient. Quand ils sortaient à quatre, elle remarquait avec appréhension que son frère manœuvrait pour laisser Pinuccia et elle partir en avant et pour rester quelques pas en arrière afin de discuter avec Stefano. En général l'épicier l'écoutait sans donner signe d'agacement. Une seule fois Lila l'entendit dire :

« Excuse-moi, Rino, mais tu crois vraiment que j'ai mis tout cet argent dans la cordonnerie comme ça, à fonds perdu, juste par amour pour ta sœur ? Ces chaussures nous les avons fabriquées, elles sont belles et nous devons les vendre. Le problème c'est qu'il faut trouver le marché adapté. »

Ce « juste par amour pour ta sœur » ne fut pas pour lui plaire. Mais elle ne réagit pas parce que ces paroles eurent un effet positif sur Rino, qui s'apaisa et commença à se prendre pour un grand stratège des ventes, surtout avec Pinuccia. Il disait qu'il fallait voir les choses en grand. Pourquoi tant d'initiatives intéressantes avaient-elles échoué ? Pourquoi le garage Gorresio avait-il dû renoncer aux cyclomoteurs ? Pourquoi la boutique de la mercière avait-elle tenu six mois? Parce que c'étaient des projets qui manquaient d'envergure. Les chaussures Cerullo, elles, sortiraient vite du cadre du quartier et s'imposeraient sur des marchés haut de gamme.

Sur ces entrefaites la date du mariage approchait. Lila courait essayer sa robe de mariée, apportait les dernières touches à sa future maison et luttait avec Pinuccia et Maria qui, en plus d'autres problèmes, ne supportaient pas les intrusions de Nunzia. Les tensions, à proximité du 12 mars, ne cessèrent de croître. Mais ce ne fut pas de là qu'arrivèrent les coups capables de provoquer des fissures; ce sont deux événements particuliers, l'un après l'autre, qui blessèrent profondément Lila.

Par un après-midi glacial de février, elle me demanda de but en blanc si je pouvais l'accompagner chez Mme Oliviero. Elle n'avait jamais manifesté pour elle un intérêt, une affection ou une gratitude quelconques. Or elle éprouvait maintenant le besoin de lui remettre en personne son faire-part. Comme par le passé je n'avais jamais évoqué le ton hostile que la maîtresse avait souvent utilisé à son égard, je ne crus pas opportun de lui en parler à cette occasion, d'autant plus que récemment Mme Oliviero m'avait semblé moins agressive et plutôt sujette à la mélancolie – du coup peut-être qu'elle l'accueillerait bien.

Lila s'habilla avec le plus grand soin. Nous nous rendîmes à pied jusqu'à l'immeuble où la maîtresse habitait, à deux pas de l'église. Pendant que nous montions, je me rendis compte qu'elle était très anxieuse. Moi j'étais habituée à ce trajet et à ces escaliers mais pas elle, et elle ne pipa mot.

Je tournai la clef de la sonnette et entendis le pas traînant de Mme Oliviero.

« Qui c'est ?

— Greco. »

Elle ouvrit. Elle avait une pèlerine violette sur le dos et la moitié de son visage était couverte d'une écharpe. Lila lui sourit aussitôt et lança :

« Madame, vous vous souvenez de moi ? »

Mme Oliviero la fixa comme elle le faisait à l'école quand Lila était pénible puis elle s'adressa à moi, parlant avec une certaine difficulté, comme si elle avait la bouche pleine :

« Qui c'est ? Je ne la connais pas. »

Lila se troubla et répondit rapidement, en italien :

« Je suis Cerullo ! Je vous ai apporté un faire-part, je me marie. Et je serais très contente que vous veniez à mon mariage. »

La maîtresse s'adressa à moi et dit :

« Cerullo je la connais, mais celle-là je ne sais pas qui c'est. »

Elle nous referma la porte au nez.

Nous demeurâmes quelques instants immobiles sur le palier, puis je lui effleurai la main pour la réconforter. Elle retira sa main, glissa le faire-part sous la porte et prit les escaliers. En route elle parla sans discontinuer de tous ses tracas administratifs à la mairie et à l'église et me dit combien mon père s'était révélé utile.

L'autre douleur, peut-être bien plus profonde, lui vint par surprise de Stefano et de l'histoire des chaussures. On avait décidé depuis longtemps que le témoin serait un parent de Maria qui avait émigré à Florence après la guerre et avait monté un petit commerce d'objets de récupération de toute provenance, surtout en métal. Ce parent avait épousé une Florentine et lui-même avait pris l'accent local. Grâce à cette prononciation il jouissait d'un certain prestige dans la famille, et c'est pour cela qu'il avait déjà été choisi auparavant comme parrain de Stefano. Or voilà que le futur marié changea brusquement d'avis.

Au début Lila m'en parla comme d'un signe de nervosité de dernière minute. Pour elle, que le témoin soit untel ou untel lui était totalement indifférent, l'important était de se décider. Mais pendant quelques jours Stefano ne lui fournit que des réponses vagues et confuses, on n'arrivait pas à comprendre qui devait remplacer le couple florentin. Puis, à moins d'une semaine du mariage, la vérité éclata. Stefano lui annonça comme un fait accompli, sans aucune explication, que le témoin serait Silvio Solara, le père de Marcello et Michele.

Lila, qui jusqu'alors n'avait pas du tout envisagé la possibilité qu'un parent même lointain de Marcello Solara puisse être présent à *son* mariage, redevint pendant quelques jours la petite fille que je connaissais bien. Elle accabla Stefano d'insultes très vulgaires et dit qu'elle ne voulait plus jamais le revoir. Elle s'enferma chez ses parents, cessa de s'occuper de quoi que ce soit, n'alla pas au dernier essayage de la robe de mariée et ne fit absolument rien en vue de son mariage pourtant imminent.

La procession familiale commença. D'abord vint Nunzia, qui lui parla avec émotion du bien de la famille. Puis arriva Fernando, bourru, qui lui dit de ne pas faire l'enfant : pour quiconque voulait un avenir dans le quartier, avoir Silvio Solara comme témoin de mariage était une obligation. Enfin Rino débarqua, il lui expliqua la situation de manière très agressive en prenant la posture de l'homme d'affaires qui ne s'intéresse qu'au profit : le père Solara était comme une banque, et surtout c'était le canal pour placer les modèles Cerullo dans les magasins de chaussures. « Mais qu'est-ce que tu veux faire ? lui cria-t-il les yeux gonflés et injectés de sang. Tu veux nous détruire, moi et toute la famille, après tout le mal qu'on s'est donné pour en arriver là ? » Aussitôt après, c'est Pinuccia elle-même qui se présenta : elle lui dit d'un ton un peu faux qu'elle aurait bien aimé elle aussi que le commerçant en ferraille de Florence soit témoin mais il fallait être raisonnable, on ne pouvait pas flanquer en l'air un mariage et tirer un trait sur une histoire d'amour pour une question aussi mineure.

Un jour et une nuit s'écoulèrent. Nunzia demeura silencieuse dans un coin sans bouger, sans rien faire à la maison, sans aller dormir. Puis elle s'esquiva à l'insu de sa fille pour venir me demander de dire un mot à Lila et de parler en leur faveur. J'en fus flattée et me demandai longtemps quel parti prendre. Un mariage était en jeu, c'est-à-dire quelque chose de concret, très complexe et surchargé d'affects et d'intérêts. Cela m'effraya. Moi qui désormais pouvais m'en prendre publiquement au Saint-Esprit en défiant l'autorité du professeur de religion, si je m'étais trouvée à la place de Lila je n'aurais jamais eu le courage de tout envoyer balader, c'était exclu. Mais elle si, elle en aurait été capable, même si le mariage était à deux doigts d'être célébré. Que faire ? Je sentais qu'il aurait suffi d'un rien pour que je la pousse dans cette direction, et j'aurais ainsi œuvré pour une fin qui m'aurait ravie. Car tout au fond de moi c'était ce que je désirais vraiment : qu'elle redevienne la

Lila pâle avec une queue-de-cheval, les yeux plissés comme un rapace et des loques sur le dos. Qu'on en finisse avec ces airs et ces comportements à la Jacqueline Kennedy de quartier !

Mais, pour son malheur et pour le mien, cela me sembla une action mesquine. Croyant faire son bien, je ne voulus pas la rendre à la grisaille de la maison Cerullo, et ainsi une seule idée s'ancra dans mon esprit, et je ne sus rien faire d'autre que la lui répéter encore et encore de manière persuasive : écoute, Lila, Silvio Solara n'est ni Marcello ni même Michele, les confondre serait une erreur et tu le sais mieux que moi, tu l'as dit toi-même en d'autres circonstances. Ce n'est pas lui qui a entraîné Ada en voiture, ce n'est pas lui qui nous a tiré dessus la nuit de la Saint-Sylvestre, ce n'est pas lui qui s'est installé de force chez vous et a dit des saletés sur toi. Silvio sera le témoin et donnera un coup de main à Rino et Stefano pour la vente des chaussures, c'est tout ; il n'aura aucune incidence sur ta vie future. Je mélangeai à nouveau ces cartes que désormais nous connaissions bien : je parlai de l'avant et de l'après, de l'ancienne génération et de la nôtre, lui rappelai que nous étions très différents, et que Stefano et elle étaient très différents. Ce dernier argument ouvrit une brèche, la séduisit, alors j'insistai encore et encore, avec beaucoup de passion. Elle m'écouta en silence, à l'évidence elle souhaitait qu'on l'aide à s'apaiser, et tout doucement elle s'apaisa. Mais je lus dans son regard que cette initiative de Stefano lui avait révélé un aspect de lui qu'elle ne parvenait pas encore à cerner avec clarté ce qui, justement pour cette raison, l'effrayait encore plus que les folies de Rino. Elle me lança :

« Peut-être que c'est pas vrai, qu'il m'aime.

— Comment ça, il ne t'aime pas ? Il fait tout ce que tu dis !

— Seulement quand je ne mets pas vraiment en danger son argent », rétorqua-t-elle avec un ton méprisant qu'elle n'avait jamais employé envers Stefano Carracci.

En tout cas elle recommença à sortir. Mais elle ne se montra pas à l'épicerie et n'alla pas à son nouvel appartement, bref ce n'est pas elle qui chercha la réconciliation. Elle attendit que Stefano lui dise : « Merci, je t'aime, tu sais bien que ce sont des choses qu'on est obligés de faire. » C'est seulement alors qu'elle le laissa venir derrière elle et l'embrasser sur le cou. Mais elle se retourna brusquement et, le regardant droit dans les yeux, lui dit :

« Il est hors de question que Marcello Solara mette les pieds à mon mariage.

— Et comment je fais ?

— Je sais pas, mais tu dois me le jurer. »

Il poussa un soupir et dit en riant :

« D'accord, Lina, je te le jure. »

57

Le 12 mars arriva, c'était une journée douce, déjà printanière. Lila voulut que j'aille de bonne heure dans sa vieille maison et que je l'aide à se laver, se coiffer et s'habiller. Elle fit sortir sa mère et nous restâmes seules. Elle s'assit sur le bord du lit en culotte et soutien-gorge. Elle avait près d'elle sa robe de mariée, qui semblait le corps d'une morte ; devant elle, sur le carrelage hexagonal, il y avait la bassine en cuivre pleine d'eau fumante. Elle me demanda à brûle-pourpoint :

« D'après toi, je fais une erreur ?

— En faisant quoi ?

— En me mariant.

— Tu penses encore à l'histoire du témoin ?

— Non, je pense à la maîtresse. Pourquoi elle n'a pas voulu me laisser entrer ?

— Parce que c'est une vieille mégère. »

Elle se tut un moment, fixant l'eau qui luisait dans la bassine, puis dit :

« Quoi qu'il arrive, toi n'arrête pas tes études.

— Encore deux ans : ensuite je passerai mon diplôme et ce sera fini.

— Non, ce n'est jamais fini : je te donnerai les sous, tu dois continuer à étudier, toujours. »

J'eus un ricanement nerveux et puis dis :

« Merci, mais à un moment donné l'école, ça finit !

— Pas pour toi : toi t'es ma copine et t'es un génie, tu dois devenir plus forte que tout le monde, garçons et filles. »

Elle se leva, enleva culotte et soutien-gorge et dit :

« Allez, aide-moi sinon je vais être en retard. »

Je ne l'avais jamais vue toute nue et j'en ressentis de la honte. Aujourd'hui je peux dire que ce fut la honte de poser avec plaisir mon regard sur son corps, d'être le témoin non impartial de sa beauté de jeune fille de seize ans quelques heures avant que Stefano ne la touche, ne la pénètre et peut-être ne la déforme en l'engrossant. À l'époque ce ne fut que la sensation tumultueuse de faire quelque chose d'inconvenant mais d'inévitable, l'impression d'être dans une situation où je ne pouvais détourner le regard ni éloigner ma main sans reconnaître mon propre trouble, sans l'avouer justement en m'éloignant, et par conséquent sans entrer en conflit avec l'innocence sereine de celle qui me causait ce trouble, sans pouvoir exprimer, précisément par un refus, la violente émotion qui me bouleversait. Je m'obligeai donc à rester et à poser mon regard sur ses épaules de garçon, ses seins aux mamelons glacés, ses hanches étroites et ses fesses tendues, sur son sexe très noir, ses longues jambes, ses genoux tendres, ses chevilles rondes et ses pieds élégants; et je faisais comme si ce n'était rien alors que c'était tout, tout se jouait là, dans cette pauvre chambre un peu sombre, avec son mobilier misérable et son carrelage disjoint plein d'éclaboussures – et mon cœur était affolé, mon sang brûlant.

Je la lavai avec des gestes lents et soigneux, d'abord en la laissant accroupie dans le bac et puis en lui demandant de se mettre debout : j'ai encore dans les oreilles le bruit de l'eau qui dégouline, et j'ai gardé l'impression que la consistance du cuivre de la bassine n'était guère différente de celle de la chair de Lila, lisse, ferme et calme. J'eus des pensées et des sentiments confus : la prendre dans mes bras, pleurer avec elle, l'embrasser, lui tirer les cheveux, rire, m'inventer des compétences sexuelles et l'instruire d'un ton docte, prendre mes distances avec les mots au moment même de la proximité maximale. Mais à la fin il ne me resta que l'idée horrible que j'étais en train de la nettoyer de la tête aux pieds, de bon matin, juste pour que Stefano puisse la salir au cours de la nuit. Je l'imaginai, nue comme elle l'était en ce moment, enlacée à son mari dans le lit de sa nouvelle maison, tandis que le train ferraillait sous leurs fenêtres, et sa chair violente à lui entrait en elle d'un coup net, comme le bouchon de liège qu'on pousse avec la paume dans le goulot d'une fiasque de vin. Et il me sembla tout à coup que l'unique remède contre la douleur que j'éprouvais, et que j'allais éprouver, était de trouver un coin assez isolé pour qu'Antonio me fasse, au même moment, la même chose.

Je l'aidai à se sécher, s'habiller et endosser la robe de mariée que moi-même – moi-même, me dis-je avec un mélange de fierté et de souffrance – j'avais choisie pour elle. L'étoffe se mit à vivre, sur sa blancheur coururent la chaleur de Lila, le rouge de sa bouche et l'intense noirceur de ses yeux durs. À la fin elle enfila les chaussures qu'elle avait dessinées elle-même. Pressée par Rino qui, si elle ne les avait pas portées, y aurait vu une espèce de trahison, elle avait choisi une paire dotée d'un petit talon pour éviter d'avoir l'air beaucoup plus grande que Stefano. Elle se regarda dans la glace en soulevant un peu sa robe :

« Elles sont moches, dit-elle.

— C'est pas vrai. »

Elle rit nerveusement :

« Mais si, regarde : les rêves que j'avais dans la tête se retrouvent sous mes pieds. »

Elle se retourna avec une soudaine expression d'effroi :

« Lenù, qu'est-ce qui va m'arriver ? »

58

Dans la cuisine il y avait Fernando et Nunzia, ils étaient prêts depuis un bon moment et nous attendaient avec impatience. Je ne les avais jamais vus aussi soignés et bien habillés. À cette époque ses parents, les miens, tous les parents me semblaient vieux. Je ne faisais guère de différence entre eux et nos grands-parents maternels ou paternels : à mes yeux, tous ces êtres menaient une espèce de vie froide, une existence qui n'avait rien de commun avec la mienne, celle de Lila, Stefano, Antonio ou Pasquale. Ceux qui étaient véritablement dévorés par la chaleur des sentiments et la fougue des idées, c'étaient nous. Ce n'est que maintenant, pendant que j'écris, que je me rends compte que Fernando, à cette époque, ne devait pas avoir plus de quarante-cinq ans, Nunzia avait certainement quelques années de moins et ensemble, ce matin-là, lui avec sa chemise blanche, son costume sombre et son visage à la Randolph Scott, elle tout en bleu, avec un petit chapeau bleu à voilette, ils avaient vraiment fière allure. Je pourrais dire la même chose de mes parents, en étant cette fois plus précise sur leur âge : mon père avait trente-neuf ans, ma mère trente-cinq. Je les observai longuement, à l'église. Je sentis avec agacement que, ce jour-là, mes succès scolaires ne les consolaient pas le moins du monde et ils trouvaient même, surtout ma mère, qu'il s'agissait d'une perte de temps absolue. Quand Lila, splendide, nimbée de la blancheur éblouissante de sa robe et de son voile vaporeux, s'avança dans l'église de la Sacra Famiglia au bras du cordonnier et alla rejoindre

Stefano, très beau, devant l'autel couvert de fleurs – une aubaine pour le fleuriste qui les avait fournies en abondance – ma mère, même si son œil strabique semblait regarder ailleurs, me fixa pour me faire lourdement sentir que moi j'étais là, avec mes lunettes, loin du centre de la scène, tandis que ma copine méchante avait conquis un mari aisé, une activité économique pour sa famille, et une maison dont elle serait en plus propriétaire avec baignoire, réfrigérateur, télévision et téléphone.

La cérémonie fut longue, le curé la fit durer une éternité. En entrant dans l'église les parents et amis du marié s'étaient placés tous ensemble d'un côté, les parents et amis de la mariée de l'autre. Tout au long de la messe, le photographe fit un nombre infini de photos – avec flashs et réflecteurs – tandis que son jeune assistant filmait les moments marquants.

Antonio resta tout le temps dévotement assis près de moi avec son costume tout droit sorti de chez le tailleur, confiant à Ada – de très mauvaise humeur parce que, vendeuse dans l'épicerie du marié, elle aurait aspiré à une place bien meilleure – la mission de s'installer au fond près de Melina et de les surveiller, elle et leurs petits frères et sœurs. Une ou deux fois il me susurra quelque chose à l'oreille mais je ne répondis rien. Il devait se contenter de rester près de moi sans manifester aucune intimité particulière, pour éviter les ragots. Je parcourus du regard l'église comble, les gens s'ennuyaient et comme moi passaient leur temps à regarder autour d'eux. Il y avait un intense parfum de fleurs et une odeur d'habits neufs. Gigliola était magnifique, Carmela Peluso aussi. Et les garçons n'étaient pas en reste. Enzo et surtout Pasquale

409

semblaient vouloir prouver que là, devant l'autel avec Lila, ils auraient fait bien meilleure figure que Stefano. Quant à Rino, alors que le maçon et le vendeur de fruits et légumes étaient au fond de l'église comme des sentinelles chargées d'assurer le bon déroulement de la cérémonie, lui, le frère de la mariée, rompant l'ordre des groupes familiaux, était allé se placer près de Pinuccia, dans la partie réservée aux parents du marié, et lui aussi était parfait dans son costume neuf, chaussures Cerullo aux pieds, aussi brillantes que ses cheveux gominés. Quel faste ! À l'évidence, tous ceux qui avaient reçu le faire-part n'avaient pas voulu rater ça et avaient même tenu à s'habiller comme pour sortir dans le grand monde. Et pour autant que je puisse le savoir, et comme personne ne l'ignorait, cela signifiait de fait qu'un bon nombre d'entre eux – et peut-être Antonio le premier, assis à côté de moi – avaient dû aller emprunter de l'argent. Je regardai alors Silvio Solara, gras, en costume sombre, debout près du marié, plein d'or étincelant aux poignets. Je regardai sa femme Manuela qui se tenait près de la mariée, vêtue de rose et toute couverte de bijoux. Le financement de tout ce luxe venait d'eux. Après la mort de Don Achille, c'étaient cet homme rubicond, yeux bleus, très dégarni, et cette femme maigre, long nez et lèvres fines, qui prêtaient de l'argent à tout le quartier (ou, pour être plus précise, c'était Manuela qui gérait les aspects pratiques de cette activité : tout le monde connaissait et redoutait le registre à couverture rouge où elle inscrivait sommes et échéances). De fait, le mariage de Lila avait été une affaire non seulement pour le fleuriste et le photographe, mais surtout pour ce couple-là, qui par ailleurs avait aussi fourni le gâteau et les dragées pour les bonbonnières.

Je remarquai que Lila ne les regarda jamais. Elle ne se tourna jamais non plus vers Stefano, et ne fit que fixer le prêtre. Je me dis que vus comme ça, de dos, ils ne faisaient pas un beau couple. Lila était grande, il était petit. Lila diffusait autour d'elle une énergie que personne ne pouvait ignorer alors que lui, il semblait un gars bien fade. Lila avait l'air extrêmement concentré, comme si elle voulait comprendre en profondeur ce que ce rituel signifiait vraiment, lui de temps à autre se tournait vers sa mère, échangeait des petits rires avec Silvio Solara ou se grattouillait la tête. À un moment donné je fus saisie d'anxiété. Je me dis : et si c'était vrai, si Stefano n'était pas ce qu'il paraissait ? Mais je n'allai pas au bout de cette idée pour deux raisons. D'abord, dans l'émotion générale les deux époux se dirent oui de manière déterminée et limpide : ils échangèrent les alliances, s'embrassèrent, et je dus prendre acte que Lila s'était vraiment mariée. Et puis tout à coup je perdis tout intérêt pour les mariés. Je réalisai que j'avais aperçu tout le monde sauf Alfonso et le cherchai des yeux parmi les parents du marié, parmi ceux de la mariée, avant de le trouver au fond de l'église, presque caché par une colonne. Je lui fis signe, il répondit et se dirigea vers moi. Mais à sa suite surgit, majestueuse, Marisa Sarratore. Et aussitôt après, très maigre, mains dans les poches, ébouriffé et avec la veste et le pantalon froissés qu'il portait au lycée, Nino.

59

Ensuite ce ne fut que confusion, la foule se pressa autour des mariés qui sortaient de l'église au son vibrant de l'orgue, accompagnés des flashs du photographe. Lila et Stefano s'arrêtèrent sur le parvis au milieu des baisers, des accolades, du chaos des voitures et de l'impatience des parents qui devaient attendre alors que d'autres, qui n'étaient pas du même sang – mais qui étaient sans doute des gens plus importants, plus appréciés et plus richement vêtus, ou peut-être parce que les femmes avaient des chapeaux particulièrement extravagants –, montaient tout de suite en voiture et étaient conduits Via Orazio, au restaurant.

Comme il présentait bien, Alfonso ! Je ne l'avais jamais vu en costume noir, chemise blanche et cravate. Sans ses modestes vêtements de lycéen ou son tablier d'épicier, non seulement il faisait plus que ses seize ans mais, pensai-je tout à coup, il semblait physiquement différent de son frère Stefano. Il était désormais plus grand et plus mince, et surtout il était beau comme un danseur espagnol que j'avais vu à la télévision – grands yeux, lèvres charnues et pas encore la moindre trace de barbe. À l'évidence Marisa lui avait déjà mis le grappin dessus et leur relation avait fait son chemin, ils avaient dû se voir sans que j'en sache rien. Alfonso, qui m'était pourtant si dévoué, avait-il été vaincu par les cheveux tout frisottés de Marisa et par son inépuisable baratin qui le dispensait, lui si timide, de combler les blancs de la conversation ? S'étaient-ils mis ensemble ? J'en doutais, il me l'aurait dit. Mais il était clair que les choses étaient bien engagées, au point qu'il l'avait invitée au mariage de son frère. Et Marisa, sans aucun doute pour obtenir la permission de ses parents, avait traîné de force Nino avec elle.

Le voilà donc sur le parvis, le jeune Sarratore, et il avait vraiment l'air déplacé : tenue débraillée, trop grand, trop maigre, cheveux trop longs et décoiffés, mains enfoncées dans les poches du pantalon et l'expression de celui qui ne sait pas où se mettre, regardant les mariés comme tout le monde mais sans nullement s'y intéresser, juste question de poser les yeux quelque part. Cette présence inattendue contribua grandement au désordre émotif de cette journée. Nous nous étions salués à l'église, rien qu'un murmure – salut salut. Ensuite Nino avait rejoint sa sœur et Alfonso, quant à moi Antonio m'avait fermement saisie par le bras et, bien que je me sois tout de suite dégagée, j'avais tout de même fini en compagnie d'Ada, Melina, Pasquale, Carmela et Enzo. À ce moment-là, dans la cohue, tandis que les mariés se glissaient dans une longue voiture blanche avec le photographe et son assistant pour aller faire des photos dans le Parco della Rimembranza, je fus prise d'anxiété à l'idée que la mère d'Antonio puisse reconnaître Nino, qu'elle lise sur son visage quelque trait de Donato. Mais mon inquiétude était infondée. Nunzia, la mère de Lila, entraîna vers une voiture Melina qui avait l'air perdu ainsi qu'Ada et ses frères et sœurs, et ils furent bientôt loin.

En fait personne ne reconnut Nino, même pas Gigliola, Carmela ou Enzo. Ils ne remarquèrent pas non plus Marisa, bien que ses traits soient encore proches de la petite fille qu'elle avait été. Les deux Sarratore, sur le moment, passèrent totalement inaperçus. Là-dessus Antonio me poussait déjà vers la vieille voiture de Pasquale ; Carmela et Enzo montaient avec nous, nous étions sur le point de partir, et tout ce que je trouvai à dire fut : « Où sont mes parents ? J'espère qu'on s'occupe d'eux. » Enzo répondit qu'il les avait vus dans je ne sais quelle voiture, bref il n'y eut rien à faire et nous partîmes : quant à Nino, encore immobile sur le parvis, l'air étourdi, en compagnie d'Alfonso et Marisa qui bavardaient entre eux, j'eus à peine le temps de lui lancer un regard, et puis je le perdis de vue.

Je devins nerveuse. Antonio, sensible au moindre de mes changements d'humeur, me murmura à l'oreille :

« Qu'est-ce que t'as ?

— Rien.

— Y a quelque chose qui t'embête ?

— Non non. »

Carmela se mit à rire :

« C'qui l'embête c'est que Lila s'est mariée et qu'elle voudrait bien se marier aussi !

— Pourquoi, toi tu ne voudrais pas te marier ? demanda Enzo.

— Si ça ne tenait qu'à moi, je me marierais bien demain !

— Et avec qui ?

— Oh, mais je sais bien avec qui !

— La ferme, lança Pasquale, personne ne voudra de toi. »

Nous nous dirigeâmes vers la Marina, Pasquale conduisait férocement. Antonio avait tellement bien bricolé son auto qu'il la pilotait comme une voiture de course. Il fonçait dans un grand fracas sans se soucier des secousses dues aux routes défoncées. Il arrivait à toute allure sur les voitures qui le précédaient, comme s'il voulait leur rentrer dedans, freinait sec quelques centimètres avant d'arriver au choc, braquait brusquement et les dépassait. Nous les filles nous hurlions de terreur ou bien lui adressions, indignées, des recommandations qui le faisaient rire et le poussaient à faire pire encore. Antonio et Enzo ne bronchaient pas, lâchaient tout au plus quelques commentaires grossiers sur les automobilistes trop lents et, quand Pasquale les dépassait, ils baissaient la vitre pour leur crier des insultes.

Ce fut pendant ce trajet vers la Via Orazio que je commençai à me sentir clairement une étrangère, rendue malheureuse par le fait même d'être une étrangère. J'avais grandi avec ces jeunes, je considérais leurs comportements comme normaux et leur langue violente était la mienne. Mais je suivais aussi tous les jours, depuis six ans maintenant, un parcours dont ils ignoraient tout et auquel je faisais face de manière tellement brillante que j'avais fini par être la meilleure. Avec eux je ne pouvais rien utiliser de ce que j'apprenais au quotidien, je devais me retenir et d'une certaine manière me dégrader moi-même. Ce que j'étais en classe, ici j'étais obligée de le mettre entre parenthèses ou de ne l'utiliser que par traîtrise, pour les intimider. Je me demandai ce que je faisais dans cette voiture. C'étaient mes amis, bien sûr, et il y avait mon petit copain, nous allions à la noce de Lila. Mais cette fête, justement, confirmait que Lila, la seule personne qui me soit encore indispensable malgré nos vies divergentes, ne nous appartenait plus et, sans elle, toute médiation entre ces jeunes et moi, entre cette voiture qui faisait la course dans les rues et moi, était finie. Alors pourquoi n'étais-je pas avec Alfonso, dont je partageais à la fois l'origine et la fuite ? Pourquoi surtout ne m'étais-je pas arrêtée pour dire à Nino : reste, viens à la réception, dis-moi quand sort la revue avec mon article, parlons-en ensemble et creusons-nous une tanière qui nous tienne loin de cette façon de conduire de Pasquale, de sa vulgarité et des violences verbales de Carmela, Enzo et aussi – oui, aussi – d'Antonio ?

60

Nous fûmes les premiers jeunes à entrer dans la salle de réception. Ma mauvaise humeur s'accentua. Silvio et Manuela Solara étaient déjà là, attablés en compagnie du commerçant en ferraille, sa femme florentine et la mère de Stefano. Les parents de Lila étaient installés eux aussi à une longue tablée avec d'autres membres de leur famille, mes parents, Melina et Ada qui, bouillant d'impatience, accueillit Antonio avec des gestes furieux. L'orchestre prenait place, les musiciens essayaient leurs instruments et le chanteur son micro. Nous tournâmes un peu en rond, gênés. Nous ne savions pas où nous asseoir et aucun d'entre nous n'osait demander aux serveurs ; Antonio, collé à moi, s'efforçait de m'amuser.

Ma mère m'appela et je fis semblant de ne pas l'entendre. Elle m'appela encore, sans réaction de ma part. Alors elle se leva et me rejoignit de son pas claudicant. Elle voulait que j'aille m'asseoir avec elle. Je refusai. Elle siffla :

« Pourquoi le fils de Melina n'arrête pas de te tourner autour ?

— Personne me tourne autour, m'man.

— Tu me prends pour une imbécile ?

— Non.

— Viens t'asseoir à côté de moi.

— Non.

— Je t'ai dit de venir. On te fait pas faire des études pour que t'ailles te gâcher avec un ouvrier qui a une mère folle. »

Je lui obéis, j'étais furieuse. D'autres jeunes commencèrent à arriver, tous des amis de Stefano. Parmi eux je vis Gigliola, qui me fit signe de la rejoindre. Ma mère me retint. Pasquale, Carmen, Enzo et Antonio finirent par s'asseoir avec le groupe de Gigliola. Ada, qui avait réussi à se débarrasser de sa mère en la confiant à Nunzia, vint me parler à l'oreille et me dit : « Allez, viens ! » Je tentai de me lever mais ma mère me saisit rageusement le bras. Ada prit un air déçu et alla s'asseoir près de son frère, qui de temps en temps me regardait : en levant les yeux au plafond, je lui faisais signe que j'étais prisonnière.

L'orchestre commença à jouer. Le chanteur, un homme sur la quarantaine aux traits fort délicats, presque chauve, chantonna quelque chose pour s'échauffer. D'autres invités arrivèrent et la salle fut bientôt pleine. Personne ne dissimulait sa faim, mais naturellement il fallait attendre les mariés. Je tentai encore de me lever et ma mère siffla : « Tu dois rester près de moi ! »

Rester près d'elle. Je me dis : elle ne s'en rend pas compte, mais qu'est-ce qu'elle est contradictoire avec ses accès de colère et ses gestes impérieux ! Elle n'aurait pas voulu que j'étudie, mais puisque maintenant j'étudiais elle estimait que je valais mieux que les jeunes avec lesquels j'avais grandi et elle prenait conscience – comme d'ailleurs je le faisais justement moi-même en cette occasion – que ma place n'était pas parmi eux. Toutefois, voilà qu'elle m'imposait de rester près d'elle pour me sauver Dieu sait de quelle mer déchaînée, de quel gouffre ou précipice, autant de dangers qu'Antonio incarnait alors à ses yeux. Mais rester près d'elle signifiait rester dans son monde et devenir exactement comme elle. Et si je devenais comme elle, avec qui pourrais-je bien finir sinon avec Antonio ?

À ce moment les époux arrivèrent : applaudissements enthousiastes. L'orchestre attaqua aussitôt la marche nuptiale. Je me soudai indissolublement à ma mère et à son corps tout en me sentant, à l'intérieur, de plus en plus étrangère. Voilà Lila fêtée par tout le quartier, et elle avait l'air heureuse. Elle souriait, élégante et courtoise, main dans la main avec son mari. Elle était sublime. C'était sur elle, sur sa démarche, que j'avais misé quand j'étais petite, pour échapper à ma mère. Je m'étais trompée. Lila était restée là, attachée de manière éclatante à ce monde dont, s'imaginait-elle, elle avait tiré le meilleur. Et le meilleur c'était ce jeune homme, ce mariage, cette fête et le jeu des chaussures pour Rino et son père. Rien à voir avec mon parcours de jeune fille studieuse. Je me sentis vraiment seule.

Les deux époux furent obligés de danser sous les flashs du photographe. Ils voltigèrent à travers la salle avec des mouvements précis. Je dois l'admettre, me dis-je : même Lila, malgré tout, n'a pas réussi à fuir le monde de ma mère. Mais moi si, il faut que je réussisse, je ne veux plus consentir à tout ça. Il faut que j'ignore ma mère, comme Mme Oliviero savait le faire quand elle se présentait chez nous afin de lui imposer ce qui était bon pour moi. Elle me retenait par le bras mais je devais faire comme si elle n'existait pas, et me rappeler que j'étais la meilleure en italien, latin et grec, me rappeler que j'avais tenu tête au professeur de religion et me rappeler qu'un article avec ma signature allait sortir dans la revue où écrivait un garçon beau et intelligent qui était en dernière année de lycée.

C'est à ce moment que Nino Sarratore entra. Je le vis avant de voir Alfonso et Marisa, je le vis et sautai sur mes pieds. Ma mère tenta de me retenir par un pan de ma robe mais je le lui arrachai des mains. Antonio, qui ne me perdait pas de vue, me lança un regard d'invitation, le visage radieux. Mais moi, me déplaçant dans le sens inverse de Lila et Stefano qui allaient maintenant prendre place au centre de leur tablée, entre les époux Solara et le couple de Florence, je me dirigeai droit vers l'entrée, vers Alfonso, Marisa et Nino.

61

Nous trouvâmes une place à table. Je bavardai de tout et de rien avec Alfonso et Marisa, espérant que Nino se déciderait à m'adresser la parole. Mais voilà qu'Antonio arriva derrière mon dos et se baissa pour me glisser à l'oreille :

« Je t'ai gardé une place. »

Je murmurai :

« Va-t'en, ma mère a tout compris. »

Il regarda autour de lui, hésitant et très intimidé. Il retourna à sa table.

Un brouhaha de mécontentement circulait dans la salle. Les invités les plus vindicatifs avaient tout de suite commencé à remarquer les choses qui n'allaient pas. Le vin n'était pas de la même qualité à toutes les tables. Certains en étaient déjà au premier plat alors que d'autres attendaient toujours que le hors-d'œuvre soit servi. Ici et là on disait à haute voix que, là où étaient assis les parents et amis du marié, le service était meilleur que là où étaient assis les parents et amis de la mariée. Je sentis que je détestais ces tensions et cette agressivité montante. Je pris mon courage à deux mains et entraînai Nino dans la conversation : je le priai de me parler de son article sur la misère à Naples, comptant bien lui demander aussitôt après avec naturel des nouvelles du prochain numéro de la revue et de ma demi-page. Il se lança dans des propos très intéressants et informés sur l'état de la ville. Son assurance me frappa. À Ischia il y avait encore en lui quelque chose du petit garçon tourmenté, mais à ce moment il me parut presque trop mûr. Comment était-il possible qu'un garçon de dix-huit ans parle de misère non pas de manière générale et affective comme le faisait Pasquale mais avec détachement, en citant des faits concrets et des données précises ?

« Où est-ce que tu as appris tout ça ?

— Il suffit de lire.

— Lire quoi ?

— Les journaux, les revues, les livres qui traitent de ces problèmes. »

Moi je n'avais jamais feuilleté le moindre journal

ou la moindre revue, je ne lisais que des romans. Même Lila, au temps où elle lisait, n'avait jamais rien lu d'autre que les vieux romans en lambeaux de la bibliothèque de prêt. J'étais en retard sur tout et Nino pouvait m'aider à récupérer du terrain.

Je me mis à lui poser toujours plus de questions, et il répondait. Il me répondait, oui, mais sans fournir des réponses fulgurantes comme Lila, il n'avait pas son pouvoir de tout rendre séduisant. Il construisait ses phrases comme un savant, les étayant de nombreux exemples concrets, et chacune de mes questions était comme un petit caillou provoquant un éboulement : il parlait sans interruption, sans nulle ironie ni fioriture, de manière nette et tranchante. Alfonso et Marisa se sentirent bientôt laissés pour compte. Marisa soupira : « Mon Dieu, qu'est-ce qu'il est rasoir, mon frère ! » et ils se mirent à bavarder entre eux. Nino et moi nous isolâmes aussi. Nous ne perçûmes plus rien de ce qui se passait tout autour : nous ne savions pas ce qu'on nous servait dans nos assiettes, ce que nous mangions ou buvions. Je m'efforçais de trouver des questions à lui poser et j'écoutais d'un air concentré ses réponses-fleuves. Cependant je saisis bien vite que le fil de ses propos suivait toujours la même idée fixe, qui animait chacune de ses phrases : le refus des paroles fumeuses, la nécessité de définir avec clarté les problèmes, de proposer des solutions réalistes et d'agir. J'acquiesçais tout le temps, je me déclarais d'accord sur tout. Je ne pris un air perplexe que lorsqu'il dit du mal de la littérature. « Mais qu'ils la vendent, leur fumée ! » répéta-t-il deux ou trois fois, très remonté contre ses ennemis, c'est-à-dire tous ceux qui vendaient de la fumée. « Qu'ils les écrivent, leurs romans ! Je les lirai volontiers. Mais s'il s'agit de changer vraiment les choses, c'est pas de ça qu'on a besoin. » En réalité, je crus comprendre qu'il se servait du mot « littérature » pour s'en prendre à ceux qui détruisaient la tête des gens avec ce qu'il appelait des bavardages inutiles. À une faible protestation de ma part, il répliqua par exemple : « Trop de mauvais romans chevaleresques, Lenù, font un Don Quichotte ; mais nous, avec tout le respect dû à Don Quichotte, on n'a pas besoin, ici à Naples, de nous battre contre les moulins à vent, ce ne serait que du courage gâché. Nous ce qu'il nous faut c'est des gens qui savent comment les moulins fonctionnent, et les font fonctionner. »

J'eus bientôt le désir de pouvoir discuter tous les jours avec un garçon de ce calibre. J'avais fait tellement d'erreurs à son sujet ! Quelle bêtise ça avait été de le désirer, de l'aimer, et pourtant de toujours l'éviter ! C'était la faute de son père. Mais aussi ma faute : moi qui en voulais tellement à ma mère, comment avais-je pu laisser le père jeter son ombre menaçante sur le fils ? Je me repentis et me délectai de mon repentir, ainsi que du roman dans lequel je me sentais plongée. Je haussais souvent la voix pour couvrir le bruit de la salle, de la musique, et il faisait de même. Parfois je regardais vers la table de Lila : elle riait, mangeait et bavardait, elle n'avait même pas réalisé où j'étais et avec qui je parlais. En revanche, je regardais rarement vers la table d'Antonio, je craignais qu'il ne me fasse signe de le rejoindre. Mais je sentais bien qu'il avait les yeux braqués sur moi et qu'il était crispé, il commençait à s'énerver. Tant pis, me dis-je, de toute façon j'ai déjà pris ma décision, je le quitte demain : je ne peux pas continuer avec lui, nous sommes trop différents. Certes, il m'adorait et se consacrait entièrement à moi, mais comme un petit chien. En revanche j'étais éblouie par la manière dont Nino me parlait : sans aucun rapport d'infériorité. Il m'expliquait sa vision de l'avenir et les idées qu'il prendrait comme bases pour le construire. Je l'écoutais et mon imagination s'enflammait, presque comme Lila l'enflammait autrefois. L'attention qu'il me portait me faisait grandir. Oui, lui saurait me détacher de ma mère – lui qui ne voulait rien d'autre que se détacher de son père.

Je sentis qu'on me touchait l'épaule, c'était encore Antonio. Il dit sombrement :

« Allez, on danse.

— Ma mère ne veut pas », murmurai-je.

Il répliqua nerveusement et à voix haute :

« Tout le monde danse, alors c'est quoi le problème ? »

Je fis un sourire gêné à Nino, il savait bien qu'Antonio était mon petit ami. Il me regarda, sérieux, et se tourna vers Alfonso. J'allai danser :

« Ne me serre pas !

— Je te serre pas. »

Un grand vacarme et une allégresse éméchée régnaient. Tout le monde dansait – jeunes, adultes, enfants. Mais moi je sentais ce qu'il y avait vraiment derrière cette apparence de fête. Les parents de la mariée laissaient transparaître sur leurs visages grimaçants un mécontentement bagarreur. Surtout les femmes. Elles s'étaient saignées aux quatre veines pour le cadeau et les vêtements qu'elles avaient sur le dos, elles s'étaient endettées, et maintenant elles étaient traitées comme des moins-que-rien, avec du mauvais vin et un service d'une lenteur insupportable. Mais pourquoi Lila n'intervenait-elle pas ? Pourquoi n'allait-elle pas protester auprès de Stefano ? Je les connaissais bien. Elles contiendraient leur colère par amour pour Lila. Mais à la fin de la réception, Lila irait se changer, reviendrait vêtue de son habit de voyage, distribuerait les dragées et partirait, tout élégante, avec son mari : alors une querelle homérique éclaterait, engendrant des haines qui dureraient des mois ou des années, provoquant disputes et échanges d'insultes qui impliqueraient les maris et les fils, tous se sentant obligés de montrer à leurs mères, sœurs et grand-mères qu'ils savaient se comporter comme des hommes. Je les connaissais toutes et tous. Je voyais les regards féroces que les garçons décochaient au chanteur et aux musiciens qui lançaient des œillades déplacées à leurs fiancées ou s'adressaient à elles pleins de sous-entendus. Je voyais comment Enzo et Carmela se parlaient pendant qu'ils dansaient, je voyais aussi Pasquale et Ada assis à table : il était évident qu'avant la fin de la fête ils se mettraient ensemble, puis se fianceraient, et selon toute probabilité dans un an ou dix se marieraient. Je voyais Rino et Pinuccia. Dans leur cas tout irait plus vite : si la fabrique de chaussures Cerullo décollait pour de bon, dans un an tout au plus ils auraient droit à une noce pas moins fastueuse que celle-ci. Ils dansaient, se regardaient dans les yeux et se serraient fort l'un contre l'autre. Amour et intérêt. Épicerie plus chaussures. Immeubles anciens et immeubles modernes. Étais-je comme eux ? Étais-je encore comme eux ?

« C'est qui celui-là ? demanda Antonio.

— Qui veux-tu que ça soit ? Tu ne le reconnais pas ?

— Non.

— C'est Nino, le fils aîné de Sarratore. Et elle c'est Marisa, tu te souviens d'elle ? »

Il n'avait rien à faire de Marisa, mais de Nino si. Il dit, nerveux :

« Et toi, d'abord tu m'emmènes voir Sarratore pour le menacer, et après tu te mets à bavarder pendant des heures avec son fils ? Je me suis fait faire un costume neuf pour rester là à te regarder t'amuser avec ce mec-là, qui ne s'est même pas coupé les cheveux et n'a même pas mis de cravate ? »

Il me planta au milieu de la salle et se dirigea d'un pas rapide vers la porte en verre menant sur la terrasse.

Pendant quelques secondes je ne sus que faire. Rejoindre Antonio. Retourner auprès de Nino. J'avais le regard de ma mère rivé sur moi, même si son œil qui louchait avait l'air de regarder ailleurs. J'avais sur moi le regard de mon père, et c'était un regard mauvais. Je me dis : si je retourne voir Nino et ne rejoins pas Antonio dehors, c'est lui qui me quittera, et pour moi ce sera mieux comme ça. Je traversai la salle tandis que l'orchestre continuait à jouer et les couples à danser. Je m'assis à ma place.

Nino ne sembla pas avoir accordé la moindre attention à ce qui s'était produit. À présent il parlait avec son débit torrentiel de Mme Galiani. Il prenait sa défense auprès d'Alfonso qui, je le savais bien, la détestait. Il disait que s'il finissait souvent par être en désaccord avec elle – elle était trop rigide –, en revanche comme enseignante elle était extraordinaire, elle l'avait toujours encouragé et l'avait aidé à développer ses capacités de travail. Je tentai de m'insérer dans la conversation. Je désirais de toute urgence être à nouveau captivée par Nino, je ne voulais pas qu'il se mette à discuter avec mon camarade de classe exactement comme peu de temps avant il discutait avec moi. Il fallait – afin de ne pas courir faire la paix avec Antonio et lui dire, en larmes : oui, tu as raison, je ne sais pas qui je suis ni ce que je veux vraiment, je t'utilise et puis je te jette mais ce n'est pas ma faute, je me sens coupée en deux, pardonne-moi –, oui il fallait que Nino m'entraîne, de manière exclusive, dans son savoir et ses compétences, et qu'il me reconnaisse comme sa semblable. Du coup je lui coupai pratiquement la parole et, alors qu'il tentait de reprendre le discours interrompu, je me mis à énumérer les livres que, depuis le début de l'année, la professeure m'avait prêtés et les conseils qu'elle m'avait prodigués. Nino acquiesça, un peu boudeur, puis se rappela que Galiani, il y avait long-temps, lui avait prêté un de ces textes à lui aussi, et il commença à m'en parler. Mais j'avais de plus en plus besoin de paroles gratifiantes qui éloignent Antonio de mes pensées alors je lui demandai, sans transition :

« Quand est-ce qu'elle sort, la revue ? »

Il me fixa l'air indécis, avec une légère appré-hension :

« Elle est sortie il y a deux semaines. »

J'eus un sursaut de joie et demandai :

« Où est-ce que je peux la trouver ? »

— Ils la vendent à la librairie Guida. Mais je peux te la procurer.

— Merci. »

Il hésita puis ajouta :

« Mais ils n'ont pas mis ton texte, finalement il n'y avait pas de place. »

Alfonso eut aussitôt un sourire de soulagement et murmura :

« Tant mieux. »

62

Nous avions seize ans. J'étais devant Nino Sarratore, Alfonso et Marisa, je m'efforçais de sourire et disais avec une fausse nonchalance : « C'est pas grave, ce sera pour une prochaine fois » ; Lila se trouvait à l'autre bout de la salle – c'était la mariée, la reine de la fête –, Stefano lui parlait à l'oreille et elle souriait.

Le long et exténuant repas de noce touchait à sa fin. L'orchestre jouait, le chanteur chantait. Antonio, de dos, comprimait dans sa poitrine la douleur que je lui avais causée et regardait la mer. Enzo murmurait peut-être à Carmela qu'il l'aimait. Rino l'avait certainement déjà dit à Pinuccia, qui lui parlait en le regardant fixement dans les yeux. Pasquale tournait sans doute autour du pot, effrayé : mais Ada ferait en sorte, avant que la fête finisse, de lui arracher de la bouche les mots nécessaires. Cela faisait longtemps que s'enchaînaient les toasts truffés d'allusions obscènes, un art dans lequel le commerçant en ferraille excellait. Le sol était couvert de la sauce qui avait giclé de l'assiette qu'un enfant avait lâchée et du vin que le grand-père de Stefano avait fait tomber. Je ravalai mes larmes. Je me dis : peut-être qu'ils publieront mes lignes dans le prochain numéro, peut-être que Nino n'a pas assez insisté, j'aurais peut-être mieux fait de m'en occuper moi-même. Mais je ne dis rien, continuai à sourire et trouvai même la force de dire :

« D'ailleurs je me suis déjà disputée une fois avec le curé, ça ne sert à rien de se disputer encore.

— En effet ! » dit Alfonso.

Mais rien ne pouvait atténuer ma déception. Je me débattais pour échapper à une sorte d'obscurcissement de mon cerveau et à une douloureuse chute de tension, mais je n'y arrivais pas. Je découvris que j'avais considéré la publication de ces quelques lignes et ma signature imprimée comme le signe que j'avais réellement un destin, que la fatigue des études amenait vraiment quelque part, très haut, et que Mme Oliviero avait eu raison de me pousser et d'abandonner Lila. « Tu sais ce que c'est, la plèbe ? – Oui, madame. » Ce que c'était, la plèbe, je le sus à ce moment-là, beaucoup plus clairement que quand Mme Oliviero me l'avait demandé des années auparavant. La plèbe, c'était nous. La plèbe, c'étaient ces disputes pour la nourriture et le vin, cet énervement contre ceux qui étaient mieux servis et en premier, ce sol crasseux sur lequel les serveurs passaient et repassaient et ces toasts de plus en plus vulgaires. La plèbe c'était ma mère, elle avait bu et maintenant se laissait aller, le dos contre l'épaule de mon père qui restait sérieux, et elle riait bouche grande ouverte aux allusions sexuelles du commerçant en ferraille. Tout le monde riait et Lila aussi, elle semblait avoir un rôle à jouer et vouloir le jouer jusqu'au bout.

Sans doute écœuré par le spectacle en cours, Nino se leva et dit qu'il s'en allait. Il se mit d'accord avec sa sœur pour rentrer plus tard à la maison ensemble, et Alfonso promit d'accompagner Marisa à l'heure et à l'endroit prévus. Elle eut l'air très fière d'avoir un cavalier aussi accompli. Hésitante, je proposai à Nino :

« Tu ne veux pas saluer la mariée ? »

Il fit un large geste du bras, bredouilla quelque chose concernant ses vêtements et, sans même serrer la main ni adresser la moindre salutation à Alfonso et moi, se dirigea vers la porte de son habituelle démarche oscillante. Il savait qu'il entrait dans le quartier et en sortait comme il le voulait, sans en être contaminé. Il pouvait le faire, il avait les capacités de le faire – peut-être l'avait-il appris des années auparavant, à l'époque du déménagement tempétueux qui avait failli lui coûter la vie.

Moi je doutai d'y arriver. Étudier ne servait à rien : j'avais beau avoir dix à mes devoirs, ce n'était que l'école ; en revanche, ceux qui travaillaient à la revue avaient flairé mon texte, mon texte et celui de Lila, et ne l'avaient pas publié. Nino oui, il pouvait tout se permettre : il avait le visage, les gestes et la démarche de celui qui ne cesserait jamais de progresser. Quand il disparut, j'eus l'impression qu'avait disparu la seule personne de toute la salle qui ait la force de m'entraîner au loin.

Puis il me sembla que la porte du restaurant se fermait à cause d'un coup de vent. En réalité il n'y eut ni vent ni claquement de battants. Il se produisit simplement ce qui était prévisible qu'il se produise. Juste au moment du gâteau et des bonbonnières, les magnifiques et élégants frères Solara surgirent. Ils traversèrent la salle en saluant untel et untel avec leurs manières de patrons. Gigliola se jeta au cou de Michele et l'entraîna s'asseoir à côté d'elle. Lila, une rougeur soudaine sur la gorge et autour des yeux, tira énergiquement son mari par le bras et lui dit quelque chose à l'oreille. Silvio fit un petit geste vers ses fils et Manuela les regarda avec un orgueil de mère. Le chanteur entonna *Lazzarella*, imitant avec un certain talent Aurelio Fierro. Rino accueillit Marcello avec un sourire amical. Marcello s'assit, desserra sa cravate et croisa les jambes.

Ce qui n'était pas prévisible se produisit seulement à ce moment-là. Je vis Lila perdre ses couleurs, devenir très pâle comme lorsqu'elle était enfant, plus blanche que sa robe de mariée, et soudain ses yeux se concentrèrent jusqu'à devenir deux fissures. Il y avait une bouteille de vin devant elle et je craignis que son regard ne la traverse avec une violence capable de la faire exploser en mille morceaux, faisant gicler du vin partout. Mais elle ne regardait pas la bouteille. Elle regardait plus loin, elle regardait les chaussures de Marcello Solara.

C'étaient des chaussures Cerullo pour homme. Pas le modèle en vente, celui avec la boucle dorée. Marcello avait aux pieds les chaussures achetées il y avait longtemps par Stefano, son mari. C'était la paire qu'elle avait réalisée avec Rino, les faisant et défaisant pendant des mois, s'y abîmant les mains.

DU MÊME AUTEUR

Aux Éditions Gallimard

L'AMOUR HARCELANT, 1995.
LES JOURS DE MON ABANDON, 2004.
POUPÉE VOLÉE, 2009.
L'AMIE PRODIGIEUSE, 2014 (Folio n° 6052).
LE NOUVEAU NOM, 2016.

COLLECTION FOLIO